Surdez e linguagem

CIP-BRASIL. CATALOGAÇÃO NA PUBLICAÇÃO
SINDICATO NACIONAL DOS EDITORES DE LIVROS, RJ

S223s
5. ed.

Santana, Ana Paula, 1968-
Surdez e linguagem : aspectos e implicações neurolinguísticas / Ana Paula Santana. - 5. ed. - São Paulo : Summus, 2015.
328 p. : il.

Inclui bibliografia
ISBN 978-85-85689-96-4

1. Surdez - Educação. 2. Aquisição de linguagem. 3. Neurolinguística. I. Título.

15-21180 CDD: 371.912
CDU: 376-056.263

Surdez e linguagem

Aspectos e implicações neurolinguísticas

ANA PAULA SANTANA

SURDEZ E LINGUAGEM
Aspectos e implicações neurolinguísticas

Editora executiva: **Soraia Bini Cury**
Assistente editorial: **Michelle Neris**
Capa: **Camila Mesquita**
Projeto gráfico: **Crayon Editorial**
Diagramação: **Santana**
Impressão: **Sumago Gráfica Editorial**

Summus Editorial
Departamento editorial
Rua Itapicuru, 613 – 7º andar
05006-000 – São Paulo – SP
Fone: (11) 3872-3322
Fax: (11) 3872-7476
http://www.summus.com.br
e-mail: summus@summus.com.br

Atendimento ao consumidor
Summus Editorial
Fone: (11) 3865-9890

Vendas por atacado
Fone: (11) 3873-8638
Fax: (11) 3872-7476
e-mail: vendas@summus.com.br

Impresso no Brasil

Para meus pais,
Maria Elvira e Dimas,
meu porto seguro.

Agradecimentos

A Edwiges Maria Morato, a Dudu, por mergulhar comigo no campo da surdez, pelos incentivos constantes e pelo muito que me ensinou;

Às professoras doutoras Cecília Lima, Cristina Pereira e Cecília Bevilacqua (in memoriam), por me introduzirem no “mundo” das crianças surdas;

Aos centros de pesquisa Derdic (PUC-SP), Cepre (Unicamp) e Centrinho (USP-Bauru), nos quais colhi boa parte dos dados;

Aos surdos que integraram esta pesquisa e aos seus pais;

Um agradecimento especial a Domingos, que, mesmo participando indiretamente desta pesquisa, introduziu-me no mundo dos surdos por meio de fax, e-mails e relatos sensíveis que tocaram minha alma;

Ao CNPq e à Capes, pelo apoio financeiro que permitiu a realização deste trabalho;

A Ana Paula Berberian, Giselle Massi, Lilian Jacob e Regina Serrato, pela amizade e pelas enriquecedoras discussões acerca da linguagem, e, em especial, a Ana Cristina Guarinello, pelas “trocas” dialógicas sobre o campo da surdez;

Ao Alexandre – meu companheiro e interlocutor “científico” de todas as horas –, pelo nosso crescimento conjunto no campo da linguagem e da surdez.

Aos meus filhos, Beatriz e Gabriel, minhas fortalezas.

Sumário

Prefácio

EM PRIMEIRO LUGAR, AGRADEÇO o convite para prefaciar novamente o livro de Ana Paula Santana. É sempre uma grande responsabilidade apresentar ao outro uma obra e sugeri-la como leitura; ao fazermos isso, tornamo-nos partícipes de suas novas aventuras. Mas dessa vez é possível afirmar que esta obra fez muito sentido para muitos leitores, já que está sendo apresentada em uma nova edição após quase uma década.

Assim, aceitei esse desafio, também para esta quinta edição, pois entendo que se trata de obra ampla, interessada em discutir modos atuais de enfrentamento das problemáticas que envolvem a surdez, sendo, nesse sentido, muito necessária.

Além disso, entre a primeira e a presente edição deste livro, a autora avançou em suas pesquisas, produziu muito e formou novos pesquisadores, o que amplia seu leque de possibilidades de colaborar ainda mais com a área.

Surdez e linguagem – Aspectos e implicações neurolinguísticas apresenta um debate de ideias muito rico, importante para pesquisadores e todos aqueles que se interessam pela surdez. Trata-se de um texto bem construído, que percorre caminhos pouco usuais, já que os depoimentos dos sujeitos surdos envolvidos são entremeados com muita propriedade pela discussão teórica. Ao mesmo tempo, a autora, corajosamente, traz ao debate um largo espectro de facetas que constituem os múltiplos modos de lidar com a surdez, indo do implante coclear à abordagem bilíngue de atendimento ao surdo. Esse modo de tecer o texto descortina ao leitor um vasto cenário, revelando conflitos, discussões e saídas que têm envolvido essa área do conhecimento nos últimos tempos.

Nesse contexto, a autora revisa vários aspectos que interessam à neurolinguística e perpassam a surdez, como: a idade crítica para aquisição da linguagem, o desenvolvimento linguístico gestual e oral, o bilinguismo e a aquisição e o desenvolvimento da escrita, pontuando como surdos e ouvintes vêm se relacionando com a surdez diante desses aspectos.

Certamente esta obra não esgota os debates da área, muito pelo contrário, traz pontos de tensão que instigam o leitor à reflexão, diante da complexidade que a surdez nos apresenta - exemplos são os impedimentos para a aquisição da linguagem oral e a necessidade de intervenção diferenciada para a aquisição da linguagem, na perspectiva de favorecer o desenvolvimento pleno dos sujeitos surdos. Esses pontos de tensão permanecem atuais e convocam-nos a participar do debate.

Assim, espero que o leitor aceite o convite e encontre em *Surdez e linguagem - Aspectos e implicações neurolinguísticas* material para aprofundar seus conhecimentos nessa área.

Cristina Broglia Feitosa de Lacerda
São Carlos, janeiro de 2015.

Graduada em Fonoaudiologia pela USP,
mestre e doutora em Educação pela Unicamp e
docente do Curso de Licenciatura em Educação Especial e do
Programa de Pós-Graduação em Educação Especial da
Universidade Federal de São Carlos (UFSCar).

Prefácio à 5ª Edição

Esta edição, resultado de minha tese de doutorado escrita em 2003, é fruto do reconhecimento tido durante os oito anos após sua primeira publicação, em 2007. Em 2010, este livro foi selecionado para fazer parte do Programa Nacional Biblioteca na Escola. Isso representou uma disseminação das ideias aqui propostas em todas as regiões brasileiras, não apenas entre os pesquisadores, mas também entre professores e pais, coordenadores pedagógicos, intérpretes e demais leitores interessados na surdez e na linguagem.

Mais uma edição implica a consolidação de um texto claro e preciso e que aborde diversas facetas da surdez. Nestes últimos dez anos, realizei novas pesquisas e reflexões que partiram das discussões que tive com alunos e pesquisadores em cursos de graduação, especialização, pós-graduação, seminários, congressos e demais *loci* de diálogos. Dessa forma, informações foram revistas com o objetivo de aprofundar conceitos e debater novas ideias e práticas. Nesse período, foi registrado um aumento considerável de publicações no Brasil em relação à surdez. A regulamentação em 2005 pelo Decreto 5626/2005 (Brasil, 2005) da Lei da Libras (Lei nº 10.436/2002) também promoveu modificações significativas. O reconhecimento da linguagem de sinais legitimou a criação dos cursos de Letras/Libras para atender às exigências legais que se referem à sua inclusão nos currículos dos cursos de licenciatura e fonoaudiologia em todas as universidades do país. Houve também um crescimento de surdos pesquisadores e, assim, o aprofundamento das pesquisas sobre a Língua Brasileira de Sinais. O aumento de doutores surdos no Brasil também legitimou a importância da Comunidade Surda nos debates relativos à surdez, assim como a participação mais efetiva desse grupo nas decisões políticas, como em defesa não apenas de uma abordagem bilíngue, mas do ensino em duas línguas. A carta enviada pelos surdos ao ministro Mercadante, em junho de 2012, foi mais uma tentativa de legitimar esse processo:

> A educação inclusiva, grande parte das vezes, permite o convívio de todos os alunos entre si, mas não tem garantido o nosso aprendizado, o aprendizado dos surdos. Rogamos-lhe, senhor ministro, que garanta as escolas bilíngues, com instrução em libras e em português escrito, nas diretrizes educacionais do MEC e que reforce a importância de sua inclusão no PNE. Essas escolas respeitam a especificidade linguístico-cultural das crianças e jovens surdos e sua viabilidade representa a garantia ao direito que os surdos têm a uma educação bilíngue específica, a qual permite o convívio entre seus pares. (Carta aberta ao Ministro da Educação, elaborada pelos sete primeiros doutores surdos brasileiros, que atuam nas áreas de educação e linguística - 8 de junho de 2012)

Em 2012 tivemos, então, sete surdos com doutorado no país, o que evidencia um crescimento no grau de escolarização que, até então, não se tinha alcançado. Poucos conseguiam, anteriormente, finalizar o ensino básico e muitos eram meros copistas, pois as escolas não favoreciam outro tipo de possibilidade, considerando que não estavam preparadas, nem tinham profissionais qualificados para trabalharem com o surdo. A realidade hoje tem se modificado e o censo educacional já os evidencia na universidade, não apenas cursando Letras/Libras, mas tantos outros cursos. Paralelamente a isso, há a preocupação com o domínio da língua portuguesa na modalidade escrita pelos surdos.

Por sua vez, os editores têm produzido livros bilíngues (língua de sinais e português escrito), não apenas didáticos, mas também literatura infantil e juvenil, propiciando ao surdo possibilidades de letramento na língua de sinais e no português escrito. Atualmente, as temáticas da alfabetização e do letramento não podem ser mais dissociadas. É preciso entender a escrita com base na imersão dos sujeitos em práticas efetivas de leitura e escrita.

Paralelamente a essas questões, verificaram-se também avanços nas tecnologias relacionadas às próteses auditivas. O SUS insere no rol de seus procedimentos, desde dezembro de 2014, a cirurgia bilateral para o implante coclear. As pesquisas na área de audiologia têm evidenciado que o implante bilateral promove uma discriminação auditiva superior ao unilateral. Ao mesmo tempo, os estudos também relatam que não basta "ouvir para falar", é necessário que sejam consideradas as condições sociais, linguísticas e interativas envolvidas na aquisição de linguagem da criança. Tal afirmação já fazia parte das conclusões da tese que deu origem a este livro desde 2003.

Nesse sentido, cabe aos profissionais que trabalham com a surdez estarem preparados para uma discussão multifacetada. No campo da fonoaudiologia, por exemplo, deve-se considerar questões sócio-históricas nas terapias que visem à aquisição das linguagens oral e escrita. O fonoaudiólogo, a depender do contexto, é o profissional que vai propiciar a aquisição da primeira língua, quando esta for na modalidade oral, ou da segunda língua, quando for na modalidade oral e/ou escrita. O trabalho com a língua de sinais vai depender do estatuto que o fonoaudiólogo atribui a ela. É necessário, assim, que ele possa rever o seu papel. Afastando-se do conceito de normalização e cura, cabe–lhe entender a dimensão da heterogeneidade da surdez em todos os seus aspectos. Nesse sentido, estabelecer uma linha divisória entre implante coclear e língua de sinais pode ser um equívoco.

Apesar do avanço que se verifica nesse debate, continua ainda hoje uma visão polarizada: de um lado, surdos e profissionais que concebem a surdez como diferença; de outro, profissionais que concebem a surdez como doença e, portanto, querem a "cura" por meio do implante coclear. Mas insistir numa visão polarizada sobre a questão não promove avanços. Avanços esses que têm sido já evidenciados em todas as pesquisas que tratam do tema (e que foram aqui atualizadas). O avanço significa não só entender os conflitos, mas também promover diálogos. Afinal, há surdos com implante coclear que falam e utilizam língua de sinais. As pesquisas na área da neuropsicologia indicam a plasticidade cerebral e as possibilidades cognitivas do deficiente auditivo quando ele adquire a linguagem (seja língua de sinais ou linguagem oral), um surdo bilíngue.

Após realizar também uma atualização bibliográfica sobre os vários temas que compõem este livro, pretendo, ao mesmo tempo, contribuir com os novos debates e continuar colaborando com aqueles que já se faziam presentes quando de sua primeira edição. Convoco, assim, o leitor, mais uma vez, a ser cúmplice ou crítico desta obra.

Introdução

O DIAGNÓSTICO DA SURDEZ[1] traz consigo os pré-construídos culturais em relação ao "ser surdo": impossibilidade de falar e de aprender, falta de inteligência, insucesso na escola, incapacidade de conseguir um bom emprego etc. Quando uma família ouvinte descobre que o filho não escuta, tem de fazer escolhas: se realizará a cirurgia de implante coclear, se aprenderá a língua de sinais, se comprará um aparelho auditivo, se submeterá o filho à terapia fonoaudiológica, se irá colocá-lo em uma escola regular ou especial.

O tema da surdez envolve, em função disso, muitos aspectos: de ordem médica (sobre a etiologia, o diagnóstico e a cirurgia de implante coclear); de ordem linguística (processos diferentes de aquisição e de desenvolvimento da linguagem oral e/ou de sinais); de ordem educacional (abordagens específicas para o surdo); de ordem terapêutica (acompanhamento especialmente no campo da fonoaudiologia); de ordem social (dificuldade nas interações com ouvintes); de ordem trabalhista (dificuldade de arranjar emprego e luta pelo aumento da "cota" de vagas para deficientes); e de ordem política (luta pelos direitos dos surdos e pelo reconhecimento da língua de sinais). Todos eles decorrem dos obstáculos para falar a língua oral, a língua *legítima* (evidentemente, a legitimidade de uma língua é uma questão de ordem política, resultado de certas relações de poder, e não apenas linguística).

---

1. Neste trabalho, quando utilizo os termos "surdez" ou "surdo", refiro-me apenas à surdez de grau profundo, com uma porcentagem mínima de resíduo auditivo.

É por isso que, de uma maneira ou de outra, os pais ouvintes procuram inicialmente garantir que seu filho possa falar. Se lhes asseguram que isso será possível por meio do implante coclear, eles em geral o farão. Se lhes afirmam que o filho falará pelo uso da língua de sinais, eles tentarão aprendê-la. Se lhes dizem que os gestos prejudicam a aquisição da fala, eles procurarão impedir situações comunicativas em que estes possam aparecer.

Entre as áreas do conhecimento relacionadas com a surdez, sempre houve disputa para apontar a melhor solução para a comunicação dos surdos. Essa competição tem duas bases. De um lado, há o oralismo, que busca a "normalidade" e a fala, procurando dispor de avanços tecnológicos para oferecer ao surdo a possibilidade de ouvir. De outro, existe o bilinguismo, que defende a língua de sinais como a língua dos surdos, e uma cultura surda específica, direcionando o debate para uma questão de política linguística. Há, pois, um embate entre a área da saúde (que busca "normalizar") e pedagógica (que procura diminuir os "estigmas").

As propostas de trabalho direcionadas à surdez têm se preocupado, basicamente, com as abordagens específicas educacionais para os surdos, com a defesa da "cultura surda" e a análise dos aspectos formais da linguagem. Isso decorre do fato de que é ainda muito recente o interesse, de forma mais sistemática, da linguística pelo tema. Antes, a surdez era objeto de estudo de médicos e educadores e, mais recentemente, de fonoaudiólogos. Pode-se dizer também que pesquisas sobre o tema na área da neurolinguística ainda estão no início. Dessa forma, o objetivo deste livro é oferecer uma contribuição a esse debate, a fim de proporcionar discussões que levem em conta a relação entre linguagem, cognição e cérebro, assim como o que decorre dela: as interações socioculturais, a intersubjetividade, os processos de significação. Esses elementos procuram compor uma perspectiva sociocognitiva das ações humanas.

Minhas preocupações voltaram-se, com isso, para a análise do que de fato ocorre nas interações sociais que marcam a experiência linguística dos surdos. Por exemplo, propõe-se a um surdo determinada abordagem terapêutica/educacional, mas como ele se relaciona com sua família ouvinte, seus pais e seus amigos na escola? Quem são os seus interlocutores? Quais opções linguísticas esse surdo faz diante de situações interativas, linguísticas e heterogêneas? E, principalmente, quais as implicações neurolinguísticas desses aspectos?

A discussão sobre o funcionamento cognitivo na surdez não pode se referir apenas aos aspectos biológicos. A organização cognitiva particular está também relacionada à percepção do mundo e à construção da significação. Podemos dizer que, na surdez, encontramos uma condição neurolinguística de grande complexidade, em decorrência das condições de aquisição da língua, do uso da leitura labial, da língua de sinais, da fala, da "audição" resultante das próteses auditivas e dos implantes cocleares, dos aspectos culturais e do impacto político e social destes na vida dos surdos. E esses fatores dependem ainda de outras variáveis: práticas interativas, interlocutores proficientes, possibilidades de adquirir uma segunda língua, métodos formais ou informais na sua aprendizagem e a relação de cada sujeito com essa(s) língua(s).

Uma vez que se leva em conta a neurolinguística enunciativo-discursiva para a composição deste trabalho, consideram-se relevantes as relações entre cérebro, linguagem e cultura, as situações de enunciação contextualizadas, os metadiscursos produzidos, os contextos pragmáticos, a construção da subjetividade e as condições sócio e psicolinguísticas. Assim, cabe a indagação de como podemos pensar o funcionamento cerebral ante a surdez e as condições de linguagem heterogêneas.

Não se pode tomar como base a ideia de que há um "cérebro do surdo" universal, ou seja, não podemos fazer generalizações arbitrárias sobre seu funcionamento nem correlações anatomofisiológicas a expensas de fatores históricos e subjetivos. O cérebro humano, por sua natureza plástica e dinâmica, é capaz de novas (re)organizações funcionais resultantes do contexto sócio-

-histórico de que o sujeito participa. Em função disso, uma série de outras questões é colocada: a discussão sobre "cultura e identidade surda" tem quais consequências sobre os aspectos neurolinguísticos? A dificuldade na aquisição da linguagem em idade tardia na surdez pode ter como base de explicação apenas a tese do período crítico? Como as condições linguísticas (língua de sinais, linguagem oral, bilinguismo) que o surdo apresenta influenciam os fatores neurolinguísticos?

Baseando-me nessas considerações, organizei os capítulos deste livro dividindo-os em três partes. Na primeira, discuto aspectos relacionados às realidades fabricadas. Nela, procuro entender o que subjaz ao conceito de surdez e a seus categoremas: identidade, cultura e língua. Procuro também compreender o motivo pelo qual o metadiscurso construído pelos leigos e especialistas em surdez transforma a representação da realidade em realidade da representação, como ocorre com a reivindicação de uma cultura surda, de uma língua do surdo, de uma identidade surda.

Do mesmo modo, discuto – com base nas noções de tempo, de etapas predefinidas e de maturação cerebral – o conceito de idade crítica para aquisição da linguagem. "Verdades" enraizadas em nossa cultura que trazem consequências para o tratamento da surdez são, então, expostas: a priorização de próteses auditivas para crianças menores, a crença na impossibilidade de adquirir a linguagem após determinada idade etc. Analiso ainda se, na atualidade, com a confirmação da plasticidade cerebral, é possível conceber o cérebro como rígido e inflexível.

Na segunda parte, "Rompendo fronteiras", abordo aspectos relacionados ao funcionamento da linguagem. As diferentes propostas educacionais para a surdez delimitam fronteiras entre gesto, língua de sinais e linguagem oral. Porém, as fronteiras são rompidas quando se verificam sistemas semióticos verbais e não verbais co-ocorrentes; interações marcadas por disfluências dos interlocutores, cujas interações são repletas de mal-entendidos; surdos que não se "identificam" com as escolhas linguísticas realizadas por seus pais ou professores; a desmistificação do falante/ouvinte ideal; e abordagens terapêuticas e educacionais que se distanciam da prática e da história dos surdos com a linguagem.

Na terceira parte, "Caleidoscópio", enfoco as implicações neurolinguísticas das diferentes formas de perceber e referenciar o mundo. Assim como o caleidoscópio produz várias imagens em um mesmo objeto, as experiências humanas podem ser diversas, embora todos os sujeitos sejam surdos (homogeneidade que esta pesquisa demonstra ser aparente e arbitrária). Mudanças nas interações e na linguagem provocam mudanças cognitivas. A discussão sobre cérebro, cognição e linguagem na surdez não pode se basear em um cérebro universal, homogêneo, a-histórico. Há transformações cognitivas que ocorrem em função de como significamos e compartilhamos o mundo, da(s) escolha(s) linguística(s) que fazemos, de como construímos nossa subjetividade. Ao compreender esses aspectos como inter-relacionados, percebemos a relação intrínseca entre linguagem e cognição, bem como a importância das condições de aquisição e uso da linguagem - seja ela oral ou sinalizada - em nossa capacidade de apreender, interpretar e agir no mundo. Essas condições têm implicações (neuro)linguísticas. Há um silêncio que se revela na arbitrariedade de algumas abordagens educacionais que não levam em conta a relação de mútua constitutividade entre cognição e linguagem, em que intervêm a qualidade das interações humanas e as práticas sociais - das quais a linguagem é, sem dúvida, a mais significativa.

Acrescento que meu estudo leva em conta aspectos relacionados apenas aos surdos de grau profundo e filhos de pais ouvintes, realidades essas consideradas mais problemáticas em termos sociais, linguísticos e cognitivos.

Participaram desta pesquisa seis crianças e cinco adultos surdos. A história de cada sujeito citado pode ser encontrada nos "Anexos". Este estudo envolveu: a) análise do uso da linguagem por surdos que participaram de abordagem bilíngue, que foram submetidos à abordagem oralista e que possuem implante coclear; b) entrevistas com a família, os fonoaudiólogos, os professores e os instrutores de língua de sinais; c) entrevistas com surdos adultos.[2]

Utilizei um método de análise observacional e qualitativo, no qual foram enfocados usos significativos da linguagem inseridos em práticas discursivas, que requerem diferentes usos de linguagem (oral, de sinais, gestos). Por meio desses recortes, procurei entender melhor os processos de significação verbais e não verbais de que os surdos lançam mão em suas interações sociais, bem como observar suas implicações neurolinguísticas.

2. Os dados para esta pesquisa foram coletados em instituições que trabalham com surdos sob diferentes abordagens. São elas: Centro de Estudos e Pesquisas em Reabilitação Prof. Dr. Gabriel Oliveira da Silva Porto (Cepre/FCM/Unicamp), Centro de Pesquisas Audiológicas (CPA/HRAC/USP-Bauru) e Divisão de Educação e Reabilitação dos Distúrbios da Comunicação (Derdic/PUC-SP).

Parte I
Realidades fabricadas

1.
Cultura, identidade e surdez

Infelizmente, a cultura surda é bastante pobre. Se na escola os professores agissem como eu almejo, tenho certeza de que os surdos cresceriam mais culturalmente. Não estou querendo me colocar num pedestal, mas na minha vida como surda, e com tantos anos de trabalho com surdos, sempre pesquisando, comprando livros e lendo bastante, vi e vejo que essa é uma forma positiva de ampliar o conhecimento dos surdos. Infelizmente, os trabalhos são muito diversificados nas escolas, não há ainda uma forma homogênea de educação para o surdo e isso é até normal, pois, enquanto alguns preferem a comunicação total, outros, o bilinguismo, outros, a língua de sinais, outros, o português sinalizado e, ainda outros, a língua oral. Assim, percebe-se que nem os surdos conseguem saber qual seria o melhor caminho a ser adotado. Porém, sem dúvida, o caminho mais importante é dar a eles meios de comunicação seguros.

(Relato escrito de Dalva, professora surda)

Quando um pesquisador propõe determinadas abordagens para lidar com a surdez, não consegue ser imparcial, pois sua proposta sempre refletirá uma concepção própria do problema. Tal concepção resulta do modo como cada estudioso encara a surdez, seja como deficiência ou diferença. Há uma espécie de competição, de disputa implícita ou explícita por fornecer a solução primordial para a comunicação dos surdos. Em linhas gerais, essas soluções têm duas bases: uma oferecida pelas ciências biológicas, que geralmente veem o surdo como deficiente e, portanto, buscam a "normalidade" e a fala, dispondo de avanços tecnológicos (próteses auditivas, implantes cocleares) para oferecer a ele a possibilidade de ouvir e falar; e outra sustentada pelas ciências humanas, que comumente enxergam o surdo como diferente e defendem a língua de sinais como a língua do surdo e a ideia de uma cultura surda, direcionando o debate para uma questão de ordem ideológica. Essa competição parece ocorrer especialmente entre a área da saúde, que busca "normalizar", e a área pedagógica, que procura "diminuir os estigmas". Não se pode esquecer de que o embate entre essas duas grandes frentes tem como base a legitimação da decisão sobre o que é ser "normal" e os mecanismos capazes de transformar a "anormalidade" em "normalidade". Se, por um lado, normalizar implica *fazer ouvir* para *fazer falar,* por outro implica assumir o estatuto dos gestos (sintaticamente organizados) como língua, afirmando que "aqui há língua, uma língua diferente, como nós".

Não é fortuito que enunciados como "o surdo só adquire sua identidade por meio da língua de sinais" tenha surgido no seio de uma visão cuja referência principal é a busca pela aceitação social da diferença. Tampouco que a expressão "cultura surda" venha para dar forma e visibilidade a essa diferença. De certa maneira, todas as pessoas envolvidas na discussão – surdos ou pesquisadores – encaram essa concepção de cultura surda com naturalidade. Sem dúvida, tal designação tem causas e desdobramentos. A responsabilidade acerca dessa noção é, em geral, atribuída parte aos pesquisadores, que a legitimam, e parte aos surdos, que a representam. Ou seja, o termo "cultura surda" retraduz uma interpretação da realidade, e os pesquisadores, longe de esclarecer a questão, acabam também por produzir um discurso que legitima essa interpretação.

Surge uma série de dicotomias quando discutimos o tema surdez, e estas refletem as diferentes posições que os surdos têm de tomar diante da impossibilidade de ouvir. Não são posições tomadas ao acaso, tampouco são ideologicamente neutras. Elas estão relacionadas com os conflitos e as pressões sociais que os surdos enfrentam na sociedade ouvinte: deficiente/diferente; cultura surda/cultura ouvinte; normalidade/anormalidade; linguagem oral/língua de sinais.

Debater sobre esses antagonismos, entender o modo como surgiram determinados categoremas (cultura surda, comunidade surda, identidade surda) e como adquiriram legitimidade é o que pretendo fazer neste capítulo. Ou seja, não viso apenas discutir conceitos, e sim compreender como o termo "cultura surda" se constituiu no campo leigo, entre os surdos, e no campo científico, entre os pesquisadores, já que é dentro desses dois polos, ou melhor, na homologia entre eles que ele ganha legitimidade.

SURDO: DIFERENTE OU DEFICIENTE?

A discussão sobre o normal e o patológico antecede a discussão de surdez como diferença ou deficiência. Definir o que é normal ou anormal não diz respeito apenas a questões biológicas, mas, principalmente, a questões sociais. Para Canguilhem (1995), o anormal não é o ser humano destituído de norma, e sim aquele que possui características diferentes e não faz parte da média considerada normal, que segue as normas estabelecidas socialmente. Características individuais distintas do esperado não são bem-vistas. Esse processo ocorre tanto em contexto social – quando, por exemplo, são discriminados os que não conhecem a norma culta da língua falada e escrita – quanto clínico, em que de fato é feita uma "cisão", referendada por uma "autoridade", que faz que o indivíduo deixe de pertencer ao normal para integrar o patológico.

Há uma linha tênue que delimita o que pode ser considerado normal e o que pode ser considerado anormal (ou não normal). Os graus de proximidade e distância da normalidade são medidos pelo "avaliador", geralmente por meio de procedimentos fechados de avaliação. Ele ocupa sempre o espaço da norma e, por isso, julga-se "superior", tendo o poder de definir quem foge ou não a ela (Foucault, 2001). Nesse caso, o sujeito não pode ter características particulares, já que sua individualidade "compromete" a norma. Em outras palavras, a individualidade é vista como um desvio e, portanto, deve ser corrigida para adequar a pessoa ao que é considerado normal, evitando-se a discriminação. Discriminação esta de que são alvos os gagos, os afásicos, os surdos, os disfluentes, enfim, todos aqueles que fogem à norma vigente.

Na linguagem, o *pathos* que a acompanha (afasia, disartria, distúrbio fonológico, atraso de linguagem etc.) define o que é ou não normal. Essa definição está diretamente relacionada ao peso da tradição gramatical do falar e do escrever bem, que julga fora da norma todos os que fogem do padrão (Bagno, 2011). Para Morato (2000, p. 2):

> Herdeira do racionalismo greco-romano, a cultura ocidental não tem deixado de ver a perda ou a alteração de linguagem como um verdadeiro escândalo, capaz de atingir letalmente a natureza do homem. Junto com o esquecimento, a perda da linguagem parece ser o pior dos males de nossa época. Entretanto, não é de qualquer concepção de linguagem que está se falando aqui. A linguagem cuja perda é lastimada é aquela que seria por excelência a expressão do poder racionalizante da mente e que, portanto, é tida como objetiva, clara, transparente, verdadeira, comunicativa. Em outras palavras, uma linguagem quase divina. Trata-se, como se observa, de uma concepção de linguagem profundamente idealizada.

Morato ainda ressalta que alguns estados "patológicos" da linguagem não são propriedade apenas do *pathos*, mas da normalidade, como o fenômeno de ponta da língua (a falta de palavras), as digressões, a perda do fio da meada, as dificuldades com a linguagem escrita e suas regras, os lapsos fonéticos e a impossibilidade de controlar o sentido do que se diz e do que se interpreta. Isso não é levado em conta quando se trata de surdez. Frequentemente, a linguagem dos surdos é comparada à do ouvinte, tomado como falante "ideal" que fala uma língua "ideal". Por isso, não é difícil imaginar o impacto da surdez sobre uma família ouvinte que tem em mente um filho e uma fala "ideais".

Essa é uma questão bastante clara nos relatos abaixo, de pais de crianças surdas:

Pesquisadora: Você acha que surdez é doença? Como você encara a surdez?

Pai de Vinícius: Primeiro, para a família, eu encaro como uma tragédia. Inicialmente, tá? É um choque muito grande. Não só a surdez, qualquer deficiência: mental, física. Para a gente, pai, que passa por essa experiência, a gente encara dessa maneira. [...] Eu disse que jamais me perdoaria se ela [referindo-se à outra filha, que nasceu depois de Vinícius] nascesse desse jeito. Eu não admitiria ter outro filho assim. Um, tudo bem, mas ter dois, três, quatro com a mesma deficiência, eu não me perdoaria.

Mãe de Taís: As pessoas não estão a fim de entender, as pessoas bloqueiam. Na hora que eu falo: "Ó, minha filha é surda", começam a fazer um monte de gestos que ela não entende. A pessoa emudece. É, tipo assim, "Vou gastar minha voz para quê, com alguém que não me escuta?" Então, é isso que chateia muito, entendeu? E a Taís precisa aprender leitura labial. Então, mesmo que a pessoa não saiba gesto, vai falando, nem que eu fique falando e fazendo gesto de algo, entendeu? Mas tentar inserir a Taís na conversa. Não a tratar diferente. Aí, falou que ela é surda, pronto! Ou então fica apavorada: "Ai, coitadinha... Gente, como é que eu vou conversar com ela?", "Ai, então tá bom". Vai embora. Toma um pavor... E a pessoa, "Como é que você se comunica com ela?" Gente, eu também não nasci para ser mãe de surdo, e a minha filha, até aprender língua de sinais, comeu, brincou, se vestiu, tomou banho.

Mãe de Bianca: Quando o médico falou, eu não queria ouvir aquilo. Menina do céu, eu não sei te explicar o que eu senti! Parece assim, ó, que tinha um buraco e eu caí. Porque, pra mim, totalmente desconhecido. Eu não sabia nem como lidar com ela. Quando ele falou "Mãe, realmente ela é surda". Nossa, pesou aquela palavra. "Surda." [...] "Onde eu vou com ela agora?" "Mãe, calma, a gente..." "AGORA, eu quero agora, não é amanhã. Hoje. Daqui, aonde eu vou com ela?" [...] Daí, ele escreveu atrás do exame o endereço do Gabriel Porto. [...] "Mãe, vai lá." Eu fui no mesmo dia. Eu saí de lá, o meu marido olhou pra mim e falou assim: "Ela é?" "Pai, ela é surda. Vamos lá, agora, nesse endereço." Ele não falou uma palavra, não falou nada. Daí eu fui com ela. [...] Eu cheguei lá e disse assim: "Acabei de saber que minha filha é surda. O que eu faço com ela?" A Ana [referindo-se à assistente social do Cepre] levou um susto. "Acabei de vir do exame, eu não sei nem como lidar com ela, como fazer com ela." [...] Ele [referindo-se ao marido] dormiu o dia inteiro. Eu chorei o dia inteiro. Desabafei e chorei. Eu pensava assim: "Bom, eu não vou ficar chorando minha vida inteira, eu tenho que fazer alguma coisa pra ela. Se eu ficar chorando, eu vou afastar as pessoas daqui de casa, e eu não quero isso." Eu lembro que ninguém ia visitar a Bianca. [...] O pessoal com medo de chegar perto de mim e com medo de conhecer a Bianca. A minha tia achava que ia ver um bicho-papão. [...] "Como que ela é?", sabe, uma coisa assim. [...] E todo mundo fala... [...] Assim, mas o que vem de gente falando um monte de coisa. [...] E a visão que eu tinha de surdo?! Realmente, ó, eu tinha essa visão: "Surdo, ixi! Vai vender só selinho na rua". Eu só tinha isso, a visão de surdo que eu tinha, porque eu não conhecia surdo, nunca tinha visto um surdo adulto. Nada. Então eu ficava pensando e um monte de gente falando: "Coitadinha, o que vai ser? Que futuro?" Só assim, falando para ela.

Se, por um lado, a surdez está diretamente ligada à tragédia e à culpa, por outro, procura-se "modalizar" esse sentimento a fim de compensar as decepções causadas, distanciando-se da ideia de anormalidade, incompetência, patologia e bizarria. A dificuldade de lidar com outro tipo de linguagem que não seja a oral faz que os interlocutores do surdo – inclusive os pais – se vejam diante de uma situação conflituosa, da qual preferem se afastar. E há, ainda, um medo em relação ao desconhecido. Saber cuidar de uma criança surda é algo "misterioso" que necessita ser desvendado. A imagem do surdo é comparada, sem nenhum exagero, à ideia de algo "monstruoso". Isso ocorre em função das cobranças sociais do que seja um ser humano "normal" e dos mistérios – e medos – que envolvem o nascimento de um filho "anormal".

Quando os pais ouvintes têm um filho surdo, eles precisam tomar uma decisão: escolher, pelo menos inicialmente, a modalidade de língua que o filho usará - audioverbal ou visuomanual. Embora exista, em um primeiro momento, o caráter de escolha, nada garante que a opção dos pais (ou dos profissionais) corresponderá à opção futura do filho.

Em todo caso, esta não representa apenas a seleção de uma língua. Para Roots (1999), os pais não podem considerar apenas os dois modos de comunicação (oral e por sinais). Eles também têm de levar em conta a integração da família à forma de comunicação, o que pode manter a criança na estrutura familiar, ou, ao contrário, inseri-la em uma cultura não familiar, com a qual os parentes ouvintes podem nunca se identificar. Para o autor, essa não é somente a escolha de um meio de comunicação ou da identidade cultural, é uma escolha política. Isso, por dois motivos:

1. a maioria das famílias ouvintes e dos profissionais da área da audiologia tende a identificar a surdez como privação, como um desafio para a interação da criança no mundo dos que ouvem. A integração social da criança é, assim, medida pela adesão ao oralismo e pelo afastamento de sua cultura surda e da língua de sinais (instrumentos estranhos à estrutura social dominante);
2. a escolha é um domínio de poder dentro da política familiar. Selecionar uma "língua visual" significa que a família também deverá aprender a construir o processo de aquisição de linguagem por meio desse modo de recepção e de expressão. Há, ainda, dúvida se a família ouvinte projetará suas referências linguísticas sobre a criança. Outro problema é a aceitação da língua, que é diferente entre os parentes, assim como a opção da fala, que pode ser recusada pela criança surda. Em todo caso, o filho é forçado a ajustar-se à estrutura familiar.

Os conflitos levantados pelo autor refletem as dificuldades interativas e de identidade que surgem quando uma família ouvinte tem um filho surdo. Mesmo que haja opção pela abordagem bilíngue, existem pontos importantes a ser discutidos. Há famílias que optam pelo bilinguismo e deixam com a escola a responsabilidade de ensinar a língua de sinais à criança. A mãe e o pai não se propõem a aprender essa língua e usá-la efetivamente com o filho, pois acreditam que a língua de sinais é a língua *do filho*, como se uma língua fosse de domínio individual e não social.

Já outras famílias usam a língua de sinais, mas não se esquecem da *sua* língua; a primeira é usada concomitantemente com a segunda. Este é, em muitos casos, o máximo de adesão que se pode esperar de uma família ouvinte: que use "língua de sinais" e compreenda a sua importância para a criança. Em alguns casos, os gestos são aceitos apenas enquanto a criança não domina a fala.

A opção do implante coclear é mais uma possibilidade para solucionar o "problema" da surdez. A grande maioria dos integrantes da comunidade surda tem se manifestado contra tal procedimento (Lichig, Mecca e Barbosa, 2003), pois é visto pelos surdos como mais uma tentativa "fracassada" de torná-los um ouvinte. Aliás, Fryauf-Bertschy *et al.* (1997) explicam que ele privaria a criança do convívio com a comunidade surda e, ainda, não lhe possibilitaria participar do mundo dos ouvintes. Para eles, o implante ainda pode ser considerado uma experiência da qual não se conhecem as consequências fisiológicas, psicológicas, linguísticas e sociais.

Embora alguns estudos (Virole, 2003) rejeitem a ideia de que o implante coclear possa ocasionar problemas de identidade e desabilidade psíquica ou impacto negativo no desenvolvimento socioafetivo, os surdos contrapõem-se à indicação do implante coclear ressaltando que não precisam ser *curados*, já que são *normais*, como os ouvintes. A prevenção e a promoção da saúde auditiva passam a ser vistas, por determinados grupos, como *extermínio* dos surdos e o fonoaudiólogo, como o profissional que legitima esse extermínio.

Resende (2010, p. 126-55), pesquisadora surda, em sua tese de doutorado, faz uma análise dos enunciados produzidos sobre o implante coclear:

> São muitos os enunciados que mostram a necessidade e a emergência do implante coclear. São enunciados que nos aprisionam e nos assujeitam a uma rede de discursos clínicos, discursos da norma. A norma parte dos que ouvem, pensam e consideram o que é melhor para os surdos, os anormais surdos. Uma norma que aprisiona, que captura, que escraviza os surdos para uma vida normalizada, para uma vida padronizada pelo soberano ouvinte [...] Lembro-me desse evento: eu e os surdos participantes assistimos à cirurgia e ficamos arrepiados e horrorizados com o entusiasmo e a curiosidade da plateia, composta, majoritariamente, por ouvintes, estudantes de fonoaudiologia e de medicina. Eram nossos sentimentos de revolta e repulsa diante da invasão e manipulação do corpo surdo de uma criança de dois anos. A videoconferência foi apresentada como um espetáculo, um feito heroico e milagroso para consertar o corpo surdo [...] O teste da orelhinha acaba capturando os bebês surdos para o implante coclear e para a normalização da soberania ouvinte. A família é institucionalizada e medicalizada para que seja cumprida a lei que impõe o teste da orelhinha a todas as maternidades públicas e privadas. Devemos nos mobilizar e traçar metas para que o teste da orelhinha não seja um poder nas mãos dos especialistas em implante coclear e que sejam politizadas estratégias em que, na realização dos testes da orelhinha, a comunidade surda seja convidada a orientar as famílias que tenham bebês surdos, para que não haja o genocídio da língua de sinais na infância das crianças surdas.

Vemos que a comunidade surda traz seu discurso ideologicamente marcado pelo significado que o implante coclear tem para ela: extermínio e genocídio da língua de sinais. O implante traria a possibilidade da linguagem oral e a língua de sinais, nesse caso, se transformaria, aos poucos, numa "língua morta".

Virole (2003) comenta que a grande maioria dos profissionais surdos considera o implante coclear uma arma de destruição massiva dos ouvintes sobre os surdos. Para o autor, essa reação é compreensível se relacionada aos primeiros implantes cocleares e à ignorância que se tinha na época sobre a surdez. Na França, segundo ele, atualmente isso não é mais uma maioria. Os surdos tiveram de modificar seu pensamento com base na nova realidade. Se eles tiverem uma visão apenas ideológica, nunca poderão integrar projetos que associem o implante coclear e a língua de sinais. E esse é um trabalho muito mais importante que a de um "guardião da pureza da língua de sinais". Afinal, a língua é um objeto vivo que não pertence a ninguém, ela é a construção de uma referência cultural. No Brasil, ainda são poucas as pesquisas que relacionam implante coclear e língua de sinais. Se alguns estudos (Quadros, Cruz e Pizzio, 2012) apontam a aquisição da Libras como importante para a aquisição da linguagem oral, outros indicam essa língua apenas quando o implante coclear não funciona. Na pesquisa de Valadão *et al.* (2012), por exemplo, as pesquisadoras fonoaudiólogas fizeram a indicação da Libras para uma criança com implante coclear apenas nessa condição. Contudo, após dois anos da aquisição da Libras, a criança desenvolveu não só a linguagem oral, mas todos os demais aspectos cognitivos.

O implante coclear tem sido considerado uma alternativa cirúrgica para portadores de deficiência auditiva neurossensorial profunda bilateral que não tenham se beneficiado da prótese auditiva. Trata-se de uma prótese computadorizada inserida cirurgicamente na orelha interna que substitui parcialmente as funções da cóclea, transformando energia sonora em sinais elétricos, produzindo, assim, a experiência do som e melhorando o desempenho auditivo (Costa Filho *et al.*, 2002; Moret, Bevilacqua e Costa, 2007).

Entre as pessoas surdas que se submetem ao implante, a literatura da área tem referido dois grupos: os que ficam surdos antes da aquisição da linguagem (surdez pré-lingual) e os que ficam surdos depois da aquisição da linguagem (surdez pós-lingual). Para Moret, Bevilacqua e Costa (2007), o implante coclear como tratamento de crianças com deficiência auditiva neurossensorial pré-lingual é bastante efetivo, embora complexo, pois é necessário considerar as variáveis que interferem no desempenho da criança, tais como seu estilo cognitivo e o grau de permeabilidade da família.

A maioria dos pais que opta pelo implante coclear é ouvinte. Essa é uma questão que deve ser levada em conta. Kluwin e Stewart (2000) realizaram uma pesquisa sobre os motivos pelos quais a família escolhe realizar o procedimento, já que esta é uma alternativa cirúrgica e pode resultar em traumas no aparelho auditivo. O estudo foi realizado por telefone, por meio de uma lista de perguntas pré-elaboradas. O fator decisivo para que os pais fizessem tal escolha foi "o desejo de ter uma criança que fosse como uma pessoa ouvinte". Outras respostas também surgiram, como o desejo de ter um filho "normal" e a frustração de não conseguir comunicar-se com ele. Eles não consideraram nenhuma alternativa ao implante, já que obtiveram essa informação dos médicos. Alguns mencionaram que a habilidade comunicativa das crianças não melhorou muito se comparada com aquelas que utilizavam comunicação total. As autoras ressaltam, nesse trabalho, que os pais nem sempre parecem saber ou não admitem que o implante coclear funciona efetivamente em uma população específica e sob determinadas condições de treinamento.

Yamaka *et al.* (2010) também realizaram um estudo sobre a visão que os pais têm do implante coclear e concluíram que há uma grande diversidade de sentimentos vivenciados pelas famílias, como ansiedade, angústia, medo e confusão. A surdez é vista como uma patologia a ser tratada. Consequentemente, a aquisição da fala está sempre presente no discurso. Dessa forma, o implante coclear é visto não só como uma forma idealizada de resolução para o problema da surdez, mas também como uma esperança de melhoria na qualidade de vida da criança, pois pode oferecer a ela uma possibilidade de ter um futuro melhor, incluindo melhores oportunidades de estudo, trabalho e relacionamentos.

Para ilustrar melhor os motivos pelos quais os pais fazem essa opção, vejamos, abaixo, um trecho da entrevista da mãe de Fernando. Inicialmente, ela o levou ao Cepre por indicação do médico que diagnosticou a surdez. No entanto, nunca se identificou com a língua de sinais e, ao ver na televisão uma reportagem sobre os sucessos do implante, decidiu pela operação. Fernando submeteu-se à cirurgia aos 3 anos e 8 meses.

Mãe: Com um aninho ele fazia um monte de sinais. Só que eu nunca gostei. Aí, eu fui me desligando. Vi esse negócio do implante. [...] Eu falei: "Não. Eu quero usar implante, eu não quero usar linguagem de sinais". Porque foi muito complicado linguagem de sinais. Assim, porque era só eu que fazia sinais. O pai fazia muito pouco. A minha mãe e meu pai, eles se entortavam todos pra fazer sinais, porque gente de idade já é mais difícil, né? E ficou muito difícil, complicado. Aí, eu falei: "Eu não quero mais usar sinais". E, quando eu comecei a fazer a triagem lá em Bauru, eles falaram: "Oh, Joana, só se você se propor a não usar mais sinais, porque o implante dá... Não precisa. Com esse aparelho não vai precisar usar sinais". E eu falei: "É isso que eu quero. Não quero mais usar sinais". Eu acho difícil, eu acho que fica muito ali, restrito, né? Eu tenho certeza de que ele vai falar. Não que eu queira que ele fale. Eu quero que ele entenda as coisas, né? Porque a gente quer que fale, tudo, mas que ele entenda. Não quer que ele fique como um papagaio também. [...] Que nem, ele vai na padaria, vai na farmácia, vai pedir um pão, ele não vai saber que esse sinal [sinal de pão] é de pão. Não vai saber. Que esse é de pão, que esse é de ônibus [sinal de ônibus]. Se ele não der uma referência: "Dá pão", se ele usar o sinal e falar, tudo bem. Mas por que ele vai usar o sinal se ele tá falando? Então, eu me via assim, o Fernando indo lá na padaria, pedindo pão e ninguém... Olhando pra cara dele e não entendendo o que ele fala, entende? Aí, tudo bem. Aí, a pessoa vem e fala: "Joana, mas ele vai se virar, ele vai apontar, ele vai escrever". Mas eu quero que ele fale. Ele vai sair. Quando ele tiver adolescente, ele vai ficar escrevendo pra outra pessoa ler? A pessoa não vai entrar no mundo dele. Ele que tem de entrar no mundo do pessoal aí fora. Ele que tem de se habituar. Ele que tem de se esforçar. Ele que vai ter de falar. Entendeu? Eu sinto por esse lado. Vai ter o esforço dele, também, né? [...] A gente está fazendo tudo. Corremos atrás do implante, estamos indo atrás. Fez o implante [...]. Se a pessoa não tem língua de sinais, como que ela vai entender o Fernando? Como que ele vai comprar roupa, quando ele tá adolescente, usando sinais? Tudo bem, ele se vira: "Ah, Joana, se vira. Ele vai tentar se virar, ele vai tentar falar, vai mostrar a calça". Eu fiquei apavorada. E depois disso eu falei assim: "Eu vou fazer esse implante e o Fernando vai falar. Ele vai falar, vai entender e tem de fazer isso". [...] Ó, eu acho que o surdo tem de falar. Eu uma vez conheci um moço que era surdo. Tudo. Que nem, em casa, ele só falava com os pais, com todo mundo. E na rua ele usava gestos, língua de sinais, porque ele conviveu com surdos e falava. Mas em casa, com as pessoas ouvintes, ele só falava. E em casa, e agora como que a gente vai ter essa... [...] Deu certo pra ele, mas vai dar certo pro Fernando? Vai dar certo? A gente não sabe, né? [...] Na dúvida, eu acho melhor já começar no oralismo. Já. Às vezes a gente esquece e usa o sinalzinho. Meu marido mesmo, às vezes, faz, aí "Pega lá". Outro dia mesmo eu vi ele usando os sinais, aí "Pega lá". Eu olhei, eu fiquei... "O que é isso? Você falando pro Fernando pegar em sinal?" Eu fiquei horrorizada! Fiquei! "João, você fazendo pegar em sinal? Ele tá te ouvindo. Você não precisa fazer sinal. Não precisa." Aí ele falou até: "Foi sem querer". Às vezes, porque, às vezes ele esquece e as crianças também, né? Às vezes até esquece. Eu, muito difícil. Eu prefiro levantar, ir lá onde o Fernando tá, descer o guarda-roupa e falar: "O que é, Fernando? É isso? É isso?" do que fazer sinal.

O implante coclear oferece à mãe ouvinte a realização de um "sonho": a possibilidade de audição e, consequentemente, de fala. Aparentemente, resolve-se o grande problema dos pais: ter de aprender a língua de sinais e fazer dessa língua "estranha" o meio de comunicação entre eles e o filho. A mãe "quer usar implante", não quer a língua de sinais. Nesse momento, ela tem a "ilusão" de que pode decidir a condição linguística da criança, como se a língua fosse algo individual e passível de "escolha": usar sinais ou falar. A ideia da língua de sinais como *língua* e suas propriedades cognitivas, linguísticas e interativas passam despercebidas pelos pais (Santana, 2004b).

O uso do implante implica cobranças em relação à criança, que, a partir do momento em que ouve, "deve" falar e falar bem. Cabe a ela tornar-se um "ouvinte" e um "falante". Essa cobrança inicia-se na própria família. O implante, de fato, faz ouvir. Mas faz ouvir em sujeitos diferentes, que passam por experiências interativas diferentes e têm famílias diferentes. A situação dos surdos que fizeram a cirurgia é bem mais difícil que a de quem ouve. Embora nem todos os ouvintes falem bem – pois há aqueles que gaguejam, que têm dificuldades fonológicas, que falam rápido demais, que demoraram a adquirir a linguagem oral etc. –, todos os surdos que fizeram implante têm de falar bem. O procedimento não é visto como uma "possibilidade", mas como uma "imposição" de audição e fala. Para alguns pais não há diferenças entre o ouvinte e o filho que fez a operação, mesmo que esta tenha sido feita em apenas um ouvido, mesmo que o som assimilado não seja igual ao do ouvinte. Não há diferenças, só semelhanças; o surdo agora ouve e, por isso, deve falar.

Esse tipo de procedimento sempre existiu e, antigamente, o preconceito era muito mais forte. As pessoas surdas sempre foram estigmatizadas, consideradas de menor valor social. Afinal, faltava-lhes as características eminentementes humanas: a linguagem (oral, bem entendida) e suas "virtudes" cognitivas. Sendo destituídos dessas virtudes, os surdos eram "humanamente inferiores". A língua de sinais era considerada apenas uma mímica gestual, havendo, desde então, preconceitos em relação ao uso de gestos para a comunicação. Hoje, a exclusão profissional e social dos surdos faz-nos confirmar, mais uma vez, que a linguagem pode ser fonte de discriminação e de organização social restrita. Essa segregação não ocorre somente quando há diferenças de nacionalidade, cor, perfil socioeconômico ou religião. Entre os surdos e os ouvintes há uma grande distinção: a linguagem oral.

Assim, os surdos são, não raro, situados a meio caminho entre os ouvintes – considerados humanos de qualidade superior, ou humanos em toda a sua plenitude – e os sub-humanos, desprovidos de traços que os assemelhem aos seres humanos. Eles não podem ser classificados como sub-humanos porque apresentam traços de humanidade, mas também não conseguem ser aceitos como seres humanos completos. A defesa e a proteção da língua de sinais, mais que a autossuficiência e o direito de pertencer a um mundo particular, parecem significar a proteção dos traços de humanidade, daquilo que faz um homem ser considerado homem: a linguagem.

O fato digno de nota é que a separação entre grupos humanos se estabelece socialmente, bem como sua integração, uma vez que toda forma de preconceito, de discriminação e de comportamento humano está subordinada à cultura que os constrói, propaga, veicula e sedimenta.

Sacks (1998) exemplifica isso ao comentar a história da ilha de Martha's Vineyard, Massachusetts (Estados Unidos). Nessa ilha, um gene recessivo posto em ação pela endogamia sofreu uma mutação, originando a surdez hereditária que vingou por 250 anos a partir da chegada dos primeiros colonizadores, por volta de 1690. Em função disso, toda a comunidade aprendeu a língua de sinais, havendo livre comunicação entre ouvintes e surdos. O autor ressalta que estes quase nunca eram vistos como surdos, e certamente não eram considerados "deficientes". Mesmo após o último surdo falecer, em 1952, os habitantes ouvintes preservaram a língua de sinais: passavam involuntariamente para essa forma de comunicação no meio de uma sentença, contavam piadas, "conversavam" consigo mesmo e até sonhavam em língua de sinais.

Assim, vemos que as normas sociais – organizadoras de toda a nossa vida social (modos de falar, de se vestir, de atuar no mundo, de pensar etc.) – "autorizam" a segregação. A forma como a surdez é descrita está ideologicamente relacionada com essas normas. Por isso, fazer que a surdez passe de doença à diferença não é uma simples mudança de ponto de vista; para isso, é necessário estabelecer novas normas, o que não é imediato, já que implica mudanças sociais decorrentes da alteração dos padrões ao longo da história. É isto que alguns autores têm proposto: que a surdez passe da condição de patologia à condição de fenômeno social, ou político-social.

Essa mudança de estatuto vem acompanhada de nova nomenclatura, não só terminológica, mas conceitual: de *deficiente auditivo* para *surdo*, ou, ainda, *Surdo*. Antes, a surdez era uma patologia incurável e seu portador era considerado deficiente. Agora, é visto como *diferente*, integrante de uma "comunidade" própria que se identifica pelo uso de uma língua comum. Eles acabam por inaugurar uma nova fase de luta pelo direito à diferença, que reflete também questões políticas, de poder e de inserção social. Dessa forma, a língua passa a ser considerada expressão de uma cultura específica.

Conferir à língua de sinais o estatuto de língua não tem apenas repercussões linguísticas e cognitivas, mas também sociais e políticas. Se ser anormal é caracterizado pela ausência de língua e de tudo que ela representa (comunicação, pensamento, aprendizagem etc.), a partir do momento em que se tem a língua de sinais como língua do surdo, o padrão de normalidade também muda. Ou seja, a língua de sinais legitima o surdo como "sujeito de linguagem" e é capaz de transformar a "anormalidade" em diferença. Essa ideia traz com ela uma delimitação de esferas sociais: a identidade surda, a cultura surda, a comunidade surda.

O conceito de comunidade pode ser considerado um categorema (Bourdieu, 2008), uma definição arbitrário-social que se baseia na imposição de traços que, supostamente, unem os indivíduos: língua, roupa, consumo e hábitos culturais. A concepção de comunidade surda procura unir a surdez e a língua em comum a fim de definir uma realidade social que deve ser entendida também como unidade social. Esse tipo de interpretação representa uma forma arbitrária de estabelecer relações "naturais" entre as pessoas, ao mesmo tempo que reproduz as divisões sociais.

A divisão social que concebe a comunidade surda é mais uma tentativa de segregar deficientes e diferentes. Para autores como Bueno (1998), a distinção entre diferença e doença não pode ser considerada pelos estudiosos meramente retórica, pois é conceitual e, portanto, teórica. A perda auditiva existe e não é uma invenção dos ouvintes, por isso deve ser solidamente enfrentada. Nas palavras de Bueno (*ibidem*, p. 6):

> Se ela passar a ser considerada como uma mera diferença, qualquer ação contra a sua incidência deverá ser combatida, se quisermos manter a postura coerentemente democrática. Se, de outra forma, concordarmos com formas para sua prevenção ou erradicação, apesar de qualquer discurso, ela será considerada como mal a ser evitado.

Vê-se que a solução não é conceitual. Se assim fosse, bastaria concluir a definição de doente ou de diferente para resolver esse assunto. O ponto não é apenas esse. Tais conceitos não são estáticos, mas dinâmicos; eles podem mudar em função do contexto social em que os sujeitos estão envolvidos.

A adoção de termos como "cultura surda", "identidade surda", "comunidade surda", "biculturalismo" e "multiculturalismo" expressa os conflitos e a busca por suas soluções. Isso não quer dizer que a cultura, a identidade, a língua e o biculturalismo representam coisas diferentes. Cada um desses termos carrega consigo convicções e expectativas acerca do significado da surdez e, apesar de diferente, pode constituir possibilidades de solução para os mais diversos dramas. Quanto a esse ponto, poderíamos nos perguntar: quais soluções?

Uma delas é tentar normalizar o surdo pela diferença, por meio da adoção de expressões como "cultura surda", "língua de sinais" e "identidade surda". Esses termos funcionam como mecanismos de produção da realidade. Vejamos, por exemplo, a definição de Behares (1994, p. 1) de uma pessoa surda:

> Uma pessoa surda é aquela que, por ter um déficit de audição, apresenta uma diferença com respeito ao padrão esperado e, portanto, deve construir uma identidade em termos dessa diferença para integrar-se na sociedade e na cultura em que nasceu.

O que se observa na definição acima é a primazia da diferença. Segundo o autor, o surdo deve perceber-se diferente, para só assim conseguir integrar-se na sociedade ouvinte, o que parece implicar certa incongruência. No entanto, conceber e propagar essa distinção não deixam de ser uma espécie de "solução" para o problema.

À medida que se luta pelo estabelecimento de norma para a diferença, luta-se também para autorizá-la. Lutar pela diferença implica lutar pela normalidade e pela dificuldade de fazer--se "normal" diante da impossibilidade de ouvir. Quando, por exemplo, se afirma que o surdo é diferente, é necessário que sejam feitas comparações com os ouvintes – os ditos "normais", ou melhor, não diferentes. O simples fato de categorizar determinados grupos como diferentes ou iguais sugere que se tenha feito uma comparação prévia, na qual alguns valores foram verificados. No caso da surdez, a fala, a audição, o pensamento e a inteligência são questões levantadas quando dizemos: "Fulano é surdo". Há, além disso, mecanismos sociais que são acionados para autorizar determinado tipo de interpretação. Assim, há mais coisas em jogo. Essa autorização é dada não só pelo discurso acadêmico, mas também pela interpretação que os surdos fazem do conceito de surdez. Emanuelle Laborit, atriz francesa surda que ganhou o prêmio de teatro Molière por sua interpretação em *Filhos do silêncio*, faz o seguinte relato em sua autobiografia:

> Não compreendem que os surdos não têm vontade de ouvir. Querem que sejam semelhantes a eles, com os mesmos desejos, logo, com as mesmas frustrações. Querem preencher uma carência que não temos. Escutar... Não podemos ter vontade de coisas que desconhecemos. (Laborit, 1994, p. 90)

Atentemos, a seguir, para o depoimento de Paula. Ela nasceu surda e desde os 6 anos usa língua de sinais. Apesar de expressar--se oralmente bem, na entrevista negou-se a falar. Já que iria ser filmada, só usaria a "sua" língua, a de sinais. Defensora de uma política linguística para os surdos, provavelmente optou pela fala porque não seria condizente com o discurso que admite a língua de sinais como a única dos surdos:

Paula: A família pensa que surdo é doente, entende?

Pesquisadora: Você pensa que surdez é doença?

Paula: Não. Nasci normal como você. [...] Eu nasci igual a você. Eu posso brincar como você, eu posso estudar como você, eu posso casar como você.

Não se pode negar, no entanto, que há outro lado. Há surdos que querem se expressar oralmente, que acreditam que a fala é mais importante que a língua de sinais. Nesse caso, falar e ouvir são fatores que os aproximarão dos ditos "normais". Vejamos o relato de Dalva, uma senhora de 54 anos, surda de nascença, que foi educada pelo método oral. Ela é pedagoga, professora em uma escola para surdos e promove cursos de língua de sinais.

Pesquisadora: Você pensa que surdez é doença?

Dalva: Sim. Eu não sou uma pessoa normal. É uma doença. [...] É muito importante aprender a falar, conversar, fazer compras. [...] Uma vez fui à feira. Eu falei: "Eu quero um quilo de tomate". O tomate estava longe. O homem entendeu e me deu. Se o surdo não fala, só tem sinal. [...] Eu acho que aprende primeiro a fala, é mais fácil. A primeira língua é a língua oral. Faz junto com os sinais, ao mesmo tempo. Sempre. Movimentar a boca é importante. Não precisa ouvir. Eu posso falar sem voz. A língua de sinais atrapalha muito para escrever. [...] A minha primeira língua é a língua oral.

Ricardo também compartilha dessa opinião. No entanto, para ele, ouvir também é importante. Ele ficou surdo com 1 ano e meio e foi oralizado desde pequeno. Tendo a mãe como professora de surdos, agradece a ela os esforços e as cobranças para que ele aprendesse a falar. Ricardo, na época dessa pesquisa, cursava uma faculdade e expressava-se muito bem oralmente. Sua fala é considerada exemplar pelos surdos. Ele sempre usou prótese auditiva, apesar de a sua surdez ser severa e de não ter inteligibilidade dos sons da fala. Contudo, o dispositivo é utilizado para perceber e discriminar sons produzidos (da fala, de um carro ou um ruído qualquer). Quando está de costas e ouve alguém falando, conclui que estão se dirigindo a ele e vira-se para fazer leitura labial:

Ricardo: [referindo-se à surdez] É uma deficiência causada pela doença, né? No meu caso, a doença que eu acometi foi a caxumba, que provocou a surdez. Os outros casos, acho que é uma doença que a pessoa não sofre diariamente, passa mal... Não. Ela é apenas uma deficiência, uma perda. A pessoa se acostuma, assume sua condição de surda, se adapta à situação [...] não sofre por uma dor na surdez. É claro que ele sente dificuldade no aspecto de comunicação, mas doença... Não é bem doença. É uma deficiência, né? [...] Quem nasce surdo tem muita chance de aprender a falar, porque, quando eu fiquei surdo, fechou completamente a porta. Prefiro falar porque é mais rápido para mim. Eu acho que tem de aprender a falar, sabe por quê? Mesmo que não fale bem, tem de aprender muito bem português por causa da leitura. [...] Nós temos de respeitar a vontade do surdo. Se ele não quer falar, tudo bem. Ele escolheu. Agora, só que nós devemos orientá-lo que o fato de ele não aprender a falar é... Não vai aprender vocabulário, então poderá comprometer a vida dele no futuro, então... Se ele não quer aprender a falar, deveria aprender de outra maneira. Fazendo leitura e interpretação e língua de sinais. Ele não é obrigado a usar as duas línguas. Pode usar só a língua de sinais e não usar o oralismo, ou só oralismo e não usar a língua de sinais.

Nem sempre são levadas em conta as diferentes opiniões dos surdos com relação à língua de sinais como língua dos surdos. Essas opiniões não representam apenas distintos "pontos de vista". Há, em cada uma delas, um sentido diferente sendo expresso. Para Ricardo, surdez é uma deficiência causada pela doença; para Dalva, é uma doença que precisa ser curada, e a fala, uma meta a ser alcançada. Para Paula, a surdez é uma normalidade; a fala não precisa ser aprendida, a sua língua é a língua de sinais. O que há em comum no discurso desses sujeitos? Algo que não é simplesmente uma visão pessoal, embora reflita o modo como cada um lida com sua condição. São opiniões de senso comum que refletem a escolha da solução de seus conflitos. Esses discursos também estão presentes onde encontram sua legitimação máxima, isto é, nas universidades e nos ambientes acadêmicos, como se vê nos trechos abaixo:

> A população de crianças deficientes auditivas apresenta uma grande variedade de características e necessidades. Deficiências auditivas diferem em termos de localização, causa, tempo de aquisição, grau de deficiência, estabilidade do limiar. Elas podem ocorrer sozinhas ou em combinação com outras deficiências. Cada um desses fatores tem influência na deficiência auditiva, no tipo de intervenção, no sucesso da intervenção e, consequentemente, em todo o desenvolvimento psicossocial do deficiente. (Bevilacqua e Formigoni, 1997, p. 11)

> Os termos surdo e surdez são preferidos por nós por considerarmos que deficientes auditivos e deficiência auditiva são termos que escondem preconceitos com relação às pessoas surdas, cuja falta de audição levou-as a desenvolver habilidades específicas como, por exemplo, uma língua gestual-visual. (Brito, 1993, p. 85)

Como se observa, há pelo menos duas posições bem definidas no campo do estudo sobre a surdez: uma essencialmente médica e audiológica, que propõe alternativas para a surdez e encontra respaldo entre os surdos; e outra na qual encontramos as propostas educacionais que aderem à ideia de que a língua de sinais é a primeira ou "a" língua dos surdos, a língua "natural", também acolhida entre eles. Os diferentes discursos refletem de alguma forma variadas interpretações da realidade; eles explicitam de que modo se pode ver aquilo que se quer ver, e como se pode falar daquilo de que se quer falar. O que muda é o que cada um quer enxergar e dizer ou o que está autorizado a encontrar naquilo que vê, assim como mudam os elementos – a ser descritos ou que sirvam de suporte à descrição – selecionados para a elaboração da interpretação (Idargo, 2000).

Quando se chama a surdez de deficiência auditiva, e quando se propõe o implante coclear para sanar essa deficiência, não se está só aventando uma solução tecnológica para a "doença". Ao propor alternativas para a surdez, certa autoridade médica acaba por emitir juízos de valor. Além de estar em jogo a "cura", também está a dificuldade da sociedade de lidar com o "diferente", com o "patológico", ou mesmo com aquele privado da fala ou que tem um déficit sensorial. Essa dificuldade é legitimada pela proposição de programas para vacinação contra a rubéola, pela permissão de aborto quando o feto pode nascer com deficiência auditiva, pelo crescimento das empresas de aparelhos auditivos, pelas triagens auditivas preventivas, entre outros fatos. De qualquer forma, o que está em jogo são convicções acerca do significado da surdez. Em todos os lados há dificuldades para aceitá-la. O que muda é a "solução" encontrada por uma a uma dessas posições para lidar com o problema.

Afinal, se o surdo pudesse ouvir (por meio de uma prótese auditiva, não deixando de ser surdo) e falar, isso impediria a discriminação? O surdo deixaria de ser visto como surdo? Vejamos abaixo o depoimento de José sobre as condutas sociais relacionadas a seu filho, Vinícius. Vinícius tem surdez profunda e fez implante coclear. Os ganhos que o implante lhe proporcionou são suficientes para que a compreensão da fala ocorra apenas auditivamente. Vinícius não tem dificuldades com a linguagem oral ou a escrita. Ele estava com 8 anos na data da entrevista abaixo, cursava o terceiro ano (antiga segunda série) e acompanhava bem a escola.

José: Às vezes acontece alguma coisa na escola! "Ah! O Vinícius fez isso ou isso?" Às vezes a pessoa liga a questão daquela reação dele à deficiência dele. Isso é uma coisa constante. Se algum outro garoto fez isso ou se é só ele que fez isso. Tem de investigar, entendeu? "Não. O Vinícius fez isso. Ele reagiu assim." Então, a primeira coisa que vem, assim: "Ele reagiu assim porque é deficiente auditivo". Mas nem sempre é assim. [...] É que às vezes reage, e se reagisse da mesma forma que ele não teria problema, porque a criança não é deficiente auditiva, entendeu? Então, quer dizer, fica mais evidente a reação. Eles rotulam, e a criança passa a ser mais observada, mais exigida, todo o comportamento da criança. [...] A gente não pode perder de vista que ele ainda é surdo, né? O implante deu a ele um mundo de informação, um mundo da fala, da audição. Daí, na escola existe o rótulo, mesmo estando integrado. [...] Mas a própria sociedade discrimina muito. As minorias são desrespeitadas no Brasil, não só os deficientes auditivos, mas as minorias. A maioria sempre quer esmagar as minorias. Existe um padrão físico e um padrão, né? Então, quer dizer, se você não está naquele padrão, você está fora daquilo. Daí, você é... Isso é angustiante, o meio social que a gente vive. Então, a gente não se engana que ele é deficiente auditivo.

Ao que parece, não há muita escolha. Mesmo estando bem integrados no "mundo dos ouvintes" – ouvindo, falando ou usando a língua de sinais –, eles continuam sendo e sempre serão surdos e, por isso, tratados como tal. Não parece ter havido avanços tecnológicos ou lutas de política linguística capazes, até hoje, de acabar com este modelo socialmente postulado: o do "bem-falar".

A fala do surdo, caracterizada em geral por distorções, omissões e modulação vocal fixa, não é aceita. Talvez por isso seja comum a ideia de que ela é sempre artificial, como se fosse a de um estrangeiro diante de uma língua desconhecida. Mas o que dizem os próprios surdos sobre sua fala? Exponho, aqui, enunciados de relatos oralizados em entrevista feita por Albuquerque (2002, p. 40):

Nos lugares que vou acham que sou estrangeira. (Vi)

As pessoas acham que sou de fora do Brasil. (Jo)

As pessoas acham que sou americano. (Ph)

Em sua dissertação de mestrado, Albuquerque afirma que ser considerado estrangeiro dá, ao surdo, a possibilidade de falar de forma diferente sem ser deficiente ou doente. Esse é um espaço confortável da não proficiência. O falar distorcido faz que o outro interprete a diferença como um não domínio da língua. Esse surdo aproxima-se dos ouvintes, ainda que tenha consciência de sua condição particular.

Em função disso, a fala representa, nesse caso, a aproximação com a normalidade, a aquisição de conhecimentos e a possibilidade de interação com os ouvintes, sem o afastamento dos surdos – embora se perceba, de certa forma, uma discriminação dos que falam em relação aos que utilizam a língua de sinais. No trabalho de Albuquerque, vê-se uma comprovação disso: "[...] prefiro conversar na internet (ICQ) com amigos surdos e sair com amigos ouvintes" (2002, p. 45). Eles também comentam que têm mais assuntos com os surdos que falam:

> Quando encontro deficientes auditivos, não tem muito assunto. Eles são limitados. O assunto é mais do dia a dia. Da vida pessoal. Eu nunca conversei com eles sobre um livro que li, por exemplo, falar o que achei. (Va)

> As pessoas que são surdas e usam os sinais só dizem as mesmas coisas [...] não têm novidades. [...] Prefiro namorar e até casar com um ouvinte porque há novidades, comunicação com os outros, maior vocabulário. (Fe)

> Procurar pessoas que ouvem para poder falar melhor, se procurar os surdos vai piorar falar. (Ph) (Albuquerque, 2002, p. 41)

A fala faz que esses surdos possam eleger-se como diferentes, como tendo uma "autoridade" em relação aos outros com o mesmo problema. Essa autoridade é construída socialmente a partir do momento em que contextos discursivos lhes permitem uma condição de "falante competente" (Santana, 2006). Nesse sentido, a fala dos surdos alcança o seu valor por meio da relação de um mercado em que as competências linguísticas dos interlocutores têm seu preço. Preço que se define pela competência de falar a língua "legítima", a língua oficial, uma língua de modalidade oral (Bourdieu, 2008).

A língua legítima, nos termos de Bourdieu (2008), é que delimita o espaço. Ela é definida pela forma como é usada e depende de uma série de fatores, como interlocutores proficientes ou não, idade, classe social, grau de instrução e contextos de uso; em suma, todas as variáveis que compreendem o uso de uma língua qualquer. Não se trata de uma representação que se impõe – "ato mágico" – por força própria, mas sim um instrumento acionado pelos agentes sociais em lutas e contextos específicos. É nesse espaço que se aceita a aquisição de determinada língua (e não de outra) e de seus usos. É ali também que a luta pela imposição de outra língua ocorre.

Procura-se, atualmente, legitimar a língua de sinais. A língua, num contexto geral, é associada diretamente à identidade (fixa, vale a pena ressaltar) e à competência natural (reafirmada, entre outros modos, pela existência de um canal sensoriomotor íntegro visuomanual). Isso acaba por proporcionar ao surdo o sentimento de que pertence a determinado grupo – não mais a um grupo de "anormais", mas a um grupo específico, de surdos. Com isso, vem a ideia de que só nesse grupo ele é capaz de adquirir sua identidade, a "identidade surda". Mas o que seria exatamente essa identidade?

A BUSCA DA IDENTIDADE

Os defensores da língua de sinais afirmam que só por meio dela, adquirida em qualquer idade, o sujeito surdo constituirá uma identidade surda, já que ele não é ouvinte (Perlin, 1998; Moura, 2000). A maioria dos estudos tem como base a ideia de que a identidade surda está relacionada ao uso da língua. Usar a língua de sinais em contato com outro surdo é o que define, basicamente, tal identidade. O que ocorre é que, nessa interação, surgem novas possibilidades de compreensão, de diálogo e de aprendizagem, que não são possíveis apenas por meio da linguagem oral. Isso porque a aquisição de uma língua, e de todos os mecanismos afeitos a ela, faz que se credite à língua de sinais a possibilidade de ser a única capaz de oferecer uma identidade ao surdo.

O que seria e como se constrói a identidade? Para alguns autores, ela está relacionada tanto aos discursos produzidos quanto à natureza das relações sociais. Para Maher (2001, p. 116), "ao falarmos de identidade, não estamos falando de *essência* alguma". Identidade é uma construção permanentemente (re)feita que busca determinar especificidades que estabeleçam fronteiras identificatórias com o outro, bem como obter o reconhecimento de sua pertinência pelos demais membros do grupo social ao qual pertence. É, portanto, nessa relação com diferentes outros que o sujeito se constrói; é nas práticas discursivas que o sujeito emerge e é revelado. Ou seja, é também pelo uso da linguagem – e não qualquer materialidade linguística específica – que as pessoas constroem e projetam suas identidades. "A construção da identidade não é do domínio exclusivo de língua alguma, embora ela seja, sempre, da ordem do discurso" (Maher, 2001, p. 135) e, por isso, interativa e social.

Não existe uma identidade exclusiva e única como a surda. Ela é construída por papéis sociais diferentes (pode-se ser surdo, rico, heterossexual, branco, professor, pai) e também pela língua que constrói nossa subjetividade. Usando a expressão de Cameron *et al.* (*apud* Lopes, 2001, p. 310), "a pessoa é um mosaico intrincado de diferentes potenciais de poder em relações sociais diferentes". Nesse caso, não há escolhas "livres" nas nossas identidades; isso independe da nossa vontade. Elas são determinadas pelas práticas discursivas, impregnadas por relações simbólicas de poder.

Para ilustrar melhor essa questão, que nos remete ao problema da constituição da identidade, vejamos o seguinte relato:

Ricardo: A identidade surda é aceitar ser surdo. Se a pessoa não aceita ser surda, só, não tem identidade própria. É... ele fica revoltado. Não aceita. Ele tem vergonha de ser surdo. Eu não... Eu não tenho vergonha de ser surdo. Eu exponho o meu problema, o que foi que causou. Então, eu exponho minha identidade de surdo, entendeu? Agora, tem surdo que tem vergonha, daí ele esconde a identidade dele.

No caso de Ricardo, a "identidade surda" parece se constituir pela sua carência, pela privação ("Eu não tenho vergonha de ser surdo. Eu exponho o meu problema.") e por assumir a surdez como limitação. Ricardo também comentou, durante a entrevista, que na adolescência teve muita dificuldade para aceitar o seu problema. Quando as moças falavam baixo e ele não entendia, por exemplo, sentia vergonha de dizer que era surdo. Só tempos depois passou a aceitar sua condição. É por isso que Ricardo se refere à identidade surda como aceitação. O interessante é que ele ressalta que sua primeira língua é a oral e, ao comunicar-se, prefere também usar essa língua. Só utiliza a língua de sinais com ouvintes que queiram treiná-la ou com surdos que não falam. Nesse sentido, uma língua de modalidade oral também pode compor a identidade do surdo, a partir do momento em que ele se apropria dela e a molda para construir e marcar sua identidade.

Ao que parece, a constituição da identidade pelo surdo não está necessariamente relacionada à língua de sinais, mas sim à presença de uma língua que lhe dê a possibilidade de constituir-se como "falante", ou seja, à constituição da própria subjetividade pela linguagem e às implicações dessa "constituição" nas relações sociais (Benveniste, 1988b). Em outras palavras, é estranha a afirmação de que os surdos só constroem a identidade por meio da língua de sinais. Afinal de contas, não há relação direta entre língua específica e identidade específica. A identidade não pode ser vista como inerente às pessoas, mas como resultado de práticas discursivas e sociais em circunstâncias sócio-históricas particulares. O modo como a surdez é concebida socialmente também influencia na concepção da identidade. O sujeito não pode ser visto dentro de um "vácuo social". Ele afeta os discursos e as práticas produzidos e é por eles afetado.

Há estudos relacionados à surdez que tratam esse tema de outra forma, como se a identidade fosse constituída apenas com base em dois polos: o dos ouvintes e o dos surdos. Ela é construída sempre em relação a determinado grupo ao qual pertence, diferenciando-se de outro, com o qual se estabelece uma relação de caráter negativo, de oposição. Assim, a construção da identidade baseia-se num processo de "associação" a determinado grupo, e de "dissociação" em relação a outros. O pertencimento expressa-se por meio do *ethos* grupal, do conjunto de valores e saberes partilhados (Geertz, 1989). A identidade também pode ser construída com um *ethos* como referência negativa: o indivíduo não faz parte daquele grupo, nem de nenhum outro que tenha *ethos* próprio. Por exemplo, os conceitos de normal e de patológico definem um *ethos* de referência, a normalidade, e afastam todo aquele que dele não se aproxima, reservando a todos o mesmo lugar social de patológico. Não há um *ethos* que possa caracterizar e definir os "patologizados".

A identidade é, assim, formada por diferentes papéis sociais que assumimos e, vale salientar, não são homogêneos. Podem ser religiosos (católicos, evangélicos), políticos (de direita, de esquerda, socialistas, social-democratas), funcionais (metalúrgicos, vendedores, médicos), estéticos (*clubbers, punks, hyppies*) e de gênero (homens, mulheres). A distinção entre ouvintes e não ouvintes, de certa maneira, cria um obstáculo teórico: define o grupo de "não ouvintes" como o único no qual os surdos se inserem. A identidade, nesse caso, só pode ser construída de forma negativa. Mas a arquitetura social não se reduz a isso, evidentemente. Talvez o caso mais óbvio e que se opõe a tal redução da estrutura social seja o esforço que várias comunidades religiosas têm feito para ter os surdos como parte dos seus membros. Atualmente, a maior parte dos cursos de línguas de sinais é oferecida por comunidades evangélicas e, no Brasil, um dos principais religiosos desse gênero tem ao lado, em seu programa de televisão, alguém que faz a tradução simultânea para a língua de sinais. Não importa se os fiéis são surdos ou não; nesse momento, eles "pertencem" a um grupo particular formado não apenas por surdos, mas por pessoas que compartilham a mesma religião e, por isso, se identificam.

Em suma, dificilmente podemos falar de uma "identidade surda". A constituição da identidade do sujeito está relacionada às práticas discursivas – e não a uma língua determinada – e às diversas interações sociais no decorrer de sua vida: na família, na escola, no trabalho, nos cursos que faz, com os amigos. O reconhecimento dessa realidade aprofundaria as discussões sobre a identidade no campo da surdez, que têm procurado estabelecer uma "norma" em relação ao que é chamado de identidade, a fim de exigir que as análises correspondam a ela. Ou seja, uma norma de identidade, "a identidade do surdo", e uma norma cultural correspondente, a "cultura surda".

REFLEXÕES ACERCA DA EXPRESSÃO "CULTURA SURDA"

Quando se pensa em cultura, o conceito recorrente é de um conjunto de práticas simbólicas de determinado grupo: língua, artes (literatura, música, dança, teatro etc.), religião, sentimentos, ideias, modos de agir e de se vestir. Para Geertz (1989), o conceito de cultura é essencialmente semiótico: o homem seria um animal amarrado a teias de significados que ele mesmo tece. A cultura seria o conjunto dessas teias. A cultura não é apenas um complexo de padrões concretos de comportamento, costumes, usos, tradições, feixes de hábitos; é também um conjunto de mecanismos de controle, planos, receitas, regras e instruções para governar os atos. Segundo ele, o homem é o animal mais desesperadamente dependente de tais formas de controle e estratégias. Essa perspectiva da cultura desenvolve-se pelo pressuposto de que o pensamento humano é basicamente social e público, por isso seu ambiente natural é o pátio, o mercado, a praça da cidade. Assim, pensar consiste não nos acontecimentos mentais, mas num tráfego entre símbolos significantes:

> [...] nossas ideias, nossos valores, nossos atos e até mesmo nossas emoções são, como nosso próprio sistema nervoso, produtos culturais, na verdade produtos manufaturados a partir de tendências, capacidades, disposições com as quais nascemos. (Geertz, 1989, p. 62)

Na área da surdez, geralmente se encontra o termo "cultura" como referência à língua (de sinais), às estratégias sociais e aos mecanismos compensatórios de que os surdos usufruem para agir no/sobre o mundo, como o despertador que vibra, a campainha que aciona a luz, o uso de fax em vez de telefone, o tipo de piada que se conta etc.

Temos, pelo menos, dois modos de discutir essa questão. Um deles, mais simples, argumenta que os surdos, apenas por fazer parte de um grupo que fala determinada língua, não podem ser considerados membros de outra cultura, já que isso implica bem mais que ter uma língua em comum. Dir-se-ia, assim, que a língua, isoladamente, não totaliza uma cultura. Os surdos crescem segundo os valores, as crenças, os símbolos, os modos de agir e de pensar de um sistema socialmente instituído e em transformação. Encerrando a discussão, dir-se-ia que os surdos e os ouvintes crescem numa mesma cultura a partir do momento em que participam de uma mesma comunidade. Códigos específicos não expressam uma cultura diferente, apenas indicam a particularidade de um grupo dentro de um sistema social. Em outras palavras: não há como conceber uma ideia de cultura surda e de seu oposto, cultura ouvinte. Porém, finalizar essa discussão com o enunciado acima seria uma formulação abstrata e descomprometida com a realidade, pois ignoraria a separação que a própria sociedade estabelece entre surdos e ouvintes.

Outro modo de discutir a questão da cultura surda é bem mais complexo. Desse lado, não vale a pena entrar em jogos teóricos como o de se existe ou não cultura surda (e seu oposto, a cultura ouvinte). Esse tipo de trabalho representaria apenas a ponta do *iceberg*. Em outras formas, seria preciso entender por que persistem as opiniões a favor da cultura surda e quais as vantagens de adotar (e defender) essa ideia. Há outras questões, não evidentes, que são importantes para essa discussão (por exemplo: por que parece ser uma conclusão lógica para muitos autores e surdos a adoção do termo "cultura surda"?).

Assumir a existência da cultura surda implica também admitir segregação entre surdos e ouvintes e, ainda, referendar uma divisão social, como diria Bourdieu (2008). Para o autor, é por meio da constituição heterogênea dos grupos que se pode observar melhor a eficácia das representações que impõem os princípios de divisão. Desse modo, a oficialização realiza-se plenamente na manifestação, ato típico mágico pelo qual o grupo prático, virtual, ignorado, negado e reprimido se torna visível, tanto para os outros grupos como para si mesmo, atestando sua existência como grupo conhecido e reconhecido, e afirmando sua pretensão à institucionalização. O mundo social é também representação e vontade; existir socialmente é ser percebido, aliás, percebido como distinto.

Levando essas considerações para o campo da surdez, vemos que, longe de ser apenas um debate por direitos ou de tentar trazer melhorias para o surdo, a defesa da cultura surda atualiza os mecanismos de reprodução da própria desigualdade, e o termo "cultura" passa a ser um dos instrumentos de legitimação dessa desigualdade e da tentativa de preservar uma ideia de homogeneidade.

Acredita-se também que o termo "cultura surda" (e sua legitimação) é produto exclusivamente dos surdos, enquanto aos demais grupos da sociedade, ou melhor, aos ouvintes, é subtraída qualquer participação na sua adoção. Sob várias formas, todos aqueles que estão distantes da comunidade surda são considerados sem relevância e não podem contar como referência. Assim, toda ideia de cultura surda fica ligada exclusivamente ao surdo e aos profissionais da área, como se a criação do termo "cultura" fosse associada apenas a um grupo específico.

Kozlowski (2000), por exemplo, afirma que a existência de uma cultura surda faz parte da educação bilíngue. O surdo seria bilíngue e bicultural. O biculturalismo designa o conjunto de referências à história dos surdos, de significações simbólicas veiculadas pelo uso de uma língua comum, de estratégias e de códigos sociais utilizados de maneira comum pelos surdos para viverem numa sociedade feita por e para os ouvintes. É, portanto, uma cultura de adaptação à diferença e produtora de elos sociais. A realidade e a legitimidade dessa noção de cultura são objetos de grandes críticas, algumas com razão, pois muitos aspectos da cultura surda apresentam-se mais como um sistema derivado da cultura dos ouvintes do que como uma cultura realmente original e autônoma.

Grosjean (2003a, 2003b) afirma que bilinguismo e biculturalismo não podem ser usados de forma complementar, pois não o são. A definição do que é uma pessoa "bicultural" é complexa e envolve três aspectos: a) ela participa, pelo menos em parte, da vida de duas culturas; b) ela se adapta parcialmente ou de forma incompleta a determinado ambiente cultural; c) ela combina e sintetiza traços de duas culturas. Contudo, os autores acreditam que a descrição de uma pessoa bicultural deveria levar em conta a definição que a pessoa faz de si mesma: quem sou eu? Quais sãos as vantagens e os inconvenientes de ser bicultural? Qual o meu papel específico nessas duas culturas? Qual o feito subjetivo do biculturalismo na minha vida? Apenas se os surdos participarem definitivamente das "duas culturas" poderão eles mesmos definir essa questão.

O "bi" de bicultural na surdez parece partir de uma definição de cultura como delimitada a uma "cultura surda" e a uma "cultura ouvinte", como se fossem realidades autônomas e separadas.

Ou seja, a discussão da literatura acerca da cultura surda pressupõe diferença entre surdos e ouvintes e postula uma ideia de realidade homogênea. Entretanto, essa diferença faz parte de um processo de cisão social que não é recente. O próprio discurso sobre a desigualdade também faz parte desse mesmo processo. Separação semelhante pode ser vista, por exemplo, em outro contexto: o da "cultura erudita" e da "cultura popular". A crença de que uma fronteira separava essas duas "culturas" criou sérios obstáculos e por muito tempo impediu uma compreensão melhor sobre – e mesmo que se percebessem – os intercâmbios existentes entre elas (Chartier, 2004). O erro, que tem sido frequentemente apontado pelos grandes especialistas da área, está basicamente em tomar a "cultura" como um sistema fechado em si mesmo. Como bem lembra Thompson (1998, p. 17):

> [...] uma cultura é também um conjunto de diferentes recursos, em que há sempre uma troca entre o escrito e o oral, o dominante e o subordinado, a aldeia e a metrópole; é uma arena de elementos conflitivos, que somente sob uma pressão imperiosa – por exemplo, o nacionalismo, a consciência de classe ou a ortodoxia religiosa predominante – assume a forma de um "sistema". E na verdade o próprio termo "cultura", com sua invocação confortável de um consenso, pode distrair nossa atenção das contradições sociais e culturais, das fraturas e oposições existentes dentro do conjunto.

Conceitos como o de multiculturalismo têm também sido introduzidos no debate para sair de uma visão "bicultural e, portanto, bipolar" para uma visão mais ampla do que seja a cultura relacionada às minorias (surdos, índios, negros, grupos religiosos etc.). Nessa vertente, a cultura não é algo fechado em si mesmo. O multiculturalismo estaria relacionado a práticas culturais diferentes de pessoas que têm diferenças étnicas, linguísticas, religiosas, sexuais etc. Trata-se, assim, de estabelecer níveis de respeitabilidade e garantia de igualdade e de direitos humanos, com respeito às diferenças culturais (Kelman, 2012). Essa concepção de multiculturalismo e de intercruzamento entre culturas parece trazer uma concepção mais próxima à realidade da surdez, menos polarizada e sectarizada.

Sá (1999, p. 157-58), partindo de uma concepção socioantropológica da surdez, afirma que não se está defendendo que o surdo faz parte de uma "raça" distinta da sociedade ou de sua família ouvinte:

> [...] nem estamos pretendendo incentivar a criação de grupos à parte, de minorias alheias à sociedade majoritária. Pretendemos, sim, que sejam reconhecidas as variadas "especificidades culturais", manifestadas na língua, nos hábitos, nos modos de socialização e de funcionamento cognitivo que dão origem a uma cultura diferente. [...] O objetivo de considerar, no estudo da problemática do surdo, a questão cultural, não é o de incentivar a criação de grupos minoritários à margem da sociedade, mas justamente o contrário, ou seja, o de considerar a diferenciação linguística como necessária para possibilitar o desenvolvimento normal da cognição, da subjetividade, da expressividade e da cidadania da pessoa surda.

A questão não é só o uso de línguas diferentes, mas o que implica seu uso. O lógico parece ser que os falantes de uma mesma língua interajam mais que os de línguas diferentes. A criação de grupos de surdos é reflexo disso. Ressalte-se aqui que nestes também há ouvintes, mas estes usam a língua de sinais. O fato é que a interação dos dois está também diretamente relacionada a quanto os surdos conseguem falar ou escrever. Como bem disse Emanuelle Laborit (1994, p. 39):

> Quero entender o que dizem. Estou enjoada de ser prisioneira desse silêncio que eles não procuram romper. Esforço-me o tempo todo, eles não muito. Os ouvintes não se esforçam. Queria que se esforçassem.

A autora, em suas palavras, explicita um conflito: um esforço unilateral (dos surdos) para interagir com os ouvintes e estes, por não se esforçarem, por discriminarem os surdos, dão visibilidade à segregação e permitem a "constituição" de um grupo diferente que acredita ter também uma cultura distinta.

Estudando essa questão, Lane (1992) ressalta que a cultura surda, além da língua, é composta de literatura específica, de história própria, de contos de fadas, fábulas, romances, peças de teatro, anedotas e jogos de mímica. O autor ressalta ainda que algumas peças de teatro chamam atenção para atividades ridículas dos ouvintes, como conversas intermináveis pelo telefone, o pânico de serem tocados, a falta de percepção visual, a falta de expressão dos rostos, nos quais apenas os maxilares se articulam; rostos que pela sua insensibilidade negam o que as palavras mencionam. Há uma grande porcentagem de casamentos endógamos. Os membros da comunidade creem, tal como os de outras minorias culturais, que se deve casar também com membros pertencentes à minoria: o casamento com uma pessoa ouvinte é totalmente desaprovado. Ou seja, ainda permanece, implicitamente, o medo do preconceito.

Ao que parece, os surdos estimulam a postura endogâmica, característica própria das minorias. Com isso, eles mesmos parecem estabelecer segregação com os ouvintes. Sentindo-se pressionados a falar e a escrever para conseguir estudar e arranjar um bom emprego, interpretam essas cobranças sociais como imposição de poder dos ouvintes sobre os surdos, o chamado "ouvintismo". Skliar (1998) ressalta que o problema não é a surdez, não são os surdos, não é a identidade surda nem a língua de sinais, mas as representações dominantes, hegemônicas e "ouvintistas" sobre eles: "Dessa forma, a nossa produção é uma tentativa de inverter a compreensão daquilo que pode ser chamado de normal ou cotidiano" (*ibidem*, p. 30). Ao nomear e classificar essa desigualdade, o autor enfatiza a segregação, a "superioridade" que os ouvintes impõem aos surdos pelo poder e pela força, como se a referência em jogo fosse a relação surdos/ouvintes e não falante ideal/incapacidade de falar.

Vejamos, abaixo, o comentário de dois surdos sobre a cultura surda:

Ricardo: A cultura surda é... tipo assim, o aparelho TDD, já ouviu falar? O aparelho TDD é um telefone digital. O uso já faz parte da cultura surda. Porque se um cara é surdo... Como surdo vai se comunicar por telefone? Não tem como. O telefone digital, o e-mail, a internet, chat, ICQ... No esporte, por exemplo, a cultura surda no esporte... O juiz, se ele for apitar, ele não ouve. Como é que faz? Tira a camisa e faz assim [*balança a mão para cima*]. É a cultura surda. Eu sou a favor plenamente. [...] A língua de sinais é a cultura do surdo.

Paula: Por exemplo, um casal francês vem para o Brasil passear. Quando chega aqui, vê muitos índios e muitos bebês índios. A mulher francesa não pode engravidar e gostaria de adotar um bebê índio. O índio não se incomoda porque tem muitos bebês. Ela leva o bebê índio de volta à França. Lá o educa: maneiras de vestir, alimentar-se, estudar. Quando o bebê índio cresce, ele volta ao Brasil. Ao chegar aqui se identifica com os índios e sente-se mal com as roupas e o modo de agir francês. Ele, então, tira a roupa, nada, caça. Porque essa é sua raça, sua cultura. O surdo, quando nasce, a mãe o ensina a falar e a estudar. Ele não sabe sinais porque sinais é visto como preguiça para falar. O surdo cresce sem saber sinais. Aprendeu a falar desde pequeno. Um dia ele encontra surdos na rua conversando. Estranha os movimentos das mãos. Pergunta se eles são surdos e a resposta é positiva. Ele explica que também não ouve e que é igual a eles. Pergunta sobre os sinais e diz que quer aprender. Ao chegar em casa, não se sente bem em falar. Não quer mais falar. Quer aprender a língua de sinais. [...] A língua de sinais no Brasil é um pouco diferente. Mas a cultura é mais ou menos igual em todo o Brasil. TDD, telefone, maneira de pensar, passear. Isso é quase tudo igual.

Para Ricardo, a cultura surda parece ser o nome dado ao conjunto de mecanismos particulares ou alternativos que os surdos "precisam" usar diante de sua limitação auditiva, entre eles o uso de uma língua visuomanual. Já Paula concebe a cultura surda de outra forma, como se a cultura não fosse apreendida, como se não fosse social, mas natural, física. A ideia aqui é de que a cultura está relacionada à herança biológica, porque assim também é como a surdez é concebida. Uma das particularidades disso é que se soma a essa concepção de senso comum da relação entre raça e cultura a disposição em aceitar a designação do surdo como diferente. Nos depoimentos de Ricardo e Paula, o que vemos são interpretações distintas do mesmo processo. Ao autorizar essas interpretações e outorgar esses significados, institui-se uma regra: tornar a surdez uma diferença, que tem, portanto, um espaço de atuação, fora do qual nada disso lhe seria representativo.

O fato é que a delimitação de espaços específicos para os diferentes reedita uma representação da sociedade como incapaz de lidar com as diferenças, de conviver nos mesmos espaços. Há certa idealização do que é a cultura e mesmo a sociedade. Por isso, há segregação de espaços fechados para os surdos e "simpatizantes". Assim, tanto o discurso científico quanto o dos próprios surdos legitimam e reproduzem tal limitação de lidar com as diversidades.

CONSIDERAÇÕES FINAIS

O que discuti até agora evidencia que a maioria das pesquisas referentes ao tema reedita, em outros termos, as delimitações e diferenças já existentes na sociedade. Partindo-se do termo "cultura", surgem outras expressões que pretendem inserir algo novo, enquanto, na verdade, conseguem apenas mais uma legitimação da diferença (biculturalismo e multiculturalismo). Isso não ocorre por acaso.

O fato é que os pesquisadores acreditam possuir um caráter de "neutralidade" em suas teses e em sua interpretação da realidade. No entanto, há uma luta permanente para definir essa realidade. Tal crença abre espaço para que esse grupo produza um saber autorizado que ganha legitimidade (Bourdieu, 2008).

Ou seja, esse conhecimento representa, em termos práticos, o que constitui a divisão entre cultura surda e ouvinte.

Logo, temos duas importantes instâncias de legitimação: um saber leigo, que produz a realidade, a comunidade surda; e o saber acadêmico, que oficializa essa representação. Tal descrição não seria, portanto, nem casual nem arbitrária. São essas as informações que reproduzem a realidade. A pesquisa acadêmica, que negligencia a complexidade das relações entre cultura, linguagem e identidade, longe de produzir "conhecimento" sobre a relação entre surdos e ouvintes, apenas reproduz e "naturaliza", por meio de conceitos, que se cristalizam pelo uso, uma divisão social já previamente estabelecida. Não rompe, portanto, com o senso comum e os preconceitos e visões de mundo que lhe são próprios, apenas os reedita de forma autorizada.

Nesse jogo, cabe aos profissionais ver aquilo que podem ver e falar apenas o que podem falar, o que expressa um mecanismo social de autorização de determinado sentido. Não é à toa que temos polos distintos, como os mencionados: de um lado, o oralismo, os médicos, os audiologistas, a deficiência, a "cura", as terapias da fala; de outro, o bilinguismo, a cultura surda, a língua de sinais, a identidade surda, os professores bilíngues. Parece caber ao surdo somente uma escolha: "Ou você está do nosso lado ou está contra". Em relação ao pesquisador ou leitor, é como se estivesse fadado a ser cúmplice ou crítico.

Esse desencontro de avaliações só é possível porque diferentes mecanismos autorizam diferentes tipos de interpretação. Crer, no entanto, que ao entender essa dicotomia de propostas entenderemos o sentido do que representa a surdez nada mais significa que a aceitação tácita de todas as crenças de senso comum que o campo da surdez divulga e nos quais as ações individuais se alicerçam.

Não é a descrição ou a conceituação de termos como "cultura surda" ou "identidade surda" o que está em questão (já que podem ser facilmente desconstruídos), mas o que representa a adoção deles. Seu uso acaba por evidenciar um campo estruturado em apenas dois polos, que representam as interpretações acerca do que é surdez. Ou, mais precisamente, com base em instrumentos de análise, compreensão e aceitação fornecidos por sentidos socialmente instituídos e que determinam os seus usos. Isso porque, na prática, afastar-se de estratégias expressivas predefinidas e previamente autorizadas pode representar o risco de uma perda de "identidade" (Santana e Bergamo, 2005). Assim, temos de um lado a diferença, especificada na cultura surda e na identidade caracterizada pela língua de sinais, e, de outro, a deficiência, a tentativa de normalização por meio de próteses auditivas e da oralização.

Embora defendam posições opostas, expressam uma mesma forma de dominação, cujo principal instrumento é a língua. Estabelece-se, com isso, um mesmo modo de separação entre os indivíduos: não apenas entre aqueles que estão "dentro" ou "fora" de espaços definidos em termos linguísticos, "normal" ou "diferente", mas também entre aqueles que podem ou não ser incluídos nesses espaços. É uma exclusão que se faz de maneira mais silenciosa, distinguindo aqueles que poderão ou não estar nos espaços antes mesmo de cruzar a linha que separa os que estão dentro dos que estão fora. São, portanto, polos opostos da mesma forma de dominação e, por isso, homólogos.

Isso me faz lembrar o relato de Davi, um advogado que ficou surdo após os 40 anos (na época dessa pesquisa tinha 62). Sua tristeza é, segundo ele, não fazer parte do grupo dos surdos nem dos ouvintes. Apesar de sua esposa ser surda e professora de língua de sinais, ele não usa os gestos nem faz leitura labial. A escrita é sua única forma de comunicação com o outro. Para ele, não há espaço definido. A sensação de não estar em nenhum dos dois lados é angustiante. O interessante é que ele reconhece esse conflito e percebe que a negação ao aprendizado da língua de sinais implica a não aceitação da surdez. No entanto, o reconhecimento do conflito não significa a solução. Ele vive a meio caminho entre os surdos e os ouvintes, em um espaço não nomeado e não reconhecido, por revelar o efeito das duas posições polares que encontramos na surdez. Reproduzo aqui suas palavras (escritas):

Davi: Ainda me vem à mente, com muita frequência, a conduta que tive e ainda tenho, gerada pela falta de audição: afastei-me, quase me isolei de gente amiga do meu convívio, de umas por vontade própria e, de outras, dado o descaso com que eu era recebido, pois, como já lhe disse, a sociedade é perfeccionista e não seria eu o encarregado de reformular tal comportamento. [...] Aceitar e "administrar" tais situações fazem parte da minha vida atual, pelas constantes deslocações que sinto quando participo de atos nos quais se encontram mais de uma pessoa. Acredito que tenha dito a você que ainda não me acertei nesses momentos, vivendo numa "coluna do meio", pois entre ouvintes não tenho mais condições de diálogo e, entre surdos, menos ainda.

2.
A idade crítica para a aquisição da linguagem[1]

Excluíram surdos com mais de dez anos...
Depois fazer implante coclear apenas em surdos bem novos, nos primeiros anos de vida, antes que o cérebro auditivo atrofiasse.
Como se fosse preciso fazer rápido, rápido antes de errar.
Emanuelle Laborit (1994, p. 183)

A IDEIA DE QUE há um período crítico para a aquisição da linguagem não é recente. Em 1915, o neurologista inglês Hughlings Jackson já afirmava que a língua deveria ser adquirida o mais cedo possível; caso contrário, seu desenvolvimento seria permanentemente retardado e prejudicado, com todos os problemas ligados à capacidade de proposicionar (Sacks, 1998).

A teoria do período crítico para a aquisição da linguagem baseia-se no desenvolvimento neurológico e na importância do *input* para adquirir a fala. Enquanto o sistema neurológico está imaturo, a natureza do *input* determinará a sua evolução. Porém, se a maturidade já foi alcançada, é improvável que o sistema seja influenciado pelo ambiente. Lenneberg (1967) foi um dos primeiros defensores dessa teoria. Para ele, a época oportuna para a aquisição da linguagem duraria da infância até a puberdade. Já para outros autores, o período chegaria ao fim aos 5 anos de idade (Mogford e Bishop, 2002).

1. Parte deste capítulo foi publicada na *Revista Distúrbios da Comunicação*, v. 16, n. 3, 2004, p. 343-54.

Contudo, os argumentos que formulam a hipótese do período crítico nem sempre são especificados ou elaborados de forma sustentável. O primeiro refere-se à dificuldade de indivíduos privados da experiência linguística e interacional de adquirir a linguagem. Os principais defensores dessa ideia baseiam-se em casos de crianças que foram isoladas do contato humano durante a infância. Na literatura especializada, encontram-se vários relatos de jovens abandonados pelos pais em florestas – as chamadas crianças selvagens – e de meninos trancados em quartos, privados de interações humanas. No entanto, não podemos deixar de levar em consideração que, nessas situações, a ausência de relações sociais ocasiona problemas não só linguísticos, mas emocionais e cognitivos. Além disso, não se sabe se essas crianças foram abandonadas porque tinham alguma característica que gerava conflitos em pais obviamente perturbados.

O segundo argumento baseia-se na diferença do prognóstico da afasia em crianças e adultos. Tal distinção caracteriza-se pelo tipo de alteração linguística que apresentam e pela rapidez na melhora de seus sintomas. Ressalte-se que esse raciocínio parece surgir de análise comparativa entre sujeitos com cérebros lesados e não lesados.

O terceiro argumento refere-se a diferenças linguísticas (o sotaque, por exemplo) características na aquisição de língua estrangeira por crianças e adultos. Isso representa uma crença dos professores de segunda língua de que "a criança deve aprender a segunda língua o mais cedo possível para não ter sotaque". No entanto, a literatura reconhece casos de pessoas que aprenderam outra língua após a puberdade e não possuem sotaque.

O quarto e último argumento diz respeito à dificuldade de crianças surdas congênitas, expostas à língua de sinais depois da puberdade, de adquirir a linguagem. Alguns autores afirmam que tais sujeitos não têm a mesma proficiência na língua de sinais que um falante nativo. Mas poderíamos realmente afirmar isso?

Ainda não se chegou à conclusão sobre a idade em que se encerra o período crítico. Isso deriva do fato de que essas teses estão subordinadas a determinado "olhar" sobre o cérebro e sobre a linguagem, e a uma perspectiva "naturalista" do desenvolvimento linguístico-cognitivo.

SOBRE O TEMPO E AS ETAPAS NA AQUISIÇÃO DA LINGUAGEM

A idade está diretamente relacionada à ideia de desenvolvimento, de tempo, de uma sucessão de eventos medida quantitativamente em anos, meses, dias, horas, minutos e segundos. A concepção de tempo está tão enraizada em nossa sociedade que, quando se comenta sobre o assunto, baseia-se, geralmente, na suposição de que ele é um dado natural, objetivo, independente da realidade humana ou mesmo de representação subjetiva. Porém, o tempo é constituído socialmente. Nas sociedades mais desenvolvidas, que não levam isso em consideração, parece evidente que um indivíduo saiba a sua idade. Entretanto, há sociedades em que os homens não sabem as datas com precisão. À medida que o patrimônio compartilhado pelo grupo não inclui calendário, é difícil determinar o número de anos que um sujeito viveu (Elias, 1984).

O relógio e o calendário constituem, assim, instrumentos de medida do tempo. Segundo Elias (1984), o relógio ocupa lugar eletivo entre os dispositivos destinados a medir o tempo, mas não é o próprio tempo. Com a ajuda de escalas de medição de períodos, utiliza-se, dentro de certa sequência de acontecimentos, o limite de outra sequência e, com isso, determinam-se começos e fins relativos. Mas a pergunta essencial é: que relação existe entre a sequência de acontecimentos representada pelo relógio e as mudanças de ordem social ou pessoal produzidas continuamente no mundo humano?

Ora, o tempo é relativo para cada sujeito e até mesmo para cada sociedade. Levar isso em consideração implica questionar se o tempo que cada indivíduo vive pode ser medido com base em critérios rígidos, como se as experiências individuais pudessem ser avaliadas em termos de quantidade e não de qualidade. As crianças passam por distintas experiências em "tempos" diferentes, por meio de interações variadas e de diversas práticas com a linguagem. Os discursos sobre os diferentes "tempos" - individual, social e natural - pressupõem especializações e, portanto, divisões entre as áreas. Trata-se não de uma questão de "relativismo", mas de um longo processo histórico de secularização, cujo efeito - entre outros, é claro - é a autonomização das áreas de pensamento. Não há, assim, um tempo real e outro ilusório, ou um mais real que outro; há divisão clara entre áreas do conhecimento que, obviamente, tentam impor a própria definição de "tempo" sobre as outras. No entanto, isso não parece ser considerado na discussão sobre idade crítica. Segundo Elias (1984, p. 60), a resposta comumente dada à questão "O que é o tempo?" é uma simplicidade ilusória:

> O que chamamos "tempo" significa, antes de mais nada, um quadro de referência do qual um grupo humano - mais tarde, a humanidade inteira - se serve para erigir, em meio a uma sequência contínua de mudanças, limites reconhecidos pelo grupo, ou então para comparar uma certa fase, num dado fluxo de acontecimentos, com fases pertencentes a outros fluxos, ou ainda, para muitas outras coisas.

Outra ideia que também não tem sido discutida a contento é a de etapas de desenvolvimento. A idade crítica refere-se, em geral, a um período predeterminado (e teleológico) à aquisição da linguagem, um intervalo que tem começo, meio e fim. Sendo um período baseado fundamentalmente na maturação cerebral, cumpre determinadas etapas definidas por padrões numéricos (estatísticos) de idade cronológica. Uma vez que o desenvolvimento humano se dá por uma sucessão irreversível de acontecimentos, tanto naturais quanto sociais, a noção de etapa demarca os eventos que ocorrem com os indivíduos. É por isso que os conceitos de estágios, etapas, períodos e fases são muito usados quando se trata da discussão sobre a aquisição da linguagem.

A delimitação de fases resulta de sequências observadas no desenvolvimento da criança, comparadas com uma média dita "normal". Definir o que é normal não diz respeito apenas a questões biológicas, mas principalmente a questões sociais (Canguilhem, 1995). Em função disso, as características individuais não podem ser muito diferentes do esperado socialmente.

Ordenar as etapas só é possível porque existem instrumentos que ajudam a quantificar o desenvolvimento humano em períodos de tempo (meses, anos, dias). Essa delimitação oferece aos pesquisadores ferramentas de medição e um fenômeno subjetivo passa a ser considerado objetivo. Assim, cria-se a ilusão de que se pode trabalhar de forma precisa e determinada, fazendo os pesquisadores crerem que podem medir o que é da ordem do social: a aquisição da linguagem.

Se o conceito de etapas pressupõe uma sucessão de fatos, estabelecer os limites entre elas nem sempre é uma questão simples. Para Perroni (1994), é importante discutir os estágios em aquisição da linguagem, visto que suas delimitações se modificam de acordo com a concepção do autor. Ela acrescenta que qualquer definição de estágio deve relacionar-se com o conceito de desenvolvimento, já que as fases gerais e invariáveis que compõem o desenvolvimento global da criança são admitidas pela maioria dos psicólogos e podem ser reconhecidas até por leigos, por meio da observação e da constatação das mudanças que ocorrem com as crianças.

Ainda de acordo com Perroni, no campo da aquisição da linguagem, a identificação de estágios é uma tarefa muito delicada: qualquer sistema produzirá estágios particulares; quanto mais específico o subsistema em análise, mais particulares os subestágios. Dessa forma, para que o pesquisador não se iluda com generalidades, é preciso ter em mente o lugar do subsistema no conjunto das competências que se estuda. Outro problema que se impõe à pesquisa de qualquer aspecto do desenvolvimento da criança e da sucessão de estágios é o de determinar os fatores/condições do aparecimento da qualidade que inaugura uma fase.

A literatura tem trabalhado com a delimitação dessas etapas como algo descontínuo e abrupto, como uma ruptura gerada pela incapacidade do cérebro de reorganizar e diminuir a mielinização do córtex cerebral. Discute-se essa questão sem considerar as diferenças individuais dos sujeitos, como se a maturação fosse apenas da ordem do biológico.

Na aquisição da linguagem, por exemplo, há diferenças individuais que impossibilitaram a delimitação de etapas. Perroni (1994) estudou o desenvolvimento discursivo de duas crianças gêmeas, um menino e uma menina, e identificou diferenças que não poderiam ser explicadas nem pela idade nem pelo ambiente social. No menino predominava o discurso argumentativo/explicativo, com abundância de construções com "por quês", algo ausente nos dados da menina, que apresentavam predominância de discursos narrativos.

Abaurre (1996), ao discutir o trabalho de Perroni, afirma que para explicar o diferente desenvolvimento linguístico dos gêmeos, no tocante ao uso de gêneros distintos do discurso, teria de se considerar a singularidade dos sujeitos e a sua maneira particular de interagir com a linguagem e seus interlocutores.

Essa discussão sobre as diferenças individuais também foi abordada por Scarpa (2001), a fim de questionar a ideia de período crítico. A autora contesta as afirmações recorrentes na literatura, segundo as quais as crianças com Síndrome de Down nunca conseguem "alcançar" a criança normal porque sua capacidade para adquirir linguagem diminui depois da puberdade. Ela defende a tese com base em seu trabalho de pesquisa (Camargo e Scarpa, 1996), que evidencia grandes diferenças individuais no sistema linguístico de crianças portadoras da síndrome. Isso significa que, entre essas crianças, há as que param num estágio estável de aquisição bem antes da puberdade e há outras que dão continuidade ao processo de aprendizagem, tanto em modalidades discursivas quanto em atividades autônomas e criativas de escrita. Assim, as diferenças individuais no desenvolvimento da linguagem não podem estar diretamente relacionadas à idade cronológica.

Com o que foi discutido acima, podemos apontar alguns fatores, além do biológico, que não têm sido ponderados na discussão sobre a idade crítica, como as diversas noções de tempo, as diferenças individuais e o desenvolvimento da linguagem da criança como um processo contínuo e não limitado por etapas predeterminadas.

Há muitos elementos envolvidos no processo de aquisição da linguagem que ultrapassam a concepção desenvolvimentista – baseada em etapas predeterminadas – e a concepção estritamente biológica – baseada na ideia de maturação. Mas seriam apenas essas as bases dos argumentos dos pesquisadores para defender a tese da idade crítica?

PRIVAÇÃO SOCIAL

Na literatura, encontramos relatos de crianças que foram isoladas do contato humano durante a infância. Algumas delas foram abandonadas pelos pais em florestas – as chamadas crianças selvagens –, como é o caso de Kasper Hauser, Vitor (o menino selvagem de Aveyron) e Isabelle.

Quando trabalham a noção de idade crítica, vários pesquisadores citam o caso de Genie, uma menina que foi privada de relacionamentos com qualquer pessoa até os 13 anos. Ela aprendeu a falar, mas possuía dificuldades na sintaxe e na fonologia. Para Newport (1990) e Newport e Johnson (1999), esse fato comprova a hipótese do período crítico, já que há um déficit de competência linguística, em particular na sintaxe, para adquirir a linguagem após a infância.

Lebrun (1983) questiona os distúrbios cognitivos de Genie. Não se sabe se eram congênitos. Poderiam ser resultado do longo sequestro que perdurou por toda a infância. De qualquer maneira, eles não explicam as dificuldades de linguagem dessa criança. É por isso que o autor levanta a hipótese de afasia congênita para o caso.

Para Mayberry e Eichen (1991), a história de Genie legitima a tese de que o isolamento social pode fazer que as crianças jamais aprendam a falar "normalmente". No entanto, os autores ressaltam que esse não é o melhor caso para estudar a privação linguística, pois as dificuldades com a linguagem podem ter derivado da privação cognitiva e emocional que Genie também sofreu.

Segundo Mecacci (1987), a linguagem que a menina adquiriu não era perfeita; assemelhava-se à dos adultos submetidos à operação cirúrgica com ablação do hemisfério esquerdo. Esses indivíduos poderiam recuperar a linguagem por meio do hemisfério direito, que ficaria incumbido das funções visuoespaciais passadas e das novas funções verbais. A linguagem organizada no lado direito do cérebro tem como características: conhecimento de vocábulos maior que o domínio de regras sintáticas; melhor compreensão do sentido de uma frase que da sua construção sintática; e maior capacidade de compreensão da linguagem que da sua produção. O hemisfério direito perderia, contudo, suas características específicas, relativas ao controle de aspectos emotivos e afetivos da linguagem, quando, por exemplo, se transmite um sentimento com a entonação de uma palavra. Por essa razão, Genie "conquistou a linguagem", mas uma linguagem automática. Ela aprendera a falar, mas não conseguia passar às palavras carga emocional ou sentidos implícitos. Para o autor, o hemisfério esquerdo, que não fora posto em ação no momento crítico, não respondia mais aos estímulos verbais ambientais. Assim, a linguagem teria se tornado atributo do hemisfério direito, mas com limitações.

Ao que parece, a crença no período crítico baseia-se na habilidade do ser humano, em diferentes estágios de maturação, de transferir funções da linguagem de uma área lesada a outra saudável. O cérebro humano ficaria rígido e inflexível após os 5 anos (período variável de autor para autor) e não poderia mais transferir a função para o hemisfério direito. A capacidade de especialização hemisférica tem sido relacionada também ao período crítico.

De todo modo, há autores, como Lebrun (1983), que levantam a hipótese de que órfãos e crianças abandonadas que receberam pouco estímulo antes da adolescência geralmente não conseguem suprir totalmente seu retardo linguístico. Apesar dos esforços dos pais adotivos, a aquisição da linguagem, por ter começado muito tarde, é prejudicada e limitada. Assim, o autor conclui:

> Não há dúvidas de que a primeira infância constitui um período especialmente favorável para aquisição da linguagem. Se, durante este período, a criança não for estimulada, terá muitos problemas para se tornar hábil na utilização do futuro idioma. É provável, então, que haja uma época biológica para a aquisição das habilidades verbais, especialmente da expressão oral. Se esta época não for respeitada, o aprendizado torna-se difícil e fica uma lacuna, mesmo na ausência da lesão cerebral. Isto causará um tipo de afasia funcional, pois o adolescente não possui mais a facilidade da criança para iniciar-se na linguagem. (Lebrun, 1983, p. 93)

Para questionar a afirmação de "época biológica", há também o caso de Alex, citado por Vargha-Khadem *et al.* (1997). Alex era uma criança que sofria da Síndrome Sturge-Weber, que afetou seu hemisfério esquerdo com fortes convulsões. Ele ainda não adquirira a linguagem, mas, após o lado esquerdo ser removido cirurgicamente, aos 9 anos de idade, desenvolveu excelente progresso linguístico em termos expressivos e receptivos, incluindo aspectos semânticos, prosódicos, gramaticais e fonológicos. Os autores comparam esse caso ao de Genie e argumentam que, diferentemente do que ocorreu com a menina, o hemisfério direito de Alex tomou as funções do esquerdo normalmente, incluindo a aquisição da linguagem. Para os autores, apesar do alto rendimento, Alex ainda apresentava dificuldades em dois aspectos: na linguagem receptiva, a compreensão era mais difícil para enunciados complexos, enquanto na expressiva havia mais dificuldade ao trabalhar fonemas e sílabas na segmentação das palavras e na repetição de não palavras.

Perani *et al.* (1998) ressaltam que o caso do menino mostra que é preciso ter cautela ao afirmar impossibilidade de aprender a linguagem tardiamente. A história também coloca em xeque a tese de Mecacci (1987) sobre a impossibilidade de uma criança aprender a prosódia da língua com o hemisfério direito, ou mesmo de aprender uma língua após o período crítico.

Há ainda o caso de Isabelle. Ela era filha ilegítima de uma mulher surda e cérebro-lesada, com a qual passava a maior parte do tempo; ambas enclausuradas num quarto escuro, na casa do avô, no interior do estado de Ohio (Estados Unidos). Quando mãe e filha escaparam da prisão domiciliar, em 1930, Isabelle tinha 6 anos e meio e não falava, apenas emitia sons guturais. Uma vez resgatada para o convívio social, seu progresso na aquisição da linguagem foi fantástico: em dois anos e meio sua fala mal se distinguia da de crianças da mesma idade que tiveram condições normais de desenvolvimento (Scarpa, 2001). Ressalte-se que Isabelle se comunicava com a mãe surda por meio de gestos. Questiona-se aqui se a aquisição do sistema simbólico não teria relação com a facilidade com que Isabelle adquiriu a linguagem oral. Esse é um fator que devemos considerar e certamente reforça a tese de plasticidade cerebral.

Ao que parece, a hipótese de que há época biológica determinada para a aquisição da linguagem – quando o cérebro da criança, se não for estimulado, pode "atrofiar" – merece ser discutida.

A MATURAÇÃO CEREBRAL

Os argumentos biológicos que dão suporte à idade crítica foram estabelecidos por Lenneberg (1967) com base na maturação cerebral. Para o autor, a linguagem não pode se desenvolver até certo nível de maturação física, o que ocorreria principalmente entre as idades de 2 e 3 anos, quando há interação entre a maturação e a aprendizagem autoprogramada. Após esse período, haveria diminuição progressiva dessa capacidade, que se extinguiria na puberdade. Os casos que são levados em conta para discutir essa questão são os de crianças com retardo mental e os de crianças com afasia.

Em sujeitos que manifestam patologias no hemisfério esquerdo do cérebro até o fim do segundo ano de vida, o desenvolvimento da linguagem pode ocorrer normalmente, apesar da afasia transitória. Contudo, se a lesão se der depois dos 2 anos e antes de completar o desenvolvimento da linguagem, o hemisfério esquerdo já estará rígido e haverá muita dificuldade para adquirir a linguagem (Lenneberg, 1967).

Para Newport (1990), a pergunta "Por que as crianças aprendem melhor se os adultos têm maior capacidade de aprender coisas?" tem como resposta a "maturação". As crianças que sofreram lesão cerebral readquirem a linguagem melhor que os adultos, ou seja, diferentes estados de maturação não alcançam o mesmo rendimento. O fato de a maturação interferir tanto na aquisição da primeira quanto da segunda língua sugere que a aprendizagem de uma língua, primeira ou não, não está livre do efeito maturacional do sujeito. Isto é, a faculdade da linguagem está intacta somente na infância e, a partir daí, deteriora-se de acordo com o processo de amadurecimento.

A maturação cerebral e a concepção inatista sobre a linguagem e mente são os argumentos que embasam a teoria da idade crítica. Assim, a fala teria um tempo próprio para "desabrochar", para acionar o dispositivo de aquisição da linguagem.

Questiona-se, aqui, se o amadurecimento pode ser considerado o único fator decisivo do sucesso da criança em adquirir a linguagem. Ressalto que não estou afirmando que não há maior maturação ou mesmo maior mielinização durante a infância, tampouco que não haja maior organização neurofisiológica e cognitiva nesse período. O que se pode questionar é a relação direta estabelecida entre maturação e aquisição da linguagem bem-sucedida, como se ambas se reduzissem apenas a fenômenos biológicos, naturais.

De acordo com Mogford e Bishop (2002), à medida que mais casos de afasia infantil foram estudados, verificou-se que não se pode apontar relação direta entre idade precoce e evolução do quadro afásico, como o fez Lenneberg. Há crianças que ficaram afásicas aos 5 anos e nunca recuperaram a linguagem, e outras que apresentaram a patologia com 10 anos e progrediram satisfatoriamente. São necessários, portanto, estudos que levem em conta outros fatores, como o local e a extensão da lesão, a etiologia etc.

Segundo Barbizet e Duizabo (1985), a maturação cerebral que a criança atinge logo após o nascimento não serve de nada sem a intervenção de influências externas, adquiridas do ambiente social sob a forma de estímulos aos órgãos sensoriais. A criança absorve conhecimento por meio de contatos com a mãe e com familiares. Como esse aprendizado é registrado no cérebro, os autores são cuidadosos: "Não podemos fazer senão hipóteses". De qualquer modo, diante de um estímulo, algo se modifica no cérebro, manifestando-se por novo nível de ordem, de ligação e de organização neuronal, o que permite a emergência de configurações funcionais dos neurônios que sustentarão as experiências vividas. Damásio (2000) concorda com essa opinião e acrescenta que o perfil imprevisível das experiências em cada indivíduo realmente altera o *design* dos circuitos cerebrais, tanto direta quanto indiretamente, pela reação que desencadeia nos circuitos inatos e pela consequência que tais reações têm no processo global de modelação dos circuitos.

Não há dúvida de que o meio ambiente e as interações influenciam diretamente a organização cerebral. A plasticidade do cérebro está longe de se reduzir a fatores meramente neurofisiológicos e bioquímicos. Mayberry (1992) verificou o resultado da maturação neuronal usando EEG (eletroencefalograma), a fim de criar um mapa topográfico de função cortical. Ele concluiu que o elemento crucial para o desenvolvimento linguístico nas crianças não é o canal sensoriomotor, e sim a abundância e a riqueza do *input* – acessível e disponível para a criança surda durante toda a infância. Isso pode ser comprovado pela aquisição da língua de sinais por crianças surdas filhas de pais surdos. Nesse caso, o desempenho linguístico é comparável ao da aquisição da linguagem oral pelos ouvintes. Isso parece explicar por que a maturação neuronal do hemisfério esquerdo para a linguagem é menor em surdos filhos de ouvintes do que nos surdos filhos de pais surdos, e em ouvintes.

A autora ressalta que as crianças surdas apresentam menor diferenciação neuronal (maturação) nas áreas frontais dos hemisférios direito e esquerdo. Hiperatividade, impulsividade, desorganização e egocentrismo são termos recorrentes na literatura especializada, geralmente ligados à criança surda. Para Mayberry (1992), adquirir a linguagem tem um papel significativo na socialização da emoção da criança. O atraso pode impedir o desenvolvimento da habilidade planejadora, que está associada à função do córtex frontal. Em outras palavras, a comunicação é o "catalisador" da maturação social, cujo desenvolvimento é retardado em consequência do atraso do desenvolvimento da linguagem.

Isso implica relacionar diretamente maturação cerebral com as interações dos sujeitos entre si e com o mundo social. Assim, a maturação deixa de ser apenas um fenômeno biológico e, portanto, preestabelecido em uma idade crítica. Ela tem dimensão tão social quanto a própria linguagem.

Por esse motivo, alguns autores, como Singleton (1989), discordam que exista um período crítico para a aquisição da linguagem, pois, se ele existisse, haveria um tempo para iniciar e outro para terminar. Não haveria, então, continuidade de aquisição. Levam em conta, também, as evidências de que o seu desenvolvimento segue mesmo na idade adulta, quando é mais óbvio nos níveis semântico e pragmático.

A plasticidade cerebral é clara nos quadros evolutivos das afasias. Joanette *et al.* (1996) ressaltam que, nesses casos, o processo de recuperação é complexo e multidimensional, ou seja, envolve desde aspectos celulares até psicossociais. Para os autores, mesmo após a estabilização da lesão, o cérebro ainda realiza uma série de modificações funcionais que tendem a compensar os déficits de linguagem. Podemos conferir, na literatura afasiológica, episódios que relatam evolução nos quadros afásicos após longo período de tempo, comprovando que os casos graves de afasia podem se tornar mais leves, independentemente da idade em que a lesão cerebral ocorreu (Novaes Pinto, 1997).

Vê-se, assim, que um cérebro maduro não implica ausência de plasticidade. A plasticidade e a reorganização cognitiva continuam além da infância (Johnston, 2009). Se isso não acontecesse, não teríamos afásicos que melhoram o desempenho ou mesmo com grandes dificuldades linguísticas cuja condição evolui para quadro menos grave. Isso indica que o cérebro não é um órgão estático, fixo e programado, mas dinâmico, flexível e ativo, com excepcional capacidade de readaptação e mudança, porém altamente dependente das necessidades e ações do organismo como um todo. Há, assim, uma relação estreita entre as ações sociais do sujeito e a dinâmica do funcionamento cerebral. O cérebro busca caminhos diferentes para funcionar. Em termos neurofisiológicos, pelo nosso trabalho cognitivo, os neurônios são estimulados a estabelecer ligações entre si (formando novas sinapses), numa tentativa de (r)estabelecer as funções deficitárias (Morato *et al.*, 2003). Assim, devemos considerar:

> [...] uma concepção de cérebro que, longe de uma definição apenas fisiológica, estruturalista ou fenomenológica, leve em conta seu funcionamento integrativo, sistêmico e dinâmico (à maneira da neuropsicologia de inspira-

ção vygotskiana e luriana). Um cérebro capaz de manusear não apenas formas linguísticas e cognitivas, mas, sobretudo, seu funcionamento; que se defina pela relação com seu exterior discursivo. (Morato, 1997, p. 5)

AQUISIÇÃO DA SEGUNDA LÍNGUA (L2)

A diferença de sotaque entre falantes "nativos" (FN) e falantes "tardios" (FT) na aquisição da segunda língua (L2) é destacada como um argumento em favor da idade crítica – ou seja, haveria uma diferença linguística entre aprender L2 antes e depois da puberdade.

Newport e Johnson (1999) defendem a hipótese de variação de aquisição de L2 de acordo com a maturação e ressaltam que, nesse quesito, as crianças têm vantagem sobre os adultos, pois a aprendizagem de uma língua diminui com o desenvolvimento. Haveria um "platô" após a puberdade, e esse nível difere entre os indivíduos. Assim, a aquisição de uma língua não é impossível durante a fase adulta, porém, enquanto as crianças têm grande proficiência, o mesmo não ocorre com os adultos. O que parece é que o aumento de certas habilidades cognitivas paradoxalmente pode marcar uma aprendizagem diferente.

Concordando com essa questão, autores como Kim *et al.* (1997), Obler e Gjerlow (2000) e Obler *et al.* (2007) argumentam que a idade de aquisição pode ser um fator significativo para a organização funcional do cérebro humano na discriminação de diferenças fonéticas de uma língua. O fato de que as crianças podem adquirir a segunda língua sem sotaque evidencia que o cérebro humano, até o período crítico, é capaz de desenvolver dois ou mais tipos de comandos para os órgãos de articulação. O sotaque pode ser resultado de diferenças fonéticas, fonológicas e prosódicas entre as duas línguas.

Outra hipótese que explica o sotaque seria que um som foneticamente similar da primeira língua substitui um da segunda.

Mesmo quando as duas têm os mesmos fonemas, o falante de segunda língua pode ainda ter sotaque se as regras fonotáticas forem diferentes uma da outra. O sotaque pode ainda se manifestar apenas no nível prosódico. Se ele for diferente entre as línguas, o falante não nativo pode realizar entonação da primeira língua. Os autores concluem que a fonologia da segunda língua reforça a noção de estrutura e as regras de regência na linguagem humana. Muitas pessoas que adquirem outro idioma após a puberdade têm obtido sucesso no grau de competência gramatical e lexical, mas ainda têm sotaque. Poucos indivíduos que apresentam habilidades nativas depois da puberdade têm sido estudados, ainda que esse fenômeno seja impossível de acordo com a tese do período crítico proposta por Lenneberg.

Porém, há estudos que defendem que a idade pode não ser o fator principal na explicação do sotaque (Perani *et al.*, 1998; Dehaene *et al.*, 1997). Haveria muitos outros elementos envolvidos que deixam de ser considerados, tais como influência da primeira língua na aquisição da segunda, modo de aquisição (mais formal, menos formal), usos da língua (proficiência, frequência) e aspectos subjetivos do aprendizado de L2. Além disso, a aprendizagem de adultos e de crianças apresenta diferenças cognitivas. Essa questão deve também ser abordada em relação à aquisição de L1, já que o nosso modo de apreender o mundo – nossas interpretações – se modifica em função das interações sociais. Enfim, há uma variedade de aspectos que não podem ser desconsiderados quando se supõe a idade de aquisição de L2 como um dos argumentos para a idade crítica.

Newport e Johnson (1999) ressaltam que a aquisição da primeira língua não garante a habilidade para adquirir a segunda e que o modo diferenciado do adulto e da criança de receber o *input* linguístico pode explicar a diferença de sotaque. Segundo os autores, mesmo sendo o adulto mais consciente sobre a fala que a criança, há relação entre a idade e a *performance*. Ou seja, se aprendemos uma língua após a infância, cometemos "erros" relacionados a determinados tipos de regras, e a proficiência diria respeito a alguns tipos de regras ligadas à idade.

Com isso, os autores levantam a hipótese de relação inversa entre habilidades cognitivas e aprendizagem da linguagem. Esta declina precisamente porque aquela aumenta. As diferenças podem ser observadas nos erros cometidos pelos FN e pelos FT. Os sujeitos FT produzem estruturas cristalizadas, não analisam as palavras e falham nas análises morfológicas internas. Eles produzem palavras em contextos nos quais uma análise seria necessária. Também fazem manutenção de formas holísticas e supergeneralização de formas linguísticas. Já os sujeitos FN cometem erros predominantemente componenciais, nos quais parte das estruturas é produzida onde há combinação de morfemas e generalização de várias regras. A diferença resultaria no modo como as crianças percebem e armazenam o *input* linguístico. A diferença de idade reflete nas habilidades de memória e percepção, por isso crianças e adultos expostos ao mesmo ambiente linguístico podem ter diferentes bases de dados internas para realizar análise linguística. A representação da criança no *input* linguístico inclui atividades de análise de formas complexas às quais ela está sendo exposta, ao contrário do adulto, para quem a representação do *input* linguístico irá incluir mais formulações acabadas. A limitação da percepção e da memória na criança fará que a análise seja de certas partes do sistema, o que é mais fácil de realizar. O adulto, pela grande capacidade de armazenamento de palavras completas e sentenças, falha ao se concentrar em partes das palavras. Assim, as limitações das crianças em muitos domínios não linguísticos funcionam como "ferramentas" para o sucesso na aquisição da linguagem. Os adultos seriam "piores" na aprendizagem da linguagem pela emergência de habilidades operacionais que interferem na aprendizagem de estratégias mais apropriadas para a aquisição da linguagem (Newport, 1990).

Em trabalhos posteriores, Newport e Johnson (1999) complementam seus estudos afirmando que a diferença poderia também ser provocada pelo *input* recebido. Os *inputs* do adulto contêm variação limitada de construção; entre eles há mais sentenças canônicas. Já as crianças recebem mais deformações em termos de complexidade transformacional. Assim, os adultos, ao adquirirem *inputs* mais simples, aprenderiam menos, porque seus *inputs* não são complexos nem variados como os das crianças. Os autores ressaltam que é necessário analisar mais detalhadamente antes de decidir se o tipo de *input* na segunda língua é o que decide a vantagem de aprendizagem.

Essa teoria parece relacionar a aquisição da linguagem com o tipo de *input* recebido. É questionável a afirmação de que crianças receberiam informações deformáveis pelo contato com outras crianças, que também estão em fase de aquisição e, portanto, não falam "corretamente". Para afirmar isso, é preciso estudar as práticas da linguagem dos interlocutores que interagem com a criança – o que não parece ter sido feito nesse tipo de pesquisa.

Um ponto importante da teoria de Newport é a questão do tipo de erro produzido por FN e FT. Segundo Figueira (1996), os erros nada mais são do que as marcas daquilo que está sendo rearranjado na produção linguística da criança. A criança opera sobre os objetos linguísticos à medida que relaciona elementos, neles reconhecendo formas, investindo na significação. A morfologia é adquirida pela criança diante de operações sobre a língua. Ela constrói a língua como um sistema de regras: descobrindo relações, uniformizando tratamentos, regularizando formas e estruturas, numa direção muitas vezes inesperada e surpreendente para o adulto. Há, nessa fase, um conjunto de hipóteses linguísticas que as crianças montam nos padrões regulares e irregulares de conjugação (fazi, fazeu, di, dizeu, quisei); na formação de novos verbos (deslaça, desfecha, desabre, desmurcha, desmuda); nas formas derivadas por regressão (*a pinga* por *a gota*, *a passa* por *a catraca*, *o empurro* por *o empurrão*, *o apanha* por *o tapa*); nas formas sufixadas por "dor" (*roubador* por *ladrão*); nas sufixadas por "ção" (*a demoração* por *a demora*).

A "reorganização" dos erros, além de demonstrar reflexão da criança sobre a língua, mostra também as mudanças nas formas de categorização do mundo. Ou seja, o mundo só pode ser apreendido por determinados sistemas de referência que se estabelecem durante as interpretações simbólicas que o sujeito faz. O processo de desenvolvimento poderia ser entendido como processo de maturação, cristalização ou mesmo como mudança de determinados sistemas de referência. É aí que residem a mudança e, possivelmente, uma interpretação para as dificuldades fonológicas apresentadas em aquisição tardia de uma língua. São momentos diferentes que correspondem a contextos diferentes e, portanto, a sistemas de referência também distintos.

Pesquisas atuais, como a de Sanders, Weber-Fox e Neville (2007), ressaltam que os diferentes subsistemas da linguagem (sintaxe, fonologia, semântica e prosódia) têm sensibilidades diferentes relacionadas ao período crítico. Por exemplo, a semântica seria "menos sensível" à aquisição tardia da língua. Ou seja, a aquisição da segunda língua afeta os níveis linguísticos de modo diferente. Atrasos de até 12 anos não afetam processos lexicais/semânticos. Atrasos até quatro anos não afetam aspectos prosódicos e fonéticos. Os efeitos diferenciados de atrasos na aquisição de segunda língua no processamento lexical, sintático e prosódico indicam que existe uma variabilidade considerável nos subsistemas. Uns podem se modificar ao longo da vida, enquanto outros são mais sensíveis ao período de pico da plasticidade.

Os estudos ainda não são consensuais. Ao que parece, são necessárias mais pesquisas que envolvam vários aspectos, para poder realmente definir, por exemplo, a fonética e a sintaxe como níveis dependentes da idade.

AQUISIÇÃO DA LINGUAGEM NA SURDEZ

A LÍNGUA DE SINAIS E A DISCUSSÃO SOBRE A IDADE CRÍTICA

O estudo da aquisição da linguagem na surdez é o ponto de partida ideal para discutir a idade crítica, já que a grande maioria dos surdos é filha de pais ouvintes e adquiriu a língua de sinais e/ ou a fala em idade tardia.

Vários pesquisadores têm estudado em detalhes as diferenças entre crianças que aprenderam a língua de sinais na infância, isto é, surdos e ouvintes filhos de pais surdos (FN), e crianças surdas que aprenderam a língua de sinais em idade mais avançada, após os 7 anos (FT). Grande parte das pesquisas (Newport, 1990; Mayberry e Eichen, 1991; Mayberry, 1992; Emmorey, 1993; Newport e Johnson, 1999; Singleton e Newport, 2004) concluiu que a *performance* declina com a idade de aquisição, já que, em geral, os sujeitos FT cometem mais erros fonológicos (localização, orientação, movimento etc.), têm maior dificuldade para compreender mensagens em língua de sinais (inclusive na velocidade de reconhecimento lexical), são menos sensíveis a erros na concordância verbal espacial e menos eficientes e lentos na interpretação do processo linguístico (no que diz respeito a aspectos fonológicos e morfossintáticos). Em suma, aspectos da morfologia e da sintaxe mostram divergências substanciais entre FN e FT. No entanto, o mesmo não ocorreria com os processos suprassegmentais e prosódicos. Há, ainda, autores como Neville *et al.* (1997), que realizaram pesquisas com surdos proficientes em língua de sinais, adquirida tardiamente. Em pesquisas posteriores, Sanders, Weber-Fox e Neville (2007) concluem que o hemisfério direito foi mais ativado em surdos e ouvintes falantes nativos da língua de sinais americana. Os sujeitos ouvintes que adquiriram língua de sinais após 15 anos não mostram a ativação na mesma área, o que evidencia que, tal como uma língua audioverbal, a de sinais é também sensível ao período de aquisição. Já outros estudos, como os de

Ramírez, Lieberman e Mayberry (2012) ressaltam também que a aquisição de linguagem em adolescentes que adquiriram primeiro a língua de sinais segue o mesmo processo que as crianças no que se refere ao vocabulário, à extensão e à complexidade das sentenças. Ou seja, os processos de aquisição não seriam diferentes, ao contrário de sua organização cortical.

Vale lembrar que os estudos sobre esse tema, em sua maioria, parecem não levar em conta os aspectos pragmáticos e discursivos da língua. A análise linguística dos aspectos mais formais e as condições de testagens, basicamente tarefas metalinguísticas, impedem que se tirem conclusões sobre as reais possibilidades de usos da língua. Aprender um idioma não significa ser "eficiente" em determinadas tarefas metalinguísticas (soletrar, traduzir, completar enunciados, entre outros). Não se pode também fazer uma relação direta com a idade sem considerar as interações sociais vivenciadas pelos surdos (não foi mencionada essa questão nos testes). Ou seja, há uma grande possibilidade de os surdos FT se relacionarem com interlocutores não proficientes em língua de sinais. Essa situação é muito mais frequente entre os surdos filhos de pais ouvintes. Vê-se que a concepção de linguagem, de sujeito e de cérebro que está por trás dessas pesquisas não aborda as diferenças individuais, as interações sociais e os usos da linguagem. Diante disso, são necessários estudos mais aprofundados para que se possa afirmar que o surdo que adquiriu a língua de sinais tardiamente não pode ser proficiente.

Mogford e Bishop (2002) ressaltam que também é preciso considerar o tipo de etiologia que causou a surdez. Há aquelas que, além disso, também provocam deficiência mental. Muitas vezes, por ser de grau leve, a deficiência não é percebida, mas pode trazer consequências para a aquisição da linguagem. Também se deve ter clara a noção de que a criança pode levar anos para adquirir a linguagem oral e/ou de sinais.

Íris, instrutora de língua de sinais cujo depoimento apresento a seguir, é surda profunda e filha de pais ouvintes. Aos 15 anos, aprendeu a língua de sinais na Associação dos Surdos em Campinas. Há sete anos é instrutora da língua de sinais em uma das instituições envolvidas nesta pesquisa. No episódio abaixo, ela fala sobre seu trabalho como instrutora. O relato, por língua de sinais e fala, foi traduzido para o português:

Íris: Eu aprendi no curso de instrutor a usar os sinais corretamente, como ensinar para os ouvintes as diferenças das línguas de sinais no Brasil. Mas eu aprendi a língua de sinais junto com os surdos. Eu fiz curso para ensinar sinais, aprender o significado dos sinais. Pai e mãe de filho surdo querem aprender língua de sinais. Eu ensino para eles. Começo com ABC, família, nomes, cores.

A instrutora, atualmente, dá aulas de língua de sinais a crianças e pais. Pode-se dizer que tem bastante proficiência e considera essa a sua língua de pensamento (algo que foi comentado em outro momento da entrevista). O caso de Íris pode comprovar a possibilidade de adquirir a língua após a puberdade. No entanto, ainda não foi realizada, com ela, análise minuciosa dos aspectos metalinguísticos da língua de sinais – aspectos enfatizados como núcleo da sustentação da teoria da idade crítica. Há, como Íris, muitos outros surdos que aprenderam a língua de sinais após o chamado "período crítico" – a maioria, é claro, já que 90% dos surdos são filhos de pais ouvintes. Afinal, pode-se dizer que esses surdos não dominam a língua de sinais?

Existe uma grande confusão, entre os próprios surdos, sobre a definição do sujeito proficiente na língua de sinais. O não domínio das variações linguísticas pode ser considerado falta de proficiência: léxico ou configuração de mão diferente, mas que não impossibilita a produção da palavra. A possibilidade de interação eficaz com outros surdos proficientes faz que se acredite no domínio dessa língua pelos surdos. Devido à variação linguística e ao ainda recente estudo linguístico da língua de sinais, não há definição precisa a respeito do estatuto de surdo proficiente. Ressalte-se aqui que ainda são poucos os estudos (Junior, 2011; Oliveira e Marques,

2014) que envolvem as variações linguísticas, a competência (meta)linguística na língua e os processos pragmático-discursivos relacionados. Com base nesses estudos, poderíamos questionar a noção de período crítico, já que se poderiam apontar surdos proficientes que adquiriram a língua de sinais após a puberdade.

A LINGUAGEM ORAL E A DISCUSSÃO SOBRE A IDADE CRÍTICA

Mayberry (1992) afirma que pouco se sabe sobre a noção de período crítico para a aquisição da linguagem oral na surdez. Alguns educadores têm relatado que o sucesso depende da idade inicial em que as crianças começam a "ouvir" (por meio de próteses auditivas). Se a linguagem oral tem um período crítico para a aprendizagem do sujeito, seja ele surdo ou não, haverá idade crítica para o *input* auditivo.

Contrariando isso, Mecklenburg e Babighian (1996) defendem que a plasticidade audiológica seria a habilidade, para mudanças que ocorrem no sistema sensorial, responsável pela transmissão de informação acústica. A mudança de comportamento após o implante coclear evidenciaria a plasticidade audiológica e a capacidade do cérebro de adaptar-se às novas sensações de audição e a um estímulo artificial, mesmo depois de variados períodos de privação.

Apesar de a comunidade surda apresentar objeções em relação ao implante coclear, argumentando que, muitas vezes, o período crítico pode já ter passado quando se realiza o implante, Mecklenburg e Babighian (1996) ressaltam que o papel do período crítico aplicado à percepção auditiva ainda não está claro. Eles afirmam que, nos surdos que fizeram implante, mesmo após o período crítico, encontram-se evidências de atividade cortical auditiva, o que leva às seguintes conclusões: 1) a idade da plasticidade cerebral pode ser alterada, não obedecendo, assim, ao período crítico; 2) mesmo que haja diminuição da plasticidade após a maturação, ela continua por toda a vida; 3) o responsável pela plasticidade é o meio ambiente.

Os autores destacam que o fracasso do desenvolvimento auditivo em alguns casos de implante coclear poderia ser explicado pela falta de um ambiente propício, com situações efetivas de uso da fala. Geralmente, esses surdos foram pouco estimulados a ouvir (e a falar) e comunicavam-se por língua de sinais.[2]

Todd *et al.* (1991) também argumentam que não há diferenças significativas entre a percepção da fala de crianças com implante coclear que nasceram surdas e crianças que adquiriram surdez nos três primeiros anos de vida, embora as que fizeram a cirurgia do implante coclear com mais de 5 anos apresentem um grau de percepção da fala bem menor. A experiência auditiva seria, assim, importante para a fonologia da língua, mas em idade muito precoce essa distinção não é evidenciada.

Sharma e Dorman (2011), dez anos depois, também afirmam que muitas pesquisas precisam ser feitas para entender as variabilidades individuais com relação à plasticidade audiológica, como até que ponto os fatores periféricos e corticais afetam essas variedades. Contudo, os autores ressaltam que o período entre 3,5 e 4 anos corresponde ao de máxima plasticidade para a estimulação do som no córtex auditivo.

Vê-se que a discussão sobre a plasticidade audiológica nas crianças com implante coloca em xeque a rigidez que grande parte da literatura aponta em relação à maturação cerebral. O caso de Vinícius ilustra isso (a discussão detalhada de seu caso pode ser encontrada no Capítulo 4). Ele passou quase cinco anos de sua vida sem ouvir os sons da linguagem oral. Contudo, sua mãe sempre o constituiu como falante, mesmo quando ele utilizava apenas gestos e vocalizações. A sua fala, atualmente, pode ser considerada “normal”.

---

2. Kubo *et al.* (1996), em estudo feito com adultos implantados pós-linguais, encontraram, em todos, diferença de plasticidade audiológica após aproximadamente um ano de implante coclear. Como todos os adultos tiveram aumento na habilidade de perceber a fala, os autores afirmam que isso está relacionado à possibilidade de plasticidade audiológica (efeito da estimulação elétrica na cóclea).

A literatura aponta (Todd *et al.*, 1991) que, quando a criança adquire linguagem na idade de Vinícius, ela pode ter dificuldades com a fonologia da língua. Contudo, Szagun (2007), com base em sua pesquisa com crianças que receberam implante entre 6 e 48 meses, afirma que não se pode generalizar que as crianças que receberam implante coclear muito precocemente têm uma *performance* linguística melhor que as que colocaram implante em idade posterior. A autora ressalta que muitas pesquisas são centradas apenas na idade da implantação como único fator para a variabilidade da linguagem das crianças. Entretanto, os estudos deveriam considerar outros aspectos que poderiam influenciar na aquisição da linguagem, como a qualidade da audição após a operação, a memória de trabalho e a variabilidade do *input* linguístico ao qual as crianças são expostas. É necessário também estudar a interação de todos esses aspectos para poder explicar efetivamente a variação da linguagem às crianças.

Com base no que foi discutido acima, vemos que os estudos não são conclusivos. O que parece é que há muitas variáveis que interferem na aquisição da linguagem. Nesse estudo, percebe-se que, quando se oferecem condições auditivas, linguísticas, sociais e psicológicas para que ela ocorra, há plasticidade audiológica e cognitiva que permite a (re)organização cerebral - capaz de promover o desenvolvimento *normal* da linguagem (oral ou sinalizada).

O caso de Vinícius também questiona a noção rígida de fases, já que ele ultrapassa as ditas "etapas" de aquisição da linguagem em velocidade muito superior a uma criança ouvinte. Em três anos "auditivos", ele já domina a oralidade e a escrita (ressalte-se aqui que, no momento em que esta pesquisa foi concluída, ele estava na antiga segunda série e acompanhava bem a escola). Essa situação apresenta-se importante para mostrar que, na presença de um canal sensoriomotor íntegro (nesse caso, o implante permitiu a audição) e contemplando-se as outras condições para a aquisição da linguagem, como as apontadas por Albano (1990), essa aquisição se dá independentemente da idade. Ou seja, o sucesso ou o fracasso do implante não pode ser definido apenas pela idade da criança.

Vejamos os comentários da fonoaudióloga de Taís sobre a cirurgia do implante coclear. Taís estava com 7 anos de idade. Cumpre notar que a mãe sempre foi resistente à cirurgia, mas mudou de ideia após ver uma criança com implante coclear que falava perfeitamente. Ao mudar de ideia, buscou conselhos da fonoaudióloga e esta lhe informou:

> **Fonoaudióloga:** Só que agora a Taís tem 6, 7 anos. Quanto mais velha, pior. Eu nem sei se o Alberto [*otorrinolaringologista*] implanta com essa idade, né? [...] Foi muito conversado de ver o que ela tem, tinha, de chance, e o que ela não tinha de chance. Enfim, até que optaram em fazer o implante. [...] E daí a gente tá assim: o que ela mostrar de resposta pra gente, ótimo, maravilhoso. Auditivamente, ela já está mostrando resposta muito boa, mas a fala você mesmo já viu. Tudo bem, ela não tem um ano de implante ainda...

É esse discurso que faz os pais acreditarem também que o tempo é quantitativo e base para a possibilidade de aquisição da linguagem. Vejamos, abaixo, outro relato, da mãe de Fernando, criança que realizou a cirurgia de implante coclear aos 3 anos e 9 meses:

> **Mãe:** Fernando já tava passando da idade e eu cheguei lá na Selma e na fono e falei: "Gente, eu não entendo por que vocês não querem fazer o implante no meu filho, porque ele é surdo profundo. Ele tem tudo pra fazer o implante e vocês não fazem o implante. Daqui a pouco ele tá com 3 anos e meio e vocês não vão fazer implante nele. Eu tô botando maior fé nesse implante. E eu não sei, eu tô aqui entrando em pânico!"

Fernando realizou o implante na idade esperada, mas não se observou o resultado desejado (pelo menos, até o período em que este trabalho foi concluído). Fernando ouve, mas não compreende o que ouve. Repete um enunciado (com aproximações fonológicas), mas sem compreensão da linguagem oral e sem produção espontânea (ver mais detalhes do caso no Capítulo 4). Além disso, vivencia situações, na escola, no consultório da fonoaudióloga e em casa, de repetições e cobranças do "bem-falar". Quando o menino quer se comunicar, utiliza gestos. Ele fez implante coclear com 3 anos; Vinícius, com 5. Vinícius conseguiu adquirir efetivamente a linguagem; Fernando ainda tenta pronunciar as primeiras palavras espontaneamente. Esses casos servem para sermos mais prudentes no que diz respeito à dificuldade das crianças surdas de adquirir linguagem após os 5 anos, assim como para sermos mais cautelosos na indicação de cirurgia de implante coclear em bebês, como se apenas a idade estivesse relacionada ao sucesso. Não se pode contestar: uma criança precisa adquirir linguagem o mais precocemente possível, por vários motivos. Não precisa, necessariamente, ser a linguagem oral. Esta pode ser adquirida, como vimos no caso de Vinícius, após os 5 anos sem dificuldades (e quando o implante coclear dá possibilidades auditivas para isso). A idade pode ser considerada uma condição desejável, mas não suficiente para a aquisição da linguagem. Não basta apenas ouvir para que a aquisição ocorra.

De acordo com Albano (1990), são quatro as condições imprescindíveis para a criança adquirir linguagem: o "interesse" em se comunicar e interagir com o mundo; a presença, na língua, de sistema minimamente autorreferenciado em termos sintáticos e fonológicos; a "imersão" em rotinas significativas de usos da língua; e, finalmente, um sistema sensoriomotor íntegro (audioverbal ou visuomanual) para que o processo de internalização da língua possa acontecer. A autora cita casos de crianças que nunca falaram e, de repente, aos 4 anos, começam a falar, já com enunciados mais complexos. Como explicar esses casos baseando-se em etapas rígidas e predefinidas? Como estabelecer um período crítico com base apenas em tempo cronológico?

CONSIDERAÇÕES FINAIS

O que foi discutido até o momento indica que a ideia de período crítico está diretamente relacionada à concepção de linguagem e de cérebro como capacidade biológica e à concepção naturalista de desenvolvimento. Sendo uma capacidade biológica, considera-se que esta é influenciada somente pela maturação cerebral. Ou seja, a maturação faz parte do desenvolvimento biológico do indivíduo e realiza-se por etapas, atingindo a evolução máxima na idade adulta. Como a maturação atinge seu ápice após os 12 anos, a linguagem e a cognição também teriam uma etapa de desenvolvimento máximo – haveria um início, um meio e um fim. Por isso, se a criança não recebe o *input* linguístico do meio, perde a capacidade de adquirir linguagem, já que seu cérebro já está maduro e não recebeu o estímulo linguístico. Relaciona-se ainda a idade crítica ao acionamento do dispositivo para a aquisição da linguagem (perspectiva gerativista). O não acionamento desse dispositivo após a puberdade justificaria, por exemplo, a presença do sotaque.

A consideração de que o aprendizado linguístico cumpre determinadas etapas progressivas e, portanto, alcança um "platô", uma etapa final de falante "ideal", baseia-se também na noção de que a linguagem é estática, um atributo biológico, de fato. Não é preciso ir muito longe para identificar "evidências" que questionam a rigidez dessa teoria: os surdos que aprendem a língua de sinais em idade adulta, os adultos que aprendem a segunda língua sem sotaque, a evolução das afasias em adultos, as dificuldades de evolução em crianças afásicas, a plasticidade audiológica etc. Quanto às crianças que sofreram privação social, há ressalvas. Pelo traumatismo emocional, elas poderiam perder o interesse subjetivo de interagir com o mundo. Ressalte-se, ainda, que há casos em que as crianças aprenderam a falar (Santana, 2004a).

Diante do que foi exposto, acredito que a discussão não se refere, em essência, a saber se existe idade crítica, mas ao que tem sido considerado para sustentar essa hipótese. De modo geral, abordam aspectos isolados e destacam como cerne da questão apenas a maturação cerebral. Partindo desse pressuposto, qualquer explicação que não leve em conta a plasticidade cerebral como contínua, que não considere os aspectos interativos do sujeito e seu contexto social e não leve em conta as mudanças nos processos cognitivos decorrentes das interações sociais é restrita, pois negligencia o fato de que a organização cerebral se dá em meio a práticas socioculturais. Se nenhum desses aspectos é destacado nessa discussão, não há como concordar com o postulado de um período "crítico" rígido e definido por critérios unicamente quantitativos e endógenos para explicar a aquisição da linguagem.

Parte II
Rompendo fronteiras

3.
Do gestual ao linguístico

Havia sinais que inventava porque ainda não conhecia a todos e queria de qualquer maneira conseguir dizer o que desejava. [...] Muda significa que não faz o uso da palavra. Eu as utilizo, com minhas mãos, com minha boca. Posso falar, gritar, chorar, sons saem da minha garganta.

Emanuelle Laborit (1994, p. 69)

A LÍNGUA DE SINAIS, assim como a linguagem oral, tem seu estatuto gestual. A gestualidade na fala inicia-se com as vocalizações. A linguagem humana é, assim, prenhe de gestos que variam da especificação mínima da ordem do simbólico (vocalizações, balbucios manuais e vocais) ao uso efetivo dessa ordem (usos de língua minimamente referenciada). Desde criança, somos sujeitos do gesto – fônico ou manual – e é por meio de nossas interações que adquirimos saber sobre a construção do léxico, sobre a gramática e sobre os usos de uma língua (Albano, 2001).

Para fugir do isolamento social resultante da ausência de língua, a criança surda usa gestos, icônicos e indicativos, a fim de comunicar-se com os ouvintes. O uso de gestos não é exclusivo dos surdos, pois pequenos ouvintes também os produzem e interpretam durante seu desenvolvimento. Pelo fato de a língua de sinais possuir um canal visuomanual, os sinais são confundidos, muitas vezes, com gestos. Contudo, uma sequência de gestos não implica uma língua. Mas até que ponto os gestos fazem parte da língua? Como poderíamos discutir a relação entre gesto e língua tomando como posto de observação o contexto da surdez? Aliás, o que a literatura tem apresentado sobre essa questão?

Na área da linguística, essa não é uma questão recente, visto que, desde o início do século XX, com os estudos de Saussure (1997), já havia a preocupação de separar linguagem de língua, ao ser estabelecido o objeto de estudo da linguística. Benveniste (1988a), em seu texto "Semiologia da língua", ao discutir o papel dessa em relação a outros sistemas semióticos – gestos, música, pintura, sinais militares, alfabeto dos surdos-mudos etc. –, afirma que se podem deduzir os seguintes princípios: 1) a não redundância (não há sinonímia entre os sistemas); 2) dois sistemas podem ter um mesmo signo sem que resulte em sinonímia, o valor de um signo define-se apenas no sistema que integra; 3) a relação entre os sistemas é, portanto, entre sistema interpretante e sistema interpretado. A língua ocupa um lugar particular no interior desses sistemas: "Os signos da sociedade podem ser integralmente interpretados pelos signos da língua, jamais o inverso. A língua será, então, o interpretante da sociedade" (Benveniste, 1988a, p. 53).

Segundo o autor, as possibilidades de relação entre os sistemas semióticos são assim descritas:

1. um sistema pode engendrar outro sistema quando ambos são distintos, mas da mesma natureza, sendo o segundo construído com base no primeiro e preenchendo uma função específica. Por exemplo, a linguagem visual engendra a formalização lógico-matemática;
2. homologia: a correlação entre as partes de dois sistemas semióticos pode ser parcial ou extensa e pode variar: intuitiva, racional, substancial, estrutural, conceptual ou poética. Por exemplo, entre a escrita e o gesto ritual da China;
3. interpretância: um sistema é interpretante e o outro é interpretado.

A linguagem combina, assim, dois modos distintos de significação: o semiótico, que considera que o signo existe quando reconhecido como significante pelo conjunto dos membros da comunidade linguística; e o semântico, engendrado pelo discurso porque a linguagem, como produtora de mensagem, toma em seu encargo um conjunto de referentes. A linguagem é, então, o único sistema que articula essas duas dimensões. Todos os demais sistemas têm significância unidimensional: semiótica (gestos de cortesias) ou semântica (expressões artísticas), sem semiótica. Vê-se que há uma relação entre os sistemas semióticos, dado seu caráter de interpretabilidade. Contudo, o papel da língua aparece como preponderante nesse conjunto de sistemas.

Se a relação entre gesto e língua não é recente na linguística, também não o é na neuropsicologia. Liepman, em 1900, quando estudou as perturbações dos gestos (apraxias) em sujeitos com distúrbios de linguagem (afasias), relacionou as duas alterações cognitivas. Os estudos nessa área apontam similaridades na forma como o cérebro processa a linguagem e os gestos. Há modelos na neuropsicologia cognitiva que chegam mesmo a trabalhar com conceitos lexicais e semânticos para a análise dos gestos, conceitos esses originalmente utilizados em pesquisas de linguagem (Carrilho, 1996).

Fedosse (2000a, 2000b), em seu estudo com base em neurolinguística enunciativo-discursiva, afirma, a respeito da relação entre gestos e praxia, que a gestualidade tem seu caráter de significação, tem natureza simbólica e cognitiva. O sentido do gesto, que qualifica a apraxia da mesma forma que a linguagem verbal, não é determinado de antemão, mas construído nas interações sociais e, por isso, passível de diferentes interpretações. Para a autora, a linguagem participa da organização da atividade gestual. E as afasias relacionadas com alterações, tanto de produção quanto de interpretação, têm impacto na atividade gestual. Por exemplo, as dificuldades de linguagem relacionadas à dimensão sintática podem repercutir na ordem da realização dos gestos, de forma que o sujeito apresenta dificuldade para encadear o conjunto de ações requeridas para realizá-los, assim como as dificuldades pragmáticas de linguagem podem repercutir na realização gestual, culminando com a sua não realização. Fedosse também faz uma crítica a respeito dos estudos tradicionais de apraxias, que descrevem e analisam as alterações de acordo com o sistema motor afetado: apraxia de membros, motora, de fala, verbal etc.

Em trabalhos posteriores, Fedosse e Santana (2002) ressaltam a (inter)relação entre gesto e fala. Para as autoras, a relação entre eles é de interdependência, pelas características simbólicas, cognitivas e interativas que apresentam. Pode-se dizer que os gestos deixam de ter caráter de "acompanhante" da fala. Eles, assim como os aspectos prosódicos, fazem parte dos enunciados. Como a afasia afeta as modalidades da linguagem de forma diferente e seletiva (mais a fala que a escrita, mais a audição que a fala, mais a leitura que a fala etc.), as dificuldades práxicas também não estão diretamente relacionadas às dificuldades fásicas. Se o gesto está mais estruturado, é dele que os sujeitos vão se servir quando têm dificuldades em uma das modalidades de linguagem. Ou seja, durante os problemas com a linguagem oral, o sujeito pode utilizar gestos fonéticos, ou mesmo de escrita, para "alcançar" a oralidade, como é o caso do *prompting* fonético e escrito. O gesto aparece aqui como mecanismo "alternativo", como mediação para a fala, mostrando a sua inter-relação com a linguagem e seu estatuto simbólico. É por essa interdependência das funções simbólicas que o gesto parece servir como intermediário para a aquisição tanto da linguagem oral quanto da língua de sinais.

Entender essas considerações na área de neuropsicologia torna-se importante para a nossa discussão, visto que revela o caráter cognitivo e simbólico, construído socialmente, da relação entre gesto e língua. Na área de aquisição de linguagem, os estudos evidenciam essa relação em termos interativos e interpretativos.

Mori (1994), no seu trabalho sobre o desenvolvimento gestual em crianças ouvintes, afirma que, a partir do momento em que o interlocutor reconhece seus movimentos como gestos culturalmente determinados, eles são interpretados pelo outro e ganham significado e reconhecimento social. Do ponto de vista da autora, o gesto solidifica-se como elemento do enunciado à medida que esclarece, ao adulto, o significado atribuído à vocalização. Assim, no início da aquisição da linguagem, um período de aproximadamente dez meses, o gesto compõe o enunciado, esclarecendo seu significado. Isso quando a criança ainda não demonstra a eleição da oralidade como sua modalidade comunicativa privilegiada. Os gestos constituem um dos primeiros processos simbólicos da criança. Para Mori (1994, p. 68):

> [...] parece então que é lícito afirmar que um caminho eficaz e interessante para a constituição da linguagem por uma criança é, de fato, revelar-lhe todas as facetas desta linguagem e de considerarmos que a gestual é uma delas, a relação de interdeterminação que tentamos apontar torna-se mais evidente e – por que não – mais atraente.

A linguagem oral, nos termos de Fedosse (2000a), é prenhe de gestos; por isso, não é de admirar que durante sua aquisição estes tenham papel importante. Assim, durante a aquisição da linguagem oral ou de sinais, a relação entre língua e gesto é de interdeterminação, um *continuum* simbólico, por assim dizer. Nesse sentido, podemos entender a noção de continuidade sensoriomotora da linguagem (Albano, 1990) como um *continuum* que vai do visuomanual para o audioverbal, no caso da fala, ou permanece no visuomanual, mudando seu estatuto para a língua. A realização do gesto permeia o aspecto simbólico e é por ele permeada, não se tratando, simplesmente, da realização de um ato motor. Ele serve como mediador entre outras funções simbólicas, o que sugere que não há processos simbólicos dicotômicos ou independentes entre si.

É por essa razão que alguns autores creditam ao gesto a mesma unidade cognitiva que à linguagem (oral e/ou de sinais) ou, melhor dizendo, a mesma "origem" psicogenética. McNeill, no seu livro de referência sobre gestos, *Hand and mind: what gestures reveal about thought* (1992), afirma que os gestos e a fala são sistemas unitários, produzidos no interior da mesma matriz de significação. Eles se desenvolvem conjuntamente nas crianças. No início, são concretos; depois, icônicos, e só então se tornam metafóricos e abstratos. Em geral, seguem o mesmo progresso do desenvolvimento da fala. Há, contudo, diferenças. Para o autor, a fala é linear e segmentada. As partes, que são as palavras, são combinadas e compõem um todo: a sentença. A direção vai das partes para o todo; já o gesto é global e sintético. Ele é um símbolo que, diferentemente da fala, vai do todo para as partes. Os gestos não precisam necessariamente se combinar. Dois deles juntos não se juntam para formar um maior, mas um mais complexo. Não existe nenhuma estrutura hierárquica de gestos feitos de outros gestos. Essa "não combinação" contrastaria com a estrutura da língua. Nos gestos, cada símbolo é, por si só, uma expressão completa de significados.

Nos estudos sobre a língua de sinais, há ainda poucas pesquisas sobre a inter-relação entre esta e o gesto (Correia, 2007). Tem-se privilegiado, geralmente, a análise da estrutura da língua "padrão" – principalmente em relação à língua de sinais brasileira –, enquanto há ainda muitos pontos a ser considerados: relação gesto-língua, discussão sobre o processo de aquisição da língua de sinais, interações efetivas e não efetivas das quais o surdo participa.

O ESTATUTO SIMBÓLICO DOS GESTOS NA SURDEZ

No desejo de participar, interagir e comunicar-se, as crianças surdas filhas de pais ouvintes criam um sistema de comunicação particular, denominado, para alguns autores, de simbolismo esotérico e, para outros, de sinais domésticos (*home signs*).

Simbolismo esotérico é o nome dado por Tervoort (1981) ao modo de comunicação gestual particular entre o filho surdo e os pais ouvintes. A formalização dessa significação é chamada, pelo autor, de linguagem esotérica (*esoteric language*) devido à forma como é construída: por meio da produção de gestos e mímicas que nada mais são do que representações subjetivas de objetos e situações. A criança imita aquilo que chama mais a sua atenção. Ela coloca a subjetividade em ação (o que o objeto significa para ela: medo, alegria etc.); tudo isso está implícito na representação. Entretanto, tal representação não é totalmente desvinculada do objeto. Para que o outro reconheça o sentido, é preciso que, ao menos parcialmente, seja uma descrição da situação ou do objeto.

Quando uma criança imita, ela escolhe a parte do corpo, os movimentos e os ritmos que usará. Ela põe sua personalidade na imitação. Se tiver visto uma cobra rastejando rapidamente, fará gestos mais rápidos. Ou seja, um gesto natural é sempre afetado pela interpretabilidade de um indivíduo ou de um grupo. Dessa forma, não existe identidade entre o objeto e o gesto porque as escolhas são subjetivas. Há vários predicados para o objeto, mas a escolha é livre. Escolhe-se aquilo que chama mais a atenção – e o que chama mais a atenção para uns não chama para outros.

O gesto manual, para uma criança que não usa linguagem oral ou língua de sinais, tende a ser preferencialmente icônico. No entanto, essa iconicidade não corresponde diretamente à realidade, e sim a uma representação particular dela; por isso, poderíamos dizer que os gestos e as mímicas são apenas parcialmente icônicos. Essa representação torna-se convenção dentro de um grupo familiar. Daí a possibilidade de o sentido ser construído e convencionalizado na interação entre os interlocutores, sejam eles surdos ou ouvintes. Isso ocorre durante a aquisição da linguagem, nos atrasos de linguagem, nas afasias e mesmo entre interlocutores que se conhecem há muito tempo. Há certas convenções que são criadas para que a significação ocorra.

O simbolismo esotérico consiste, assim, em recursos representativos convencionais partilhados entre pais ouvintes e criança surda, não compreensíveis a outro interlocutor – nem surdo nem ouvinte –, porque é próprio de determinadas interações.

Outros autores têm chamado esse conjunto de gestos de "sinais domésticos" (Goldin-Meadow, 1979; Mayberry, 1992; Morford, 1996). Segundo Morford (1996), eles são estruturados independentemente da fala e exibem muitas similaridades com a língua de sinais. Contudo, sua estrutura envolve generalizações simples. Os gestos podem ser definidos como: dêiticos (que marcam referência no ambiente) e icônicos ou descritivos (as pantomimas). O uso dos gestos não está diretamente relacionado à aquisição da língua de sinais, mas o grau do domínio dessa língua depende da estrutura dos gestos. Isso evidencia que eles influenciam a aquisição da linguagem: a representação icônica é importante para o processo linguístico. Morford ainda defende que esses gestos refletem o desenvolvimento da capacidade linguística inata da criança na ausência da linguagem. Ou seja, as crianças criam o próprio sistema comunicativo quando não recebem *input* linguístico.

Alguns sinais domésticos são altamente estruturados, consistem em léxico com morfologia organizada e algumas regras sintáticas. Mayberry e Eichen (1991) questionam se eles funcionam como linguagem. Goldin-Meadow (1979) estudou com detalhes os gestos produzidos pelas crianças surdas, a fim de defender a tese de que o ser humano é dotado de criatividade para a linguagem, mesmo sem ambiente linguístico. Para a autora, o sinal doméstico é a prova disso. Seu sistema linguístico é semelhante ao da linguagem oral (aspectos semânticos, sintáticos) e é construído em contexto semelhante às primeiras palavras dos ouvintes. Ou seja, as mesmas propriedades das línguas naturais são encontradas nos sinais domésticos e percebidas na ausência do *input* linguístico convencional. Para Goldin-Meadow, o interessante é que as mães ouvintes produzem apenas gestos simples, enquanto os filhos surdos elaboram gestos bem mais complexos. Na surdez, a criança é "forçada" a criar símbolos.

Para Mayberry (2002), os gestos das crianças surdas diferem dos gestos dos seus pais em frequência, complexidade e ordem. As características dos sinais domésticos também parecem ser universais e transcendem a cultura. Por exemplo, os gestos caseiros produzidos pelos chineses surdos são semelhantes aos dos americanos em situação semelhante. Para a autora, isso evidencia uma propriedade básica da linguagem: a capacidade de criar simbolismo. Contudo, com uma estrutura linguística limitada.

Kegl, Senghas e Coppola (1999) argumentam que os sinais domésticos podem ser considerados mímicas, mas não contêm sistema gramatical. São realizados com o corpo todo, e a comunicação depende fortemente do contexto, quase como sinais individuais. As expressões faciais transmitem afeto, mas não correspondem a um sistema gramatical, diferentemente da língua de sinais. No entanto, se uma criança que produz esses sinais entrar em contato com outra que também os produza, estes podem se tornar mais estruturados, mas somente entre as crianças que possuem idade inferior a 7 anos. Os autores acrescentam que os sinais domésticos não podem ser considerados um *pidgin* para a origem da criolização.

O fenômeno de criação de uma estrutura linguística a partir do *input* de uma linguagem fragmentada é conhecido como criolização. Sobre a criolização e o *continuum* entre gestos e língua de sinais, há vários estudos citando o caso dos surdos da Nicarágua. Antes da década de 1980, esses surdos viviam isolados e desenvolveram sinais domésticos. Nessa época, eles se encontraram em uma escola pública oralista, mas o contato dos surdos com outros surdos, surpreendentemente, não favoreceu a assimilação dos sinais domésticos dos outros estudantes. Com base em um código linguístico rudimentar, como os sinais domésticos, os surdos da Nicarágua criaram uma língua de sinais. Ao longo dos anos, essa língua continuou evoluindo em termos de complexidade em todos os níveis linguísticos (Senghas, 1995, 2003; Mayberry, 2002).

Baseados nessas discussões, há autores, como Quadros e Karnopp (2003), que defendem a tese segundo a qual os gestos idiossincráticos que os surdos fazem antes de adquirir a língua de sinais poderiam estar diretamente relacionados com a proficiência da língua de sinais adquirida em idade tardia. Essa "linguagem particular", criada nas interações entre irmãos surdos ou mesmo entre pais ouvintes e filhos surdos, seria favorável para a aquisição da língua de sinais. Porém, são necessários estudos mais aprofundados para a confirmação dessa hipótese.

O que se evidencia nos estudos sobre gestos e criolização é a capacidade humana para a linguagem. No entanto, a capacidade para a simbolização que o homem tem só pode ser efetivada nas interações sociais, na relação com o outro (De Lemos, 1986). São as interações que propiciam a emergência dos gestos e de uma língua e não apenas uma capacidade biológica, a maturação de um órgão da linguagem.

A partir do momento em que a mãe atribui sentido ao gesto (vocal ou manual) do filho, este ganha um estatuto diferenciado: ele significa não só para a criança que o faz, mas também para o interlocutor, que o interpreta. Isso ocorre tanto com os gestos da mãe quanto com os da criança. Nas interações dialógicas, chega-se a um "acordo" quanto ao sentido do gesto e, a partir daí, a significação é "convencionalizada". É porque os gestos são interpretados pelo outro e, assim, internalizados que há a possibilidade de "criação" de outros gestos. Essa atividade de "mão dupla" é própria da natureza dialógica e interativa da linguagem. Não é um *input* linguístico que proporciona a linguagem, mas a relação de interdependência entre contexto social e as práticas com a linguagem, entre um signo e o sentido compartilhado por duas ou mais pessoas. Ou seja, o lugar da linguagem deixa de ser o reservado à natureza, ao biológico, e passa a ocupar lugar histórico-cultural.

Sob a perspectiva interacionista, temos estudos como o de Pereira (1989), que analisa o desenvolvimento gestual em crianças deficientes auditivas na interação com as mães ouvintes. Em sua pesquisa, a autora conclui que há evolução da modalidade gestual em tais crianças, mas há variações no grau e no tipo de desenvolvimento a depender da imagem que o parceiro constrói do outro como interlocutor, que inclui tanto as potencialidades comunicativas daquele quanto o ajustamento à atualização dessas potencialidades. Há mudança no estatuto simbólico do gesto. Os gestos aparecem, em primeiro lugar, com a função de regular a participação do outro na atividade conjugada (gestos de apontar, dar, mostrar), distanciando-se de uma função de referencialidade mais complexa. Esses mesmos gestos integram o desenvolvimento comunicativo da criança ouvinte. Em seguida, surgem os gestos referenciais de natureza icônica que servem para fazer menção a objetos, a fatos passados, a fim de instaurar o jogo simbólico, e até mesmo construir os primórdios de um relato ficcional.

Para Pereira (*ibidem*), o gesto é empregado pelos falantes como complemento da fala e coopera na elaboração do enunciado completo. O fato de o gesto ser mais ou menos independente da fala permite que, em determinados contextos, ele ocupe o papel de figura, ficando a fala como fundo, e, em outros, que a fala incorpore o papel de figura, ficando o gesto como fundo. Nas crianças ouvintes, à medida que a linguagem oral se desenvolve, a fala passa para o primeiro plano e o gesto fica como pano de fundo. Nas crianças surdas, a modalidade oral é observada apenas na forma de vocalização, seja com as mães ou com outras crianças. Nesse caso em que a vocalização acompanha os gestos, a autora acredita ser possível falar de uma só matriz comunicativa: as vocalizações constituiriam um pano de fundo associado ao primeiro plano, representado pelos gestos.

Diante disso, Pereira conclui que todas as crianças apresentam desenvolvimento comunicativo em graus diferentes. Nas palavras da autora, "ainda que todas as mães tenham demonstrado possibilidades de comunicação com os filhos, através, principalmente, da interpretação de seus comportamentos, cada uma tendia a privilegiar a modalidade interativa correspondente à sua particular representação do déficit" (1989, p. 229-30). Sobre a relação entre os gestos e a oralidade, a autora afirma que "todas as crianças apresentam as duas modalidades para se comunicar" (*idem*, p. 233), sendo a modalidade oral representada pelas vocalizações.

Para Behares (1995), que discute essa tese com base em perspectiva interacionista segundo viés psicanalítico, há pontos questionáveis nas conclusões de Pereira. Primeiro, afirma que a interpretação está baseada numa visão empírica do outro – no caso, a mãe ouvinte. Desse modo, os gestos da criança só teriam como polo referencial os movimentos anímicos da mãe, responsável pela interpretação deles com base em sua experiência. Segundo, diz que o gesto é definido sempre em relação à comunicação. Assim, para Behares, as relações do gesto com a língua apresentam-se, no trabalho de Pereira, muito difíceis de ser estabelecidas nas contingências da comunicação. Terceiro, defende que o estatuto de instrumento da comunicação atribuído aos gestos faz a autora negligenciar a compreensão das relações deles com a língua.

Os três pontos ressaltados pelo autor referem-se, principalmente, à falta de discussão da relação entre o gesto e o outro. O que Behares (1995) questiona é que o outro, que interessa à criança, não é o social nem o interlocutor privilegiado na relação com ela, mas sim o Outro (língua). Há, assim, recusa em conceber a criança como sujeito psicológico, em reduzir a linguagem a uma função representativa (comunicativa) e em entender o processo de aquisição da linguagem como ampliação quantitativa do conhecimento linguístico.

Ainda segundo Behares (*idem*), nenhum estudo trata das relações do simbolismo esotérico com as línguas oral ou de sinais. Os trabalhos relacionam os gestos com a comunicação, embora reconheçam a essência do fenômeno no fato de não existir *input* de língua acessível à criança. O autor destaca a necessidade de discutir essa questão levando em conta a língua em funcionamento e de pensar suas características como efeitos desse funcionamento. Para ele, não é possível caracterizá-lo dentro de uma teoria da comunicação, já que a fala das crianças é sempre um efeito discursivo.

O simbolismo esotérico é o efeito da interpretação da mãe com base em sua língua oral, mas não é, nem tem por resultado, a língua oral. Para Behares (1997), o aparecimento do mal-entendido coincide com a aparição do simbolismo esotérico como forma alternativa e precária de funcionamento da língua oral. Esse simbolismo emergiria naqueles contextos em que a língua oral apresenta impasses, apaziguando certos efeitos graves que o seu aspecto mais radical pode ocasionar na estrutura psíquica das crianças surdas. Poder-se-ia dizer que os diálogos em que prevalece o mal-entendido, nos casos de mães ouvintes e filhos surdos, não permitiriam dar lugar a processos de aquisição da linguagem, já que nesses casos o surdo não ficaria habilitado a passar facilmente da posição de interpretado à de intérprete de si mesmo e do outro. As posições de interpretado e de intérprete de si e do outro só são possíveis com a aquisição de uma língua. Os gestos não poderiam, assim, ocupar esse lugar.

A instrutora de língua de sinais surda comenta, abaixo, suas dificuldades interativas antes de aprender a tal língua. Até os 13 anos, ela frequentou uma instituição que, na época, seguia uma abordagem oralista, e aprendeu a língua de sinais na Associação dos Surdos de Campinas:

Pesquisadora: Como a sua família conversava com você?

Instrutora: É difícil comunicar. Mãe fala. Eu não entendo. Difícil. Vem cá [*gesto de chamar alguém*] e mostra. Entende. Mãe faz [*dirige-se à lousa e escreve "gesto" e "mímica"*].

Pesquisadora: Mas tem coisas que você não pode mostrar...

Instrutora: Surdo nervoso. Como explicar... Fala pouco. Mãe mostra, surdo "não", "outro". Difícil. Mãe brava [*expressão facial de raiva*].

A mãe procura interpretar os gestos e as mímicas por meio do conhecimento que compartilha com a criança, mas nem sempre o que é realizado "iconicamente" coincide com o que a mãe consegue interpretar. Embora saibamos que há alguns signos que coincidem, como o gesto de tesoura e o léxico da língua de sinais que significa tesoura, eles só adquirem valor dentro do mesmo sistema. Ou seja, essa relação não é direta, embora os signos tenham propriedades semelhantes (simbólicas, interativas, interpretativas). Isso porque as escolhas subjetivas que a criança faz para produzir gestos são resultado de sua percepção do mundo. Essas seleções, ao mesmo tempo que demonstram trabalho simbólico e interpretativo da criança sobre o mundo, mostram as limitações dos gestos domésticos em termos linguísticos.

Vejamos o episódio com Vinícius. Ele está com 4 anos e 7 meses, usa prótese auditiva e participa de abordagem pedagógica oralista:

> [*Vinícius e sua mãe olham um livro de histórias*]
>
> **Mãe**: Quem é esse? [*Aponta para uma figura de cachorro no livro*]
>
> **Vinícius:** Fafa ta tãtã. [*Aponta para trás e para a figura enquanto vocaliza*]
>
> **Mãe:** O cachorro?
>
> **Vinícius:** Papa totua tã. [*Direciona o olhar para a mãe e aponta para a figura e para trás enquanto vocaliza*]
>
> **Mãe:** Você [*aponta para Vinícius*] viu [*aponta para o olho*] o cachorro [aponta em direção à rua] lá na rua? [*Aponta para trás*]
>
> **Vinícius:** [*Olha para a mãe, observa seus gestos e exibe expressão facial indiferente, como se não entendesse o que a mãe falou (e gesticulou), e passa a página do livro.*]

Observa-se que tanto a mãe quanto a criança servem-se de gestos articulatórios e manuais para interpretar, comunicar, significar e dar inteligibilidade aos fatos vividos. Vinícius tenta contar um fato vivenciado por ele, vocaliza e faz gestos indicativos. É provável que ele tenha visto um cachorro em algum lugar e por isso aponta para o cachorro e para outro lugar (talvez a rua). A mãe, interpretando o gesto e as vocalizações da criança, também se serve de gestos para dar "interpretabilidade" ao enunciado de seu filho com a fala, que ele não ouve e à qual não atribui sentido. O gesto da mãe, apesar de ser basicamente indicativo ("apontar" para o filho, para a rua, para o olho), parece não ser entendido pela criança. Isso porque, diante da falta da "palavra", cada sujeito elenca os próprios gestos para comunicar o que deseja, ou seja, os gestos são idiossincráticos, e por isso nem sempre compreendidos pelo outro. Nessa situação, os sentidos são construídos pelos interlocutores como que à deriva.

Mas não é só isso. O desconhecimento da palavra "cachorro" ou do sinal de cachorro faz que Vinícius só possa relatar o que vê quando o contexto lhe oferece essa oportunidade, nesse caso, por meio do livro. Ele também poderia servir-se de mímica, o que demandaria do interlocutor interpretação da mímica de uma pessoa em posição de quatro (cavalo, boi, gato). Em outros diálogos com a mãe, Vinícius fez gestos relativos a comer, à cobra, a matar. Esses sempre eram interpretados pela mãe oralmente.

O gesto, na ausência de língua minimamente referenciada, confere ao surdo o papel de interlocutor no diálogo. A criança surda, como a ouvinte, especula os gestos articulatórios da mãe e esta atribui forma, sentido e significado à fala do filho (De Lemos, 1986). O uso de gestos como processo de significação faz a criança conseguir atuar no mundo simbolicamente, mesmo quando não adquire por completo uma língua. Mas o fato é que, sem uma língua, não conseguimos demonstrar ao outro grande parte do que percebemos, sabemos, reconhecemos, sentimos. O nosso modo de narrar reduz-se a pequenos "enunciados" compostos de gestos e de expressões faciais. O gesto torna-se o principal mecanismo pelo qual se interage.

No episódio abaixo, Vinícius está com 5 anos e 4 meses (sete meses após a ativação dos eletrodos do implante coclear). A mãe mostra uma cama coberta com uma colcha no livro:

Mãe: Olha aqui. [*Aponta para a cama*]

Vinícius: [*Aponta para a mãe enquanto fala*] Da bãbãe.

Mãe: A cama da mamãe? Que cor é a cama da mamãe? [*Aponta para o desenho*]

Vinícius: [...] [*Aponta para a colcha e faz gesto de dormir*]

Mãe: Rosa. [...] Que animal é esse?

Vinícius: A opa.

Mãe: Que animal é esse? É a cobra?

Vinícius: É a opa. A mamã [*aponta para a mãe*] fa [*aponta para si e faz gesto de zigue-zague com a mão enquanto vocaliza*] tititita [*aponta para a cobra*] eta.

Mãe: Uma cobra assim? [*Mãe repete o gesto que ele fez*] Você quer uma cobra?

Vinícius: [*Faz gesto de "sim" com a cabeça*]

O episódio evidencia um momento de aquisição da linguagem oral, ao mesmo tempo que demonstra o processo de continuidade que se dá entre gesto e língua, como se o gesto manual fosse substituído pelo gesto fônico de forma processual. Dito de outra forma, o gesto ainda ocupa um lugar de "figura", tanto quanto o gesto fônico, demonstrando, assim, as marcas de subjetividade decorrentes da mudança do gesto para a língua. Há, nesse caso, sobreposição de semioses: o que é enunciado oralmente é também enunciado gestualmente. Quando a língua é adquirida, a iconicidade dos gestos torna-se insuficiente para interpretar e dar interpretabilidade ao mundo. Ou seja, de posse de uma língua, o sujeito modifica sua relação com o próprio gesto.

Vejamos outro caso para discutir melhor essa questão.

Fernando está, no episódio a seguir, com 4 anos e 10 meses e tem um ano de implante coclear. Ele e o pai veem um livro de histórias. A criança está sentada do lado esquerdo do pai.

Fernando: [*Aponta para a figura e balança as mãos rapidamente, num gesto de voar*] Tatatatatatatatatatatatata.

Pai: O que é isso?

Fernando: [*Continua a balançar as mãos enquanto produz sons*] Tititititititi.

Pai: O pássaro?

Fernando: [*Aponta para a figura de novo e continua a balançar as mãos enquanto fala*] Tatatatatatatata.

Pai: O pássaro? [*Apontando para a figura*]

Fernando: A pa.

Pai: Ó o auau aqui, ó. [*Aponta para outra figura*]

Fernando: Ouou.

Pai: Auau.

Fernando: Ouou ta [*aponta para a frente e faz gesto com a mão perpendicular ao corpo, na direção da direita, e em frente ao rosto. Faz esse movimento três vezes rapidamente, enquanto fala*] Pa pa pa.

Pai: O quê?

Fernando: [*Aponta, com a mão esquerda, para cima e para a frente*] Ah.

Pai: Ah. [*Afirmando*]

Fernando: Ah! [*Afirmando na mesma entonação do pai*]

Pai: Você fala fácil... [*com tom de ironia*]

Mesmo conseguindo imitar a fala do pai, é por meio dos gestos que Fernando faz a narrativa, ainda que o pai não o compreenda. Sua sequência de gestos (articulatórios e manuais) evidencia uma atividade simbólica: de interpretação e de representação do mundo. As cenas enunciativas são montadas pela fala e pelos gestos idiossincráticos, mas essencialmente icônicos, os quais Fernando espera que o pai consiga interpretar. Fernando comenta, explica e "narra" por meio de gestos. Entretanto, o pai não o entende. A significação só é completa quando há o elo entre o sujeito e o outro, uma via de mão dupla.

Na ausência de língua, os gestos ocupam um lugar privilegiado. Contudo, ainda que haja semelhanças de ordem cognitiva, simbólica e interpretativa, há diferenças linguísticas, pois o gesto não possui natureza minimamente referenciada em termos sintáticos, semânticos e fonológicos, embora possamos, em muitos momentos, verificar o *continuum* que se estabelece entre gesto e língua.

Morford (1996), no estudo dos sinais domésticos, afirma que estes podem ser usados para realizar pequenas narrativas sem sujeito constituídas por sequência de ações que melhor descrevam um evento. Observa-se a ocorrência de atividade metalinguística por meio dos gestos, decorrente do fato de que, ocasionalmente, o sujeito pode corrigir os gestos de outros, o que implica consciência do que não é aceito nessa interação.

A mudança dos gestos pela língua no processo de aquisição não se dá de forma imediata, mas processual. Vejamos o relato da professora de Luís:

Professora: No começo, ele não queria nem saber do gesto. As minhas crianças aprenderam antes dele. Ele se recusava. Aí, eu comecei a brincar com as crianças com o gesto. Então, tudo que a gente fazia eu fazia o gesto junto. Aí, as crianças começaram a fazer. Então, eu falava para eles assim: "Quando vocês forem brincar com o Luís, pra mostrar isso daí, o Luís fala desse jeito". Aí, ele começou a prestar atenção nas crianças, não em mim. Então, hoje, se eu estou falando alguma coisa... Estou trabalhando o verde. Eu mostrei para ele o gesto do verde. Ontem ele fez o gesto para mim. Você conta no dedo as vezes que ele repete o que você faz, ele presta atenção e você vê que ele entende porque depois ele mostra, mas repetir o gesto ainda tá sendo muito difícil. [...] Faz se você der o gesto para ele, se não ele aponta coisas [...] Até agora, para ele, "banheiro" não é "ir ao banheiro", é "lavar a mão". Eu já mostrei a ele que "banheiro" é "ir ao banheiro", a utilização, a descarga, tudo. Mas, se você faz para ele assim [*sinal de banheiro*], hora do banheiro, na hora ele vai lavar as mãos. Então, não sei até que ponto ele dominou que banheiro é banheiro ou porque ele vê as crianças lavarem a mão depois que saem do banheiro. Sendo que já foi mostrado isso. [...] Eu não sei por que ele não tem vontade, ou se ele condicionou que a hora de banheiro é hora de lavar as mãos. [...] Aí, se ele quer a bola, ele vem e pede a bola com gesto de chutar a bola, e é gesto nosso isso, porque bola não é desse jeito. Em muita coisa eu vejo que ele se adaptou ao dia a dia das crianças.

A professora chama a língua de sinais de gestos. E é nesses termos que ela ressalta a diferença entre o sinal e o gesto de bola. Luís usa gestos icônicos e indicativos; parece haver dificuldades quando os gestos são arbitrários (sinal de banheiro, por exemplo). A arbitrariedade de uma língua entra em oposição ao caráter icônico dos gestos. A construção do sentido dos sinais, o uso desses sinais funcionalmente é algo novo para Luís. Ele precisa estar imerso no funcionamento da língua, e não apenas assistir às aulas na escola, com uma professora não proficiente, e ter duas horas de aula por semana com um adulto surdo proficiente.

A professora comenta que as crianças ouvintes aprenderam a língua de sinais antes de Luís. Ressalte-se, aqui, que a aquisição de L2 pressupõe a aquisição de L1. Para as crianças ouvintes, a aquisição da língua de sinais é mais "fácil" que para Luís, que parece ainda não dominar as relações simbólicas e estruturais de uma língua.

Luís participava das atividades do Cepre três vezes por semana (com professores, instrutores de língua de sinais, fonoaudiólogos)... Havia cinco meses, mas ainda não produzia nenhum enunciado em língua de sinais. Quando usavam sinais com ele, apenas repetia e sorria.

No episódio a seguir, a professora mostra a figura de uma mãe que está costurando o vestido da filha:

Professora: [*Mostra a figura da mãe costurando o vestido e explica*] [*sinal de fazer*] [*sinal de costura*]

Luís: [*sinal de costura*]

Depois, explicou, em língua de sinais, que o menino da gravura estava doente: ele estava deitado na cama com um médico ao lado.

Professora: [*sinal de por quê?*] [*Aponta para o médico*]

Luís: [*sinal de por quê*]

Luís ainda não compreende o sentido dos sinais, mas mesmo assim os faz. Ele é sempre especular à sua professora e procura significar o mundo pelos gestos, por expressões faciais, pelo comportamento dos seus interlocutores e pelos poucos sinais que produz durante essas situações. As interpretações que faz permitem-lhe atuar significativamente no mundo, mas ainda não lhe permitem atuar com outros sistemas simbólicos, como os signos da língua de sinais.

O gesto tem estatuto simbólico, pois se trata de atividade aprendida em meio às interações sociais, assim como pode ser considerado integrante dos processos de significação. Se o gesto é simbólico, como a língua, pode-se dizer que há relação de interdependência entre tais sistemas semióticos e cognitivos, e entre a língua e o gesto.

A LÍNGUA DE SINAIS

A língua de sinais teve seu estatuto linguístico estabelecido por Stokoe (1972) apenas recentemente, quando foi realizada, pelo autor, a análise de seus aspectos fonológicos, semânticos e sintáticos. Com relação à fonologia, temos os queremas, unidades de características distintivas, como os morfemas. Assim como a combinação de sons – fonemas – cria as unidades de significados (as palavras), as combinações na dimensão gestual – queremas – produzem uma diversidade de unidades com significados (sinais). Os queremas não são segmentos, mas aspectos de um sinal. Stokoe procurou analisar os sinais espacialmente e mostrou que cada um possuía pelo menos três partes independentes e cada uma delas apresentava um número limitado de combinações: localização, espaço em frente ao corpo (TAB), configuração das mãos (DEZ).[1]

1. Um quarto parâmetro, orientação da palma das mãos, foi acrescentado por Battison (1974, *apud* Pereira, 1989).

O autor fala também da importância das expressões faciais, que devem ser consideradas parte dos sinais, já que possuem papel similar ao contorno entoacional das línguas orais (afirmação, negação, dúvida, questionamento etc.). Semanticamente, a língua de sinais possui vocabulário menor que o das línguas orais (na proporção de 1 para 100). Além do léxico menor, o autor comenta que não há artigos, preposições, advérbios e cópulas. A sintaxe, por outro lado, não pode ser descrita por generalização de regras desse gênero e pode fornecer dados sobre a estrutura profunda da linguagem.[2]

O alfabeto manual também foi estudado como parte da semiologia das línguas de sinais. Embora seu formato seja diferente das línguas naturais, ele foi considerado uma ponte entre a linguagem oral e a língua de sinais. Segundo Padden (1998), o alfabeto digital é um tipo de sistema manual que representa a ortografia da linguagem oral. No entanto, ele se refere sempre a nomes próprios, lugares e nomes científicos e é usado para vocábulos que não possuem sinais. Ao contrário do que se pensa, esse vocabulário aparece precocemente na criança, antes de ela aprender a ler e escrever. Só se relaciona com a linguagem oral bem mais tarde. Uma criança de 2 ou 3 anos já sabe utilizar o alfabeto digital para soletrar o próprio nome e o dos irmãos. Há também determinado número de sinais que utilizam o alfabeto manual (como o sinal de "oi" em Libras, por exemplo). Uma categoria de

---

2. Para Chomsky (1971), a estrutura profunda relaciona-se com a superficial por certas operações mentais. A estrutura de superfície de uma sentença é a organização em categorias e frases diretamente associadas ao sinal físico, e a estrutura profunda tem um sistema de categorias e frases, mas de caráter mais abstrato. A estrutura profunda é um sistema de duas proposições, sendo nenhuma afirmativa, mas que se relacionam de tal forma que exprimem o significado da sentença. O autor ainda ressalta que "o conhecimento de uma língua implica a capacidade de atribuir estruturas profundas e de superfície a uma série infinita de sentenças, relacionar adequadamente essas estruturas e atribuir uma interpretação semântica e uma interpretação fonética às estruturas conjugadas, profunda e superficial. Este esboço da natureza da gramática parece internamente adequado como primeira aproximação para a caracterização do conhecimento de uma língua" (Chomsky, 1971, p. 46).

lexemas pode também coincidir com a primeira letra de uma palavra que traduz o sinal (como o caso do sinal da palavra "limpo"). A criança acaba por tratar o alfabeto manual como atividade especial na qual unidades inteiras são ligadas aos movimentos, não estabelecendo relação com as letras do alfabeto.

Johnson (*apud* Padden, 1998) tem proposto análise do alfabeto manual como uma combinação de sequência de morfemas - um morfema para cada letra do alfabeto, unido por um tipo de regra fonotática. De acordo com sua teoria, essa estrutura é analisada não em termos de características alfabéticas da linguagem oral, mas em termos de fonologia com sistema independente, que pode se tornar mais linear por consistir em mais movimentos de unidades em sequências que a língua de sinais. Uma consequência dessa visão é que a relação entre alfabeto manual e inglês é menos "direta" do que o que se poderia esperar. O autor ressalta que o alfabeto manual não é inglês. Crianças surdas usam-no em idade precoce e não necessariamente adquiriram o inglês.

O alfabeto manual não é apenas um "mecanismo" alternativo utilizado quando não se tem sinal correspondente na tradução de uma linguagem oral para uma língua de sinais. Tanto quanto as expressões faciais, ele faz parte da língua de sinais. Mesmo que no seu início ele tenha tido a função de substituir a fala, aos poucos ele foi sendo constituído parte da língua. Alguns sinais são realizados com a digitação de algumas letras do alfabeto, como o sinal de azul (este se constitui no sinal do alfabeto digital da letra "a" e da letra "l").

LÍNGUA BRASILEIRA DE SINAIS (LIBRAS)

Os estudos da Língua Brasileira de Sinais iniciaram-se com base em uma perspectiva chomskiana (Brito, 1993, 1995; Quadros, 1997). Nessa perspectiva, a faculdade da linguagem é como um órgão. Ou seja, a aquisição de uma língua assemelha-se ao crescimento dos órgãos em geral: é algo que acontece com a criança e não algo que ela faz. Assim, cada língua é resultado da atuação de dois fatores: o estado inicial e o curso da experiência. O estado inicial é um "dispositivo de aquisição de língua" que tem a experiência como "dado de entrada" e fornece a língua como "dado de saída", um dado de saída que é internamente depositado na mente/cérebro (Chomsky, 1998).

A língua, aqui, é um sistema de conhecimentos interiorizados na mente. A gramática interiorizada consiste, de um lado, em uma espécie de dicionário mental das formas da língua e, de outro, em um sistema de princípios e regras atuando de modo computacional sobre essas formas, isto é, construindo representações mentais de combinações categorizadas das formas linguísticas. Essas representações determinariam, explicitamente, as propriedades fonológicas e sintáticas das expressões da língua, assim como aquelas propriedades semânticas derivadas diretamente das propriedades sintáticas. A gramática determina igualmente o modo como essas representações se articulam com outros sistemas conceituais da mente humana.

Chomsky (1971) chama o conjunto de princípios e estruturas mentais especificamente linguísticos de "Mecanismos de Aquisição de Linguagem"; em inglês, *Language Acquisition Device* (LAD). A concepção racionalista não nega o papel do ambiente na aquisição da linguagem. A fala das pessoas que rodeiam a criança e as suas experiências verbais são determinantes para iniciar o funcionamento do mecanismo de aquisição, sem, no entanto, estipular as propriedades finais atingidas pelo sistema gramatical. Ou seja, sem estar imersa em ambiente linguístico, a criança não aprende a falar.

Ainda de acordo com Chomsky (1975), o ser humano apresenta capacidade de segunda ordem, que compreende as estruturas cognitivas, e capacidade de primeira ordem, que compreende as ações e as interpretações das experiências dos indivíduos. Nesse caso, a criança surda teria a capacidade de segunda ordem (a faculdade da linguagem), mas teria dificuldade com a de primeira (adquirir uma língua em especial). Como a interpretação e a atuação da criança no mundo se dão pela linguagem, o surdo teria dificuldade nessa capacidade, apesar de a faculdade da linguagem estar intacta.

Foi com base em perspectiva inatista que o estudo da Língua Brasileira de Sinais foi realizado inicialmente por Brito (1993, 1995). Para a autora, essa é uma língua natural com estrutura própria regida por princípios universais. Ela é constituída de parâmetros que se combinam principalmente com base na simultaneidade: configuração da mão, movimento e ponto de articulação.

As expressões faciais têm função importante: procuram preencher a função de entonação (pedidos, imperativos etc.). Outro recurso utilizado pelos surdos é a datilologia. A datilologia é linear e segue a estrutura oral-auditiva, diferentemente da Língua Brasileira de Sinais, que é simultânea. A diferença básica entre uma língua oral-auditiva e uma visuomanual não é o uso do aparelho fonador/mãos no espaço, e sim a organização fonológica das duas modalidades: a linearidade é mais explorada nas línguas orais; e a simultaneidade, característica da língua de sinais.

Quadros (1997) afirma que a língua de sinais seria uma expressão da capacidade natural para a linguagem, de acordo com a perspectiva gerativa. Se há um dispositivo de aquisição da linguagem em todos os seres humanos, que deve ser acionado mediante a experiência linguística positiva, então a criança brasileira deveria ter acesso à Língua Brasileira de Sinais o quanto antes, para ativá-lo de forma natural. A língua portuguesa não será a língua a acionar naturalmente esse dispositivo devido à falta de audição da criança. Esta até pode adquirir essa língua, mas nunca de forma natural e espontânea, como ocorre com relação à Língua Brasileira de Sinais. A escola, assim, deve ser o ambiente responsável por proporcionar o desenvolvimento da linguagem dessa criança.

Em seus trabalhos posteriores (Quadros, 1997, 2000; Quadros e Karnopp, 2003), a sintaxe da língua de sinais é analisada com mais detalhes. Entre as conclusões das autoras, podemos citar a de que a língua brasileira de sinais apresenta a prevalência da ordem sujeito/verbo/objeto (SVO) quando o sujeito e o objeto estão explícitos nas sentenças: João amar ela Maria (João ama Maria). OSV e SOV são ordens derivadas mediante alguma marca especial (presença de traços). Tais marcações, como as não manuais, ocorrem com as palavras: Maria [tópico] João Gostar. A autora analisa detalhadamente a estruturação frasal, os usos de advérbios, os modais, a concordância verbal, entre outros componentes sintáticos. Os aspectos fonológicos também foram descritos por Karnopp (2003).

Descrever os aspectos formais da língua de sinais apresenta-se como passo importante para a sua compreensão, mas ainda é apenas a "ponta do *iceberg*" no estudo, pois não existe uma "língua de sinais brasileira" sem variações. Segundo Quadros e Karnopp (2003), a escolaridade tem implicações nos usos da língua de sinais. Os surdos que são alfabetizados tendem a realizar, por exemplo, algumas configurações de mão mais próximas do alfabeto digital. O "B" do sinal de Brasil é bem "pronunciado", com o polegar na mesma posição da escrita digital do B. Em outros casos, o polegar varia de posição, ficando lateralmente com os outros dedos. Acrescente-se que o polegar não é, em muitos sinais, um traço distintivo, podendo ser um alofone. Há também diferenças de sentido para um mesmo sinal. Por exemplo, o sinal de bonito pode ser feito com maior ou menor amplitude e com expressão facial específica, o que transmite o significado "bonitão", "bonito" ou "bonitinho". Em relação aos usos linguísticos, mais e menos formais, também há distinções. Quando o uso é menos formal, diminui-se o espaço em que os sinais são produzidos e, quando é mais formal, o espaço é maior.

A língua de sinais, como qualquer outra, difere também em termos de proficiência. Os sujeitos não proficientes não costumam realizar a concordância e, na maioria das vezes, efetuam tradução literal da linguagem oral para a língua de sinais. Por exemplo, no enunciado: "Eu cuidei muito tempo" (daquela criança), um falante não proficiente utilizará os seguintes sinais: [eu] [cuidei] [muito] [tempo]. Já um sujeito proficiente em língua de sinais dirá: [eu] [cuidei] [cuidei] [cuidei], com expressão facial que denote muito tempo, muitas vezes. Outro exemplo: sujeitos não proficientes podem produzir o enunciado "Ela me ensina" com a seguinte sequência de sinais: [ela] [ensinar] [eu], sem concordância. Com concordância, esse enunciado seria: [ela] [me ensina], com o sinal de ensinar voltado para si, e não dois sinais [ensinar] seguidos de [mim/eu].

É preciso ainda muito estudo sobre a variedade "não padrão" dessa língua. Uniformizar a língua de sinais seria o mesmo que uniformizar a língua portuguesa. Sabe-se que a diferença de dialetos não se dá apenas entre o português de Portugal e o do Brasil, mas entre as várias regiões brasileiras. O português do Brasil apresenta, segundo Bagno (2000), alto grau de diversidade e variabilidade, por causa da extensão territorial e das diferenças entre as classes sociais. O mito de que o português é um bloco coeso, compacto e homogêneo não se sustenta, principalmente quando há discriminação e imposição da norma culta da língua para todos os falantes, deixando a maior parte da população marginalizada.

Se não há língua portuguesa "ideal" nem falantes "puros", por que teríamos língua de sinais "pura"? Em muitos momentos, tem-se discutido a língua de sinais como se ela fosse homogênea – "a língua dos surdos". Entretanto, ela também tem suas variáveis, que fogem a uma descrição gramatical da língua, como se tem feito até o momento. Essas variáveis se referem ao aspecto semântico diferenciado (por exemplo, os sinais de mãe e de pai no Rio Grande do Sul e em São Paulo são diferentes), além dos aspectos fonológicos e sintáticos.

Pode-se dizer que a partir do século XXI, principalmente após o reconhecimento legal da Libras – Lei nº 10.436/2002

(Brasil, 2002) – como forma de comunicação e expressão, e da sua regulamentação em 2005 – pelo Decreto nº 5626/2005 (Brasil, 2005) – houve um aumento do interesse no Brasil, tanto com relação aos aspectos linguísticos quanto educacionais. Com isso, muitas pesquisas começaram a ser feitas nas diversas áreas de estudo da linguística, inclusive sociolinguística e análise do discurso. Contudo, pode-se dizer que ainda estamos apenas iniciando essas discussões, inclusive com a participação mais efetiva de pesquisadores surdos (Pereira e Nakasato, 2001, 2004; Lodi, 2004; Lacerda e Lodi, 2006; Resende, 2010; Quadros, Stumpf e Leite, 2013; Stumpf, Quadros e Leite, 2014; Quadros e Weininger, 2014).

Esse cenário atual está modificando as discussões sobre a língua de sinais, já que durante muito tempo a pesquisa tomou como referência a linguagem oral. Ou seja, tal língua não era analisada isoladamente, e sim como um "esboço" ou um simulacro da linguagem oral. Isso resultava em comparações que a depreciavam: vocabulário reduzido, falta de artigos e preposições etc.

Não há línguas mais simples ou primitivas, há línguas diferentes. Os falantes são responsáveis por suas variações. Na língua de sinais temos um fator complicador, que é o grande número de falantes não proficientes: pais, profissionais, professores e fonoaudiólogos. Não se pode deixar de ressaltar que os sinais que a mãe ouvinte utiliza não se constituem como uma língua de sinais "pura", pois, por não ser proficiente, ela usa gestos quando não sabe sinais, além de, em várias situações, usar a fala com os sinais, o que faz que aquela "organize" a sintaxe destes. No entanto, nem sempre a "ordem" dos enunciados em língua de sinais é a mesma. Porém, o "ouvinte", quer seja a mãe, o professor ou o fonoaudiólogo, estabelece uma isomorfia entre a linguagem oral e a de sinais quando faz a tradução simultânea. Essa isomorfia, ainda que parcial, reafirma a ideia de que a língua de sinais pode ser uma representação da fala.

Os pais percebem essa diferença entre os sinais que fazem e a língua dos filhos, ou ainda entre a "lógica" da linguagem oral e a "falta de lógica" da língua de sinais, como podemos observar no comentário da mãe de Taís:

Mãe: Porque os sinais é uma língua. [...] A gente sente, se não for praticada vai ser esquecida. Eu não faço aula todos os dias. Ela vai todo dia. Todo dia ela vai ser impactada por uma palavra nova, não sei o quê. Então, às vezes eu fico perdida, ela faz um gesto. Aí, não, "O que é isso?". "Você não aprendeu ainda?" "Não, não aprendi, Taís, só tenho uma hora de aula por semana, você tem todos os dias, cinco horas de aula." [...] É complicado porque não é a minha língua, eu tô aprendendo por causa dela. E eu, assim, eu tenho tendinite. Aí, é duro fazer os sinais. Dói a minha mão, então é por isso que eu tento muito falar. Eu sou muito faladeira. [...] Vamos exercitar. "O coelho da Páscoa foi na minha casa." Eu, se eu for digitar, eu vou fazer o português digitalizado. "O coelho da Páscoa foi na minha casa." Eu montei a frase lógica. A Taís não. "Minha casa, coelho páscoa foi." Gente, ela fez Libras, que é uma língua totalmente assim... Não tem um raciocínio lógico. Eu aprendo português digitalizado, e aí? Por isso que ela tem tanta dificuldade de passar para a escrita. Porque ela não aprende assim: "Mamãe, eu vou ao banheiro". Como ela fala: "Banheiro vou mamãe". E aí? Toda a língua deles é truncada, é ilógica. Daí, é ilógica. Daí, na hora que ela vai escrever... Como? Eu falo de um jeito e escrevo de outro? É diferente. A gente, em português, não. Eu "sabo". A gente vai arrumando a criança: "Não é eu sabo, eu sei, mas tem eu sei". A Taís, de repente, fala: "Inês onde?" Não é "onde está a Inês?". E aí? Ela vai escrever "Inês onde?" [...] Eles não têm os artigos. "Bolo de chocolate." "Bolo chocolate." Cadê o "de"? Não tem. Essa junção das palavras não tem. Pra eles, a língua deles é: passei a ideia, o conteúdo, o contexto, tá bom. Só que eu aprendo português digitalizado, não aprendo Libras. [...] Eu aprendo a montagem da frase com nossa lógica do português, que é diferente da dela. Aí, começa a dar confusão, porque eu quero falar com ela na lógica. Até com medo de, na hora de passar isso pra escrita, ela ter dificuldade. Então, falei: "Não, vou forçar a barra no português digitalizado". Só que ela fica com aquela cara assim: "O que 'cê falou?" Ela até entende. "Mamãe, onde você vai?" "Mamãe onde?" O meu marido fala: "Mamãe está no banheiro". "Banheiro mamãe." "É, a mamãe estava no banheiro." Eu não entro no jogo dela: "Banheiro mamãe tava." [...] Pra ela é mais cômodo o sinal. Isso é muito óbvio. Só que, na cabeça da Taís, o sinal é uma língua que todo mundo sabe. E isso é que me preocupa muito. Ela não consegue fazer essa diferenciação de "só com surdo que eu consigo me comunicar". Porque, às vezes, ela vem aqui e faz um sinal. Aí, ela fica insistindo no sinal. Você vira e fala pra ela: "Taís, eu não sei". Ela é capaz de te chamar de burra. "Você é burra, não tá vendo?" [...] Tipo assim: "Tão óbvio, sua burra". Ela não faz essa diferença, não é que ela não sabe o sinal, não é que ela é burra, ela não sabe. Não. Na cabeça dela é a minha língua, é a sua língua, é a língua do outro, é a língua de todo mundo. Como que você não sabe? Ela interpreta isso como se fosse o português. Então é complicado, porque eu tenho de ficar do lado dela todo tempo traduzindo.

A mãe faz uma distinção bastante clara entre língua de sinais e linguagem oral: uma lógica e outra ilógica; uma que faz doer sua mão e outra que lhe permite ser faladeira; uma língua que ela nunca conseguirá aprender bem e outra na qual ela é fluente. Essa discriminação não é particular à mãe de Taís, ela é apenas porta-voz de um discurso que já virou senso comum em nossa sociedade: "Gente, ela fez Libras, que é uma língua totalmente assim... Não tem um raciocínio lógico". Não se pode comparar línguas de estruturas diferentes e categorizá-las como simples, complexas, lógicas ou ilógicas. A ideia de que a língua de sinais se preocupa apenas em passar a mensagem, que tem fins meramente comunicativos, parece estar fundamentada na comparação da forma linguística da língua de sinais com a oral.

Para surdos que usam a língua de sinais, essa é sua língua e, portanto, a que desejariam que todos soubessem. O relato da mãe de Taís lembra um episódio que ocorreu na sala de aula da escola regular da menina. Eu filmava a sala e, até aquela hora, não havíamos nos falado. Não sabia se ela havia se esquecido dos nossos encontros na Derdic quinze dias antes. Ela foi ao bebedouro e eu a segui. Lá, eu disse oralmente que iria filmá-la à tarde na fonoaudióloga. Como ela não compreendeu, usei a língua de sinais para explicar o que eu havia dito. Ela me respondeu imediatamente que a fonoaudióloga não iria ao consultório, pois o filho dela estava doente. O fato interessante é que, logo após entrarmos novamente na sala de aula, nossa interação mudou. Enquanto a professora virava para o quadro, ela olhava para mim e comentava em língua de sinais que o estojo de seu amigo estava sujo, comparado com o dela, e que ele era "um bobo". Além disso, enquanto a professora falava, ela, com os olhos, procurava-me e pedia ajuda. Seu olhar refletia o que interpretei como: "O que ela está falando?" Então, ela sabia que eu conhecia a "sua língua". O desejo de interação ficou evidente. Para mim também ficou claro seu desejo de compreender o que falavam, o motivo pelo qual os amigos e a professora sorriam ou ficavam bravos. Taís não queria sorrir por imitação, e sim por compreender o que se passava. Mas a língua de sinais era "proibida" e mantivemo-nos distantes.

> **Professora:** Gestos ela não usa aqui, nem com as crianças. Porque, no início, quando a mãe veio lá, a mãe me pediu... porque eu até me propus a estar aprendendo, porque não é difícil, né? Você está aprendendo. E ela disse que não, que ela não gostaria, porque ela já colocou a Taís numa escola de ouvintes para que ela não usasse sinais, tentasse associar um som/imagem, que é isso que ela está tentando fazer. Porque ela tem um conhecimento, só que ela não sabe associar. [...] Se você perguntar os nomes dos colegas, ela fala. Com dificuldades, mas ela fala.

Não caberia a mim mudar essa situação, mas não posso deixar de lembrar os nossos olhares, cúmplices de algum modo, depois do encontro no bebedouro. Enquanto ela me pedia a tradução, eu também queria lhe dizer (talvez até o tenha feito com o olhar): "Não posso fazer, ela pode ver, e aí..." Ao chegar à tarde ao consultório da fonoaudióloga, Taís recebeu-me com sinais, dizendo: "Você é folgada... Na Derdic me filma, na escola me filma, na fonoaudióloga me filma... Como você é folgada!"

Sim, os surdos desejariam que todos soubessem a língua de sinais. Logo Taís vai crescer. Saberá que poucos sabem Libras, que poucos se interessam em aprendê-la, que a luta dos surdos é grande em relação a isso. Surdos e profissionais reivindicam que em cada local público (universidades, bancos, aeroportos, rodoviárias etc.) haja um intérprete de língua de sinais. Mas, infelizmente, essa não é a realidade brasileira. Assim, o surdo é *obrigado* a aprender a falar.

Além disso, as cobranças para falar acontecem também porque se acredita que a linguagem oral é o único sistema cognitivo que estrutura o pensamento, que transmite informações e consolida contatos interpessoais. Mas a língua de sinais também pode exercer as funções cognitiva e social em toda plenitude.

A AQUISIÇÃO DA LÍNGUA DE SINAIS

O processo de aquisição da língua de sinais é semelhante ao da linguagem oral para a criança ouvinte. A criança surda também passa pelas mesmas etapas: estágio do balbucio silábico (7-11 meses), balbucio variado (10-12 meses), jargão (aproximadamente aos 12 meses), primeiras palavras (11-14 meses) e estágio de duas palavras (16-22 meses) (Petitto, 2000; Ramírez, Lieberman e Mayberry, 2012). Nos bebês surdos foram detectadas duas formas de balbucio manual: o silábico – combinações que integram o sistema fonético da língua de sinais – e o gestual – que não apresenta organização interna. Tanto nos bebês surdos quanto nos ouvintes ocorrem os dois tipos de balbucio até certa idade, quando desenvolverão o balbucio na própria modalidade.

Segundo Quadros (1997), as vocalizações são interrompidas nos bebês ouvintes, pois o *input* favorece o desenvolvimento de uma das formas de balbuciar. Ela afirma que, nas crianças surdas, também há o aparecimento de "formas congeladas". Por exemplo, "ir" é um verbo de concordância na Língua Brasileira de Sinais. Nos dados de linguagem colhidos das crianças de sua pesquisa (2 a 4 anos de idade), ainda não há flexões. Aos 3 anos e meio, o uso de concordância verbal já é presente, mas de modo inconsistente, pois o estabelecimento e a identidade dos pontos no espaço não foram organizados substancialmente. Só por volta dos 5 anos e meio a concordância verbal passa a ser usada de forma consistente.

Dos 3 anos em diante, as crianças usam o sistema pronominal com referências ausentes no contexto do discurso, mas ainda apresentam erros. Dos 3 anos aos 3 anos e meio, os pequenos usam concordância verbal com referências presentes e fazem algumas concordâncias não aceitas em línguas de sinais. Essa flexão generalizada dos verbos, nesse período (supergeneralizações), é considerada análoga a generalizações verbais, como "fazi", "gosti" e "sabo", no português (Quadros, 1997).

Para Karnopp (2003), na aquisição da língua de sinais podemos encontrar as seguintes substituições fonológicas: configuração de mão (33%), movimento (18%), orientação de mão (12%) e localização (5%). A localização é o primeiro aspecto a ser produzido corretamente. A configuração de mão é afetada pela complexidade do movimento, pela orientação e pela locação. A autora cita estudos que argumentam que fatores anatômicos ou físicos podem influenciar na produção da configuração de mão: os dedos indicador e mínimo têm dois músculos extensores, enquanto os dedos médio e anular têm apenas um. Há também fatores relacionados com a percepção visual: algumas distinções fonológicas são mais fáceis de perceber.

Os estudos acima foram realizados com surdos filhos de pais surdos. A aquisição da língua de sinais dos filhos surdos de pais ouvintes não é tão "natural" quanto a aquisição dos filhos surdos de pais surdos. Como é uma língua não dominada pelos pais, só pode ser adquirida em ambientes institucionais: escola, clínicas e locais que oferecem atendimento especializado. Dessa forma, muitas vezes a criança só tem contato com a língua de sinais em idade avançada. Se tiver sorte, aos 5 ou 6 anos. O adulto surdo que oferece essa língua interage com a criança em contextos formais de ensino, que se distanciam muito do tipo de interação mãe-bebê. Essa seria a vivência da criança com interlocutores proficientes.

Embora os pesquisadores procurem legitimar a língua de sinais e enfatizar suas vantagens em termos linguísticos e cognitivos, esses aspectos raramente são considerados pela família. Além disso, ser proficiente em uma língua não pode ser considerada uma opção individual. A proficiência dá-se apenas em situações (variadas) de usos de linguagem. Aprender uma língua em uma instituição não é o mesmo que vivenciá-la em uma comunidade e em práticas diversificadas, por exemplo.

Vejamos, a seguir, o relato de algumas mães para entendermos melhor o processo de aquisição de linguagem nas crianças surdas:

Mãe de Luís: Eu quero aprender, sabe? Eu quero aprender, mas acho que tá muito difícil pra mim. Pra mim aprender é preciso ter muita paciência comigo. Pra aprender, assim, não é fácil.

Pesquisadora: Você acha que falar a língua oral e a língua de sinais é uma coisa boa pra ele? Você acha que ele deveria aprender só sinais?

Mãe de Luís: Eu acho que os dois, né? Porque ele tem que abrir a boca pra gente entender, né? Porque se ele fazer só os sinais eu não vou entender nada.

Vejamos o relato de outra mãe, para quem a língua de sinais "alivia" a dificuldade de comunicação com a filha surda:

Pesquisadora: Depois que você aprendeu, como ficou a comunicação?

Mãe de Taís: Ficou mais fácil, óbvio que ficou muito mais fácil. Hoje eu consigo entender o que a minha filha sente. Foi como a fonoaudióloga falou, conforme vai passando a idade, ela vai querer te contar coisas, o que ela viveu na escola, um passeio, um amiguinho. Como é que você vai fazer? Óbvio. A língua de sinais ajudou? Ajudou muito porque tranquilizou um pouco a Taís,

> porque tinha horas que a gente queria falar uma coisa e ela não entendia. E ela acabava ficando nervosa e a gente também e dava um jeito de desviar de assunto para acabar com o nervosismo. A língua de sinais acabou facilitando. Mesmo que eu não saiba o sinal que ela tá fazendo, a gente dá um papel ou ela vai, me mostra, alguma coisa ela faz para a gente entender. [...] Aliviou muito a comunicação, devido à idade que ela estava chegando. Até a idade que ela 'tava não fez falta. Depois, a gente sente que realmente devia ter essa troca de ideias que a gente não conseguia entender.

Há pais que desconsideram a língua de sinais como *língua*, querem apenas que o filho fale; e há outros que veem tal língua apenas com finalidade de comunicação imediata. A mãe de Taís ressalta que "até a idade que ela 'tava, não fez falta", como se, até certa idade, a criança pudesse "não falar" (afinal, há crianças não surdas, "normais" que demoram mesmo a falar). O que não se considera é que não falar e não saber sinais significam também não compreender, não participar das interações efetivamente. Mas isso é um ponto ignorado entre os pais ouvintes que têm filhos surdos. Afinal, esse conhecimento não é comum aos leigos, apenas aos profissionais da área. No entanto, mesmo esses também nem sempre compreendem essa questão inteiramente.

Durante o meu doutoramento, tive a oportunidade de frequentar um curso de língua de sinais para famílias de surdos. Desse curso, participavam somente mães. Quando eu questionei se elas utilizavam a língua de sinais em casa com os filhos, elas responderam que misturavam um pouco a fala e os sinais e ainda comentaram algo como: "Eles dizem para a gente não usar a fala e o sinal junto, mas eu uso é a fala, se não, como é que ele vai aprender a falar?" O interessante é que, dessas aulas, nunca participavam os pais. Provavelmente porque trabalhavam e o curso era diurno. Isso sugere que a interação da criança surda, por meio da língua de sinais, só acontece em casa com um interlocutor: a mãe. Ainda assim, o instrutor surdo sempre chamava a atenção para a necessidade de as mães estudarem mais a língua de sinais. Elas afirmavam ser difícil, e com pouquíssima proficiência soletravam o seu nome no alfabeto digital. É este o único interlocutor ou o interlocutor privilegiado que a criança tem: alguém pouco proficiente em língua de sinais que, mesmo assim, deveria dialogar com a criança, contar histórias, comentar, perguntar e brincar; um interlocutor que usa sinais e, talvez, preferisse não usá-los – não raras vezes, uma escolha feita a "contragosto", poderíamos dizer.

Infelizmente, os surdos filhos de pais ouvintes parecem vivenciar poucas situações de uso efetivo da linguagem. A "língua" geralmente é ensinada por um instrutor surdo, no caso da língua de sinais, ou por um fonoaudiólogo, no caso da linguagem oral. Diferentemente dos ouvintes, eles têm de aprender a primeira língua com adultos que não são seus pais ou familiares. Além disso, essa "aquisição" nunca ocorre em casa, em meio a estratégias significativas. Ela acontece, muitas vezes, em situações "formais" de ensino: na escola e na clínica. O tempo em que a criança se comunica com o "professor" de linguagem também é reduzido. Então, que tipo de interação é realizado entre criança e instrutor surdos?

No início de minha pesquisa, encontrei uma instituição que oferecia aulas de língua de sinais às crianças.[3] Em uma sala de alunos com 4 anos, durante o ensino da língua de sinais pelo instrutor surdo, observei que a linguagem tem sido, de fato, um objeto a ser "ensinado".

Descrevo uma situação de ensino: as crianças ficavam sentadas de frente para o professor, que levou um livro sobre o descobrimento do Brasil, no qual havia figuras de índios, ocas, flechas, cocares etc. O livro parecia ser de geografia e possuía um texto escrito, o qual não era mencionado, dando-se ênfase apenas às figuras. O professor ensinava o sinal correspondente a cada uma e pedia para a criança repeti-lo. Depois, fazia desenhos na lousa

3. Optei por omitir o nome dessa instituição por questões éticas.

e pedia que os alunos fizessem os sinais correspondentes. Era exigido que a criança prestasse bastante atenção ao livro, não importando se este era de seu interesse ou não. Era permitido a cada uma fazer o sinal apenas quando solicitada. Quando alguém fazia o sinal e era a vez do outro, o professor sinalizava algo que correspondia a "Fique calada". Ao final da aula, o professor falava, em sinais, para a criança que errava mais: "Você precisa estudar tudo outra vez".

Certamente nem todos os instrutores surdos procedem da mesma maneira, mas não podemos negar que esses casos existem. Afinal, o instrutor será um professor de língua? Há diferenças entre um "professor" de língua e um "interlocutor" efetivo de primeira língua? O instrutor oferece à criança uma oportunidade de interação na língua de sinais. A criança vivencia a experiência linguística com um interlocutor proficiente. Entretanto, se esse "ensino" tem como base uma metodologia pedagógica "tradicional", a formalidade acaba por limitar as possibilidades linguísticas que surgem da interação significativa.

Por certo, a "aula" de língua de sinais não é sobre gramática, sobre as regras da língua. Contudo, não há como retirar do ensino de língua de sinais o "estatuto" de aula. Geralmente, nesse momento, as crianças ficam sentadas de lado, tendo o professor à frente. Essa disposição é necessária porque todos precisam vê-lo bem. Diferentemente dos ouvintes, os surdos não podem se mexer ou se virar na cadeira e, mesmo assim, continuar ouvindo o que o interlocutor diz. Como toda linguagem é visual, fazer isso implica perder alguns enunciados. O "Preste atenção", em língua de sinais, é utilizado a todo momento.

Ainda assim, essa atividade é importante para as interações das crianças. Ali, elas têm a possibilidade de participar de rotinas linguísticas significativas com um interlocutor proficiente. É essa interação que, aos poucos, possibilita-lhes ser também proficientes na língua que lhes constitui como sujeitos da/na linguagem.

Nas instituições, de modo geral, as crianças têm um período limitado de contato com os professores de língua de sinais. O episódio abaixo ocorreu quando o instrutor contava uma história. Ao final, ele chamou cada aluno e fez uma pergunta sobre a leitura. Durante a narrativa, Luís o olhava fascinado. Em nenhum momento anterior a esta pesquisa ele produziu espontaneamente algum sinal (confirmado pela professora). Mas nessa aula, quando o instrutor o chamou, ele se aproximou sorrindo. O professor mostrou um personagem do livro e perguntou quem era. Luís apenas repetiu o sinal [quem é?]. O instrutor perguntou novamente após a repetição da história:

Instrutor: [*Aponta para a figura com expressão facial de pergunta*]

Luís: [*Sinal de rei*]

Instrutor: [*Levanta a mão para que Luís bata amigavelmente nela.*[4] *Expressão facial de felicidade*] [*Sinal de certo*] [*Gesto articulatório de certo*]

Luís: [*Sorri feliz*]

Esse é um dos primeiros momentos em que Luís produz uma palavra espontaneamente. O diálogo continua com Luís apenas imitando o que o instrutor faz. A imitação também é feita com aproximações dos gestos do interlocutor. A localização e a direção das mãos coincidem, mas a configuração de mão nem sempre é a mesma.

É importante também levar em conta a formação dos instrutores surdos de língua de sinais e ressaltar que uma interação mãe-bebê não pode ser nunca comparada com uma interação instrutor de língua de sinais-aluno.

O que é aprendido nos cursos para formar instrutores surdos? A discussão política acerca da língua de sinais como língua dos surdos faz que as abordagens pedagógicas relativas à surdez sejam privilegiadas nos cursos de formação de instrutores surdos,

4. Gesto – usado também entre ouvintes – que significa felicitação mútua, sucesso.

em detrimento de abordagens sobre o processo de aquisição da linguagem e sobre a aquisição da segunda língua para os pais e outros profissionais.[5]

O ensino da língua de sinais para os pais não é uma tarefa fácil. Há dificuldade de aceitar essa língua. Além disso, aprender classes de palavras (frutas, animais) na língua de sinais não implica saber usá-las em contextos concretos, comunicacionais. Para isso, bastaria ler a apostila oferecida nos cursos de língua de sinais, *Comunicando com as mãos*, em que há o movimento das mãos e a palavra correspondente. Não se aprende uma língua assim. A língua é aprendida em *funcionamento*, na interação com outras pessoas. Para isso, o diálogo com interlocutores proficientes é importante. Saber língua de sinais não é só fazer sinais, é bem mais que isso.

Ricardo, instrutor de língua de sinais, comenta, a seguir, o curso que fez:

> **Ricardo:** O curso foi um pouco fraco e resolvi bolar um curso melhor. Material pedagógico não tinha. Eu paguei e não recebi nada na minha mão. [...] Não adianta decorar vocabulário, tem de começar a movimentar com as mãos, fazer expressão facial, corporal, tem de aprender dialogação. Na Feneis não existe isso.

Ricardo diz ter montado um curso melhor que não se reduzia só à história da surdez e às questões gramaticais (substantivos, advérbios, roupas, frutas e animais). Ele montou aulas com diálogo em diferentes situações: encontros, filmes na TV e outros. Sua proposta é interessante, pois levanta aspectos importantes para a aquisição, mesmo sendo ele um estudante de administração, e não de linguística ou de pedagogia. Para Dalva, que é pedagoga, o problema está na formação do instrutor:[6]

---

5. Acrescente-se que na época dessa pesquisa não havia ainda os cursos de Letras/Libras. Logo, a formação dos instrutores surdos ainda não era no nível da graduação.
6. Diálogo realizado em português oral e escrito.

Dalva: Instrutor escreve mal. Só fez segundo grau. Como vai ensinar? Quando vê uma história, o surdo não sabe. Por exemplo, "Papai cabeça da família". O surdo instrutor lê, mas não sabe. Só sabe ler palavra por palavra. Porque usa os sinais.

Por ter cursado pedagogia e "precisar" falar e escrever bem para obter aprovação na faculdade, Dalva leu e aprendeu muito sobre a língua portuguesa. Talvez por isso tenha dado como exemplo justamente uma metáfora. Longe de ser uma discriminação em relação à capacidade do surdo de compreender metáforas, o exemplo atesta que aquele que não está imerso na linguagem oral dificilmente atentará para os aspectos culturais implícitos que ela carrega. A linguagem escrita nem sempre possibilita essa imersão. Parte-se, assim, de um saber adquirido de forma diferente da dos ouvintes, isto é, da escrita para a fala.

Nem mesmo os instrutores de língua de sinais proficientes desenvolvem sempre interações efetivas, significativas, interessantes com as crianças surdas. O caráter escolar e largamente artificial de uso da língua é bastante presente, já que as aulas acontecem em períodos limitados de tempo e com rotina fortemente institucionalizada. Por outro lado, temos os pais. Pais que também apresentam distintos "graus" de proficiência e de interesse em aprender e usar a língua de sinais com os filhos surdos.

Aqui, há um campo de estudos que precisa ser profundamente investigado: o processo de aquisição da língua de sinais quando o único interlocutor proficiente é um instrutor. Muitas questões surgem: haveria atrasos na aquisição da linguagem? Que papel teriam os pais nesse processo? Como se dá a aquisição da "primeira língua" em ambiente formal (institucionalizado)? É possível que crianças com pouca interação apresentem atrasos de linguagem ou distúrbios fonológicos em língua de sinais? Os instrutores conseguiriam, com sua formação, caracterizar esses aspectos da linguagem? Para quais profissionais seriam indicados os surdos com atraso de linguagem e "desvio fonológico" (em língua de sinais)?

Quem atenderia aos surdos com afasia (em língua de sinais)? Os fonoaudiólogos que fossem proficientes em Libras? No caso do atraso de linguagem, considerando que muitos surdos não teriam acesso à língua, eles deveriam ser todos "patologizados" na sua primeira língua? Evidentemente que não. Mas, por outro lado, não haveria surdos com mais dificuldades de adquirir a língua de sinais que outros, tal como ocorre com os ouvintes na linguagem oral?

Essas questões são ainda de difícil resposta porque partem do pressuposto de que os surdos deveriam ter acesso à língua de sinais desde que nasceram. Já há fonoaudiólogos que a dominam e têm trabalhado com surdos que apresentam atraso de linguagem em Língua de Sinais em decorrência dos déficits neurológicos. Mas ainda é um número reduzido.

O fato é que dificilmente se pode falar em língua de sinais como "a língua dos surdos" se não se enfrentam as condições em que ela é adquirida e não se aventam as consequências linguísticas (sociolinguísticas, psicolinguísticas e neurolinguísticas) e sociais desse processo, assim como as patologias encontradas nesse contexto.

Notemos, abaixo, o relato de uma mãe que, diferentemente da maioria, considera a língua de sinais importante para o surdo:

Mãe de Bianca: Eu falei: "Telma [referindo-se à fonoaudióloga], quando que eu começo o sinal?" "Ontem." Eu comecei assim, rapidinho. Eu ia dar leite, dar água, tomar banho, tudo eu fazia. Só, menina, que eu fui sentindo assim... Nem o sinal, nem nada. Eu achava que ela não 'tava me entendendo. Daí, a professora de sinais, e mesmo a Telma, me orientava assim: "Calma, ela é pequenininha, ela ainda está recebendo muito. É igual um bebê ouvinte, ele recebe muito, depois ele vai te dar o retorno". E eu não via esse retorno logo. [...] E a Bianca não me dava retorno nenhum. Só que eu achei que a Bianca ficou muito atenta a mim. Assim, ela olhava tudo. Muito. Só que ela não me dava retorno [...], mas continuava, porque eu falava: "Alguma coisa eu tenho de fazer". Daí, eu lembro, a Bianca tinha 9 meses. Tava um dia de chuva. Nossa! Chovendo... [...] Daí, tava chovendo, eu abri a janela assim, ela 'tava em pezinho no berço [...] Daí, ela olhou assim na janela. Eu abri a janela e falei assim pra ela:

"Olha"... Abri a janela... Ela fez assim [*sinal de chuva*] com a mãozinha de chuva. Aí, menina, eu nunca mais parei. Falei: "Bianca? Chuva?" [*sinal de chuva*] Ela deu risadinha. Daí, ela começou, fazia descoordenado o sinal, mas fazia, menina, eu via que ela tinha entendimento. Você quer água [*sinal de água*]? Bianca respondia. Aí, menina, minha alegria. Eu vi um retorno de uma coisa que eu 'tava fazendo [...]. Ele [referindo-se ao pai] via que a Bianca aprendia as coisas [...] Quando ele começou a ver que a Bianca aprendia brincadeirinha, assim, joguinho, tudo em sinal, que ela entendia, menina, eu via assim no olho dele que ele 'tava assim: "Nossa, ela sabe fazer isso? Ela consegue fazer isso?" [...] Eu via que ele ficava gratificado.

O prazer das primeiras palavras é algo inesquecível para os pais. Assim o foi para a mãe de Bianca. O prazer de constatar que todo o seu "trabalho" teve um retorno. Um trabalho especial que consistiu na tarefa de aprender uma língua até então desconhecida para ela e falá-la com a filha.

Para algumas famílias, a língua de sinais pode significar uma possibilidade de melhor interação. Ela é utilizada não só pela mãe, mas também por outros parentes que procuram, dentro do possível, fazer compreender a si mesmo e à criança. Em outros casos, no entanto, a distinção é muito clara entre a "língua da criança" e a "língua da família". Cabe à criança aprender a linguagem oral, oralizar ("[...] ele tem de abrir a boca pra gente entender, né? Porque se ele fazer só os sinais eu não vou entender nada"). A oralidade é que dará a ela o direito de pertencer ao grupo dos ouvintes, mesmo sendo surda. A família de Bianca aceita a língua de sinais como a língua de sua filha. Essa família, pelas experiências com a menina, pelos retornos obtidos, acaba por entender a importância da língua para a filha, o que não é comum entre pais ouvintes. Como bem diz a fonoaudióloga de Bianca:

Fonoaudióloga: [...] então, é uma mãe extremamente diferenciada [referindo-se à mãe de Bianca]. O comum não é isso acontecer. Pelo contrário, o comum é as mães resistirem o máximo possível em usar a língua de sinais.

Vejamos a seguir um episódio de Bianca. A menina tem 2 anos e 5 dias. Ela e sua mãe brincam com "A casa das chaves".

Mãe: Essa amarela [*sinal de amarela*]. E essa? [*Aponta para a vermelha e responde*] Vermelha [*sinal de vermelha*].

Bianca: [*Sinal de vermelha*]

Mãe: E essa? [*Aponta para a chave azul*]

Bianca: [*Sinal de azul*] [*Bianca desce a mão em direção ao chão em uma linha reta*]

Mãe: Azul [*sinal de azul*]. E essa? [*Para a chave verde*]

Bianca: [*Sinal de azul*]

Mãe: Verde [*sinal de verde*].

Bianca: [*Sinal de verde*] [*Ela passa apenas o dedo indicador esquerdo na parte superior da mão direita*]

A mãe de Bianca não ensina a língua de sinais à filha, mas Bianca aprende essa língua com a mãe. Na aquisição da língua de sinais, como em qualquer língua, a criança produz enunciados fonologicamente simplificados, como o sinal de verde com apenas um dedo indicador (deveria usar dois dedos) e o sinal de azul quando desce a mão em linha reta (sendo a produção correta em zigue-zague). Vejamos outro episódio. Bianca está com 2 anos e 7 meses. Ela brinca com a mãe de jogo da memória. A mãe levanta as peças e pergunta o nome de cada uma:

Mãe: E esse?

Bianca: [*Sinal de elefante*]

Mãe: Macaco [*sinal de macaco*], uuuu.

Bianca: [*Sinal de macaco*]

Mãe: E esse? [*A figura é de um elefante. A mãe coloca o dedo indicador no nariz dando início à palavra elefante, como um* prompting]

Bianca: [*Sinal de elefante*]

Mãe: Elefante [*sinal de elefante*] [*confirmando*]. E esse? [*Para outra figura*]

Bianca: [*Sinal de elefante*]

Mãe: Coelhinho [*sinal de coelho*].

Bianca: [*Sinal de coelho*]

Mãe: Olha [*sinal de olha*], Bianca [*aponta para a Bianca*]. O que é isso? [*Expressão de pergunta enquanto aponta para o brinquedo*]

Bianca: [*Sinal de flor*] Afi.

Mãe: Flor [*sinal de flor*]. [*Aponta para a figura do carro*]

Bianca: A [*com uma mão fechada, imita o sinal do carro. Com a outra mão pega uma peça do jogo*].

Mãe: Carro [*sinal de carro*]. E esse? [*Aponta para outra figura*]

Bianca: A [*faz o sinal de gato não no bigode, mas no rosto*].

Mãe: [*Sinal de gato*] Gato. E esse? [*Aponta para o outro*]

Bianca: A [*projeta a língua depois do /a/ como se produzisse um fonema linguodental sem som de /l/. Depois faz o sinal de palhaço pondo a mão no nariz sem a rotação da mão*].

Mãe: Palhaço [*sinal de palhaço*] [*exagerando na rotação da mão no nariz*].

Bianca: [*Apontando para uma figura de morango*] Aaai.

Mãe: Morango [*sinal de morango*]. Morango [*sinal de morango*] [*repete o sinal, que é composto de dois gestos sequenciados, vagarosamente*] vermelhinho [*sinal de vermelho*] de pintinhas [*faz as pintinhas nas mãos*], tá?

Nesses dois episódios, podemos ver que as aproximações fonológicas que Bianca faz durante a produção dos sinais são semelhantes às das crianças ouvintes durante a aquisição da linguagem oral. A simplificação dos sinais pode ser observada, por exemplo, quando ela faz o sinal de palhaço sem a rotação da mão. Essa simplificação dos aspectos fonéticos de uma língua é ressaltada por Albano (1990). Para a autora, essas "regras fonológicas" da linguagem infantil não funcionam do mesmo modo que as regras fonológicas adultas (que interligam vários alomorfes de um mesmo fonema), mas como procedimento para uma solução de problemas fonéticos. Ou seja, uma criança produz "dato" não porque não perceba a diferença entre o "d" e o "g", mas porque, no momento dado, a dental é a oclusiva lingual mais fácil de articular automaticamente. Isso indica que ela está trabalhando com esquemas fonéticos já bem abstratos, pois é capaz de equiparar sua versão à do adulto sem confundi-la. Na criança surda, podemos ver procedimento semelhante dessas aproximações: movimento da mão e configuração.

Outro ponto importante é o *prompting* fornecido pela mãe para a palavra "elefante". Bianca reconhece o *prompting* como significativo e dá continuidade à formação da palavra. É interessante notar que o *prompting* ocorre naturalmente nas interações mãe-criança. O *prompting* gestual, segundo Fedosse (2000b), não só se revela como marca de trabalho linguístico, mas também demonstra um processo de interdependência entre o gesto e a fala.

Nos episódios acima, podemos observar ainda que a fala da mãe é sempre acompanhada por um sinal, embora não seja uma tradução simultânea, já que há sinais omitidos. De seu lado, Bianca também parece perceber esse modo particular de interação. Faz os sinais e produz juntamente vocalizações, tornando esse diálogo bimodal; ora usa a língua de sinais, ora a fala, ora os dois conjuntamente. Também aproxima seu gesto articulatório do produzido pela mãe, o que pode ser visto quando a menina anterioriza a língua na palavra "palhaço", como se quisesse pronunciar o fonema /¥/.

Podemos notar que a mãe de Bianca realiza algumas "correções" diante das distorções nos sinais da filha. O "erro" é visto como parte da aquisição da linguagem, mas a correção (sinal correto) é sempre realizada logo após a produção de Bianca (como quando ela faz o sinal de palhaço ou quando não sabe o sinal de morango). A mãe não aceita qualquer produção de sinal, como qualquer outra mãe faz as correções na *fala* da filha, correções sem cobranças. O processo de aquisição da língua de sinais é um trabalho conjunto entre a criança e o interlocutor. Nesse trabalho, a mãe interpreta o sentido dos enunciados da filha, dá *promptings*, faz correções, ou seja, constitui-se o interlocutor efetivo da criança.

Como ressalta Possenti (2000), as crianças do mundo todo, de todas as épocas, aprendem suas línguas exatamente porque não são ensinadas, porque os pais não agem com elas como se houvesse necessariamente fases, métodos ou exercícios. Por mais que seja efetiva e constante a presença dos adultos com as crianças, por mais que haja entre eles atividades linguísticas, não há nada que se assemelhe ao ensino formal de uma disciplina e, muito menos, a um exercício.

CONSIDERAÇÕES FINAIS

O gesto faz parte da linguagem, seja ela falada ou sinalizada. Por isso, não é de admirar que no início da aquisição da linguagem o gesto tenha um papel importante, de figura, para utilizar os termos de Pereira (1989). No decorrer dessa aquisição, o gesto adquire um papel de fundo, mas esse gesto pode estar relacionado diretamente às interações sociais. Há muitos momentos em que, mesmo após adquirir uma língua, o gesto assume o papel de figura (gesto de "adeus", gesto de telefone significando "eu te ligo", gesto de "vem cá" etc.).

Entretanto, o gesto não ocupa o mesmo lugar de uma língua. As interações realizadas por meio dos gestos convencionalizados e dos sinais domésticos são repletas de mal-entendidos. A significação é construída, muitas vezes, de forma idiossincrática, e os gestos idiossincráticos nem sempre permitem a construção do sentido pelo interlocutor, ou mesmo uma interação efetiva. Isso se dá, justamente, pela sua característica de unidimensionalidade, de interpretado e não de intérprete do mundo, embora, acrescente-se, a realização dos gestos seja importante para o papel do sujeito como interlocutor no discurso.

Levando-se em conta os aspectos sociais, interativos, cognitivos e linguísticos do gesto, podemos afirmar que ele precede a linguagem – tanto a oral quanto a de sinais. Durante a aquisição de qualquer uma das modalidades de linguagem, a relação entre língua e gesto é de interdeterminação; um *continuum* simbólico, pode-se dizer, dando origem à noção de *continuidade sensorio-motora* da linguagem (Albano, 1990), entendida como uma ação que se inicia no visuomanual e vai para o audioverbal, no caso da fala, ou permanece no visuomanual, mudando seu estatuto para a língua. A realização do gesto permeia o aspecto simbólico e é por ele permeada, não se tratando simplesmente de um ato motor. Ele serve como mediador entre outras funções simbólicas, o que sugere que não há processos simbólicos dicotômicos.

Os gestos e a língua de sinais, assim como a fala, fazem parte das práticas discursivas que ocorrem nas interações do surdo. A aquisição da língua de sinais possibilita aos surdos continuidade simbólica e imersão na linguagem. Em uma família ouvinte, muitos surdos só adquirem a língua de sinais após o fracasso na aquisição da linguagem oral, e isso acontece por volta dos 6, 7 anos, quando já "está passando da idade para falar". Relacionados a essa realidade, encontramos os únicos interlocutores proficientes dos surdos, os instrutores de língua de sinais, que pouco conhecem do processo de aquisição de uma língua e ministram "aulas" a adultos e crianças (no caso do *corpus* desta pesquisa). As interações entre as crianças são formais e, em muitos casos, são apresentados os mesmos procedimentos usados na aprendizagem de segunda língua em cursos particulares. No caso dos adultos ouvintes, como pais e profissionais, que fazem curso de língua de sinais, o ensino é ainda mais formal. Há uma apostila, geralmente a *Comunicando com as mãos*, e o professor, surdo ou não, lê cada sinal e pede que os alunos repitam. Isso faz os principais interlocutores dos surdos e grande parte dos falantes (ouvintes) de língua de sinais ser maus falantes.

Por não terem pessoas proficientes com quem se comunicar, os surdos deixam de vivenciar todos os usos efetivos da linguagem. Muitos pais acabam por utilizar sinais para informar, e não para comentar, explicar, contar histórias, contar piadas. Isso pode ter implicações significativas, como atraso na aquisição da língua de sinais e, consequentemente, atraso cognitivo (considerando-se a inter-relação entre linguagem e cognição), impossibilidade de constituir-se um sujeito falante e exclusão social do surdo.

Em suma, se a opção dos pais for pela língua de sinais, essa não pode ser parcial, e sim efetiva, interativa. Sabe-se que os pais utilizam os sinais com a fala, organizados em muitos momentos segundo a estrutura do português e intercalados com gestos, quando desconhecem os sinais correspondentes. Não é uma língua de sinais "oficial", seleta, correta, culta, distinta. É uma língua comum, corrente, falada, familiar, popular, "mal organizada". Apesar disso, no contexto filhos surdos/pais ouvintes, não há como exigir proficiência destes, mas podemos ressaltar sua importância para que a criança possa construir sua linguagem e tornar-se um sujeito pela apropriação social da língua.

4. A linguagem oral

Não sei se V. Exas. sabem da existência dos surdos oralizados. Estes comunicam-se oralmente, sem problemas, embora alguns tenham dificuldades na fala e entendam por leitura labial. Como podem ver, nós, surdos oralizados, por nos comunicarmos oralmente, não usamos língua de sinais. Nada temos contra a língua de sinais, a oralização foi uma opção exclusivamente nossa, de nossos pais, sem menosprezarmos e negarmos nossa surdez, como muitos psicólogos e educadores de surdos gostam de afirmar. Nós, mais do que ninguém, sabemos que somente a oralização amplia nossas possibilidades e iniciativas como qualquer ser humano e, por isso mesmo, acreditamos que somente o oralismo é capaz, como um todo, de nos incluir na sociedade, sem sermos marginalizados. Por este motivo, não concordamos com o fato de a língua de sinais ser a língua exclusiva e única do surdo. [...] é quase a mesma coisa que sermos obrigados a aprender latim, uma língua morta. E como o restante da sociedade não conhece Libras, como não sabe falar latim, o máximo que estamos conseguindo com essa medida legal "humanitária" é criar mais uma diferença entre nós e os ouvintes [...] acreditamos numa sociedade heterogênea, onde as diferenças possam conviver. [...] E só convivendo com pessoas diferentes é que aprendemos a sermos tolerantes com as diferenças. Na nossa opinião, a língua de sinais favorece a formação de guetos.

Trechos da Carta Aberta dos Surdos Oralizados ao Senado em resposta à medida que legaliza a língua de sinais como língua dos surdos (18 de setembro de 2002)

Falar: tão fácil para os ouvintes, tão difícil para os surdos. Tão natural para os ouvintes, tão artificial para os surdos. É comum considerar a fala do surdo não natural. Sem dúvida, tal premissa originou-se das tentativas de ensinar o surdo a falar, que quase sempre resultavam em uma fala rudimentar. E a criança tinha, consequentemente, um desenvolvimento linguístico, cognitivo e social prejudicado. O surdo, muitas vezes, era ensinado a falar durante anos e, mesmo assim, sua linguagem oral era extremamente deficitária.

Na literatura, toda e qualquer menção à fala na surdez é descrita como deficiente. A oralidade do surdo é analisada sob o parâmetro da do ouvinte. Assim, ressaltam-se os "erros" e pouco se discute sobre o trabalho da criança surda com a língua, seus sucessos e sua aquisição, apesar do déficit sensorial que apresenta. A maioria dos trabalhos (Spinelli, 1979; Rabelo, 1990; Behares, 1993) sobre a linguagem oral na surdez tem como base de análise o número de vocábulos aprendidos, a estruturação frasal (se é simples - sujeito-verbo-predicado - ou complexa - orações subordinadas, passivas etc.), as trocas articulatórias realizadas, a aquisição de conceitos "concretos" em detrimento de "abstratos", a dificuldade de compreensão de anedotas, a dificuldade de compreensão de enunciados complexos e a expressão vocal (gutural e monótona). Como procedem com base em uma concepção formal de linguagem, põem em evidência as diferenças.

Trabalhos atuais procuram discutir os limites dessas comparações. Contudo, não oferecem melhores explicações para o problema. A literatura tem, assim, descrito a linguagem do surdo sempre de maneira negativa. A visão poderia ser outra. A linguagem do surdo poderia ser analisada em termos de ganhos, de competência em adquirir a linguagem oral. Apesar de não ouvir, é certo que o surdo elabora hipóteses. A escolha de palavras de classes abertas (substantivos, verbos) não é feita porque estas têm mais energia, como afirma Spinelli (1979), e sim porque são palavras de maior conteúdo semântico. Outro ponto é que as dificuldades fonológicas do surdo têm uma regularidade. Ele procura, visualmente, fazer aproximações do fonema-"alvo", compondo um consonantismo mínimo.[1]

É preciso analisar a linguagem oral como um processo, como um trabalho do surdo sobre a língua, e procurar entender outras questões, como: de que forma o surdo consegue posicionar-se como sujeito na linguagem e na sociedade? Qual o estatuto da linguagem oral para eles e para os especialistas? Esse tipo de discussão deve ser focalizado com mais detalhes.

ABORDAGEM ORALISTA: DA TEORIA AOS FATOS

A fala sempre foi e é, em geral, o objetivo dos pais ouvintes em relação aos filhos surdos. Os surdos adultos que participaram de uma abordagem oralista desde o seu nascimento também defendem essa ideia.

O relato que se segue é de Ricardo. Ele exercia, durante o período desta pesquisa, a presidência de uma associação de surdos de uma cidade no interior de São Paulo. Ele ressalta a importância da aquisição da linguagem oral, não só para ele, mas também para outros surdos. Em momento nenhum considera a abordagem oral uma opressão dos ouvintes sobre os surdos:

> **Pesquisadora:** Você acha que surdo deve aprender a falar?
>
> **Ricardo:** Eu acho que tem de aprender a falar. Sabe por quê? Mesmo que não fale bem, tem de aprender muito bem português por causa da leitura. A escola [referindo-se à escola em que estudou] tinha por filosofia pedagógica a integração surdo-ouvinte. Era uma sala misturada com ouvintes para que o surdo possa

1. Consonantismo mínimo (Albano, 1990) é uma produção fonológica realizada também por crianças ouvintes que consiste na produção apenas de oclusivas e nasais apoiadas numa vogal acentuada precedente ou seguinte. É por meio dessa fonologia *elementar* que a criança adentra no mundo da gramática.

aprender a conversar com eles desde pequeno. Aí, quando ele sair da escola, já está preparado para isso, porque se for uma escola de surdo... Imagine quando! Na hora que for para outra escola só de ouvintes, seria um choque.

Vejamos agora o relato do pai de Vinícius, criança que realizou a cirurgia de implante coclear:

Pai de Vinícius: A metodologia da Ana [fonoaudióloga] é a linguagem oral. E para a gente aquilo foi bom porque veio ao encontro do que a gente queria que desenvolvesse, a linguagem oral. A gente não queria a linguagem de sinais. Não por discriminação. Se nós percebêssemos que ele não poderia fazer implante e para ele se comunicar teria de usar a linguagem de sinais, talvez a gente fosse por esse caminho. Mas, como a metodologia dela é a linguagem oral, a gente foi por aí. Linguagem oral a gente usa da forma mais sutil com ele. A gente faz alguns gestos, mas não dentro da filosofia da linguagem de sinais.

A fala é considerada a língua legítima, e a abordagem oralista dá aos pais exatamente aquilo que buscam: a fala. Vale ressaltar ainda o peso que tem a fonoaudiologia para os pais logo após a descoberta da surdez. A fonoaudiologia ocupa um papel de saber, um saber científico que determina o que deve ou não ser feito para cada criança.

Os fonoaudiólogos que trabalham visando à aquisição da linguagem oral pelo surdo, e não a da língua de sinais, têm sido chamados de oralistas. Esses profissionais baseiam seu trabalho em uma abordagem que privilegia a fala em detrimento de outros sistemas de significação.

Quando se fala em abordagem oralista, pode-se supor que todos os profissionais que a assumem trabalham da mesma maneira. Contudo, há práticas diferentes dessa abordagem, há profissionais que trabalham com uma concepção de linguagem formal, enquanto outros não. Há quem veja um sujeito por trás da surdez, mas há também quem veja um falante, um malfalante.

A abordagem oralista tem como objetivos a aquisição da linguagem oral e a "facilitação" da integração social do surdo. Sua base terapêutica, segundo Bevilacqua e Formigoni (1997), é o aproveitamento máximo do resíduo auditivo por meio de potentes aparelhos de amplificação sonora. O objetivo é auxiliar as crianças a usar sua audição residual e crescer aprendendo a ouvir e falar de forma que aumente seus conhecimentos e suas experiências de vida para se tornar pessoas "integradas" e participantes da sociedade em geral. Essa proposta baseia-se no resultado de pesquisas audiológicas que afirmam que mais de 95% das crianças deficientes auditivas apresentam audição residual em algum grau. Por isso, acredita-se que deva ser dada a essas elas a oportunidade de desenvolver os resíduos, fazendo que utilizem a audição que têm, por menor que seja. Todas elas devem ter algum tipo de estimulação auditiva, já que a audição, como canal sensorial, é de fundamental importância para o desenvolvimento da comunicação oral. Para as autoras, graças aos recentes avanços tecnológicos – como as técnicas de diagnósticos precoces, os aparelhos de amplificação sonora potentes e o implante coclear multicanal –, a fluência na linguagem oral pode ser adquirida por cada vez mais crianças deficientes auditivas.

Para Lacerda e Mantelatto (2000), a concepção de linguagem da abordagem oralista é behaviorista ou inatista. Ela é vista como um comportamento humano igual a qualquer outro, adquirida por meio de imitação: a criança copia as produções do outro, tomando-as como próprias e falando. Tem-se, então, uma linguagem pronta, que precisa ser apropriada pelos iniciantes da língua. Assim, a repetição e o estímulo são as bases dessa abordagem. Isso tem como resultado vocabulário restrito e compreensão atrelada ao sentido literal. Nas palavras das autoras (2000, p. 36),

> o trabalho de oralização e audibilização não permite uma ação que assuma a linguagem em toda sua amplitude, reduzindo a linguagem do surdo, muitas vezes, à sua produção articulatória, privando-o de um desenvolvimento pleno.

É certo que não se pode compreender a fala como resultante de um comportamento estímulo/resposta, ou mesmo como uma capacidade biológica inata, como se a língua fosse um simples código a ser aprendido socialmente. Muitos estudos sobre a linguagem na surdez, tanto oral quanto de sinais, têm se baseado nesse tipo de concepção comunicacional, que não leva em conta os complexos processos envolvidos na interação social e nas trocas dialógicas entre o surdo e o ouvinte, como se essa interação não tivesse nada que ver com a aquisição de linguagem nem tampouco com os aspectos cognitivos. Mas a abordagem oralista tem trabalhado apenas com essa concepção?

O Conselho Federal de Fonoaudiologia (004/98) define o trabalho do fonoaudiólogo no oralismo da seguinte maneira:

> **Oralismo:** O fonoaudiólogo procura suprir a dificuldade sensorial da deficiência auditiva buscando aproximá-lo o mais possível da realidade ouvinte. Não estimula nenhum tipo de linguagem gestual. Procura o desenvolvimento da emissão oral e pode trabalhar numa abordagem multissensorial utilizando estímulos sonoros, táteis, cinestésicos e visuais ou numa abordagem unissensorial, com uma metodologia que procura utilizar apenas pistas auditivas como acesso.

Vejamos, abaixo, o relato de três fonoaudiólogas que trabalham com a abordagem oralista:

> **Fonoaudióloga de Fernando:** A linguagem não é uma coisa assim, imitação, ou você ficar repetindo a palavra várias vezes. Então, linguagem pra mim eu tenho outro conceito. É muito mais interação, relação. [...] Não forçar, não exigir, nem pedir ou solicitar, mas mostrar para ele que isso é importante. Ele tem de falar para solicitar as coisas, que é isso que a gente está propondo. Eu sou oralista há 20 anos. Verbo tonal, inclusive eu ainda uso a parte de estruturas rítmicas "papapó", "papapapapó". A gente usa essas estruturas rítmicas para fixar o fonema, tanto para a articulação correta quanto para memorização, a parte de articulação do som e que funciona muito bem com quem tem aparelho convencional e com ele dá muito resultado mesmo.

Pesquisadora: Como você trabalha a linguagem oral?

Fonoaudióloga: O caderno eu uso em função de alguns fonemas que eu queria destacar. [...] Aquele caderno é mais para sistematizar o fonema, eu trabalho com o movimento do ritmo do verbo tonal, daí eu já ponho nas sílabas e nas palavras. E a figura vem embaixo do nome. E agora, como eu quero enfatizar o nome e a cor (carro vermelho, bola amarela) para ele começar a usar duas palavras, né? [...] Ali é como uma cobrança mesmo, "Vamos falar?". Então, vai, "Eu falo, você repete". Ali eu fico muito mais tempo exigindo uma articulação correta. Tem de falar o fonema, o que quero ali corretamente. Então, aquele caderno é muito mais pra falar. [...]

Pesquisadora: E ele leva para casa também?

Fonoaudióloga: Leva. Mas eu acredito que eles não usem muito, não. Até falo assim, ele leva para perceber que é dele, vai e volta. Teve uma época em que ele rejeitava a pasta. Essa pasta, pra ele levar e trazer, era um sufoco. Não queria. Até que agora, ele...

Pesquisadora: Você usa gesto em alguns momentos?

Fonoaudióloga: Gestos padronizados, não. [...] Porque você viu, eu não fico com a mão presa. "Ah! Fernando, dá aqui pra mim" [*estendendo as mãos*].

Fonoaudióloga de Vinícius: A nossa abordagem é a aurioral, que enfatiza o uso da audição. Isso não significa que eu trabalhe numa abordagem unidimensional. Porque as pessoas acham que, se é unissensorial, eu só vou trabalhar a audição e não vou nunca dar pistas visuais para a criança. E, na verdade, quando você trabalha com percepção bimodal, você cobre as necessidades da criança porque ela precisa da leitura orofacial pra completar a compreensão da informação que ela recebe. [...] É importante que os componentes auditivos e de linguagem estejam integrados. Eu não tirava a pista visual. Eu usava outras estratégias para que o Vinícius enfatizasse a audição. Se você usar um parâmetro na sua frente [referindo-se a algum objeto que cubra a boca do interlocutor], você já diminui para a criança uns 20 db. Houve uma época em que até fazíamos isso. Nós usávamos a pista da mão para a criança perceber que era um momento de escuta, para que ela se posicionasse naquele momento de escuta. Isso vai ficando muito artificial para a criança. Num certo momento, eles não gostam. Eles pedem para você tirar a pista da mão e fica uma situação de comunicação artificial. Então, nós começamos a usar outras. Existem inúmeras técnicas e estratégias para você enfatizar a audição da criança sem necessariamente usar a pista da mão. Então, você brinca com um sussurro, você fala perto do microfone da criança, você usa a brincadeira de fechar o olho. Então, ela não percebe que está sendo testada. [...] Na verdade, a intervenção é feita desde o início, sempre. [...] O objetivo é que a criança desenvolva melhor e tenha uma inteligibilidade de fala. Você fazer uma intervenção é diferente de fazer uma correção. A correção, nós só fazemos quando a criança tem mais consciência de seus desvios fonológicos, vamos dizer assim. E que cabe naquele momento fazer uma correção sem que a criança entre em ansiedade, sem que isso mostre que ela só está falhando. Porque se você corrigir, se fizer uma intervenção corrigindo a criança em determinadas situações, você tira a liberdade da criança e mostra para ela a todo tempo que ela está falhando. [...] Quando você trabalha fonema por fonema, você está levantando situações que podem não ser efetivas no desenvolvimento da criança, porque ela pode sair-se muito bem com o fonema separadamente, mas ela não vai generalizar, ela não vai usar essa habilidade em outras habilidades. O que nós procuramos fazer com a criança é trabalhar essas falhas, entre aspas, que acontecem dentro de um grupo, dentro de um contexto comunicativo, e ela tem condições de fazer a generalização com muito mais habilidade. E ela tem essa escuta incidental. Se o *input* auditivo está assegurado, muitas vezes a criança consegue, como aconteceu com o Vinícius. Ele conseguiu fazer uma automatização e uma generalização sem precisar fazer uma correção formal.

Pesquisadora: Você usa algum tipo de gesto? Antes do implante?

Fonoaudióloga: Usava gestos naturais. Nunca houve uma preocupação em não usá-los, para que tudo ficasse mais natural para a criança.

Pesquisadora: Você falou alguma coisa sobre os pais nunca usarem gestos?

Fonoaudióloga: Nunca. Nunca. [...] Os gestos são espontâneos na comunicação. Nós usamos com a criança que não tem perda auditiva. É uma coisa natural do ser humano usar gestos. [...] Esses gestos [*referindo-se ao gesto de dormir*], dependendo do contexto, quando a mãe fala com a criança sem usá-los e a criança não entende naquele momento, o objetivo maior é a compreensão, que a criança compreenda o que você está falando. Então, você usa realmente algum recurso. Às vezes até através da música. A criança vai fazendo associação, o que é importante nesse momento, né? Às vezes, numa outra etapa, a criança tem esse conceito e você ainda usa. O que se poderia usar para facilitar o desenvolvimento da criança era usado.

Fonoaudióloga de Taís: Ela começou comigo sabendo que eu também trabalho com o oral. Eu sei alguns sinais e tudo, mas o enfoque maior é o oral [...].

Pesquisadora: Você que sugeriu procurar uma escola especial?

Fonoaudióloga: Não fui eu que sugeri. A gente estava vendo que ela já estava ficando aquela criança nervosa, porque ela não estava conseguindo nem se comunicar. Porque não tinha fala, não tinha sinais, não tinha escrita, não tinha nada. Ela já estava virando aquela criança isolada, entendeu? [...] E eu comecei a falar: "Olha, ela precisa se comunicar de algum jeito". Já que a mãe estava se recusando ao implante de toda maneira e deixando a menina também sem comunicação nenhuma, eu não acho correto isso, né? Eu falei: "Vamos talvez procurar uma escola especial que vai estar ensinando os sinais pra ela". Eu continuo forçando o oral aqui e a escola vai estar ensinando os sinais para ela poder se comunicar e desenvolver o aprendizado, né? Até a questão da alfabetização. [...] Hoje ela faz vários sinais, mas eu falo para ela falar bonito: "Como que fala?" A gente usa o sinal como se fosse a tradução daquilo que ela tá querendo falar. Então, alguma coisa que ela não consegue, ou que sai muito distorcido e que eu não estou entendendo, eu falo: "Qual o sinal?" Ou então, escrito, já que ela já sabe escrever [...] e daí a gente consegue se comunicar através da fala e daquilo que ela sinalizou ou escreveu.

Pesquisadora: Assim, quando ela não compreende o que você fala só pela oralidade, você usa sinal?

Fonoaudióloga: Eu uso sinal. Ou então tem sinal também que eu não sei, ou então eu escrevo, desenho... Tento achar alguma figura próxima.

Pesquisadora: Qual é a tua abordagem de trabalho com ela?

Fonoaudióloga: Hoje é oralista.

Pesquisadora: Mesmo você fazendo os sinais?

Fonoaudióloga: Seria multissensorial? Eu deixo ela ler os lábios, né?

Pesquisadora: Porque você falou oralista, mas você usa o sinal...

Fonoaudióloga: Não. O sinal seria só o apoio.

Pesquisadora: Você acha que não seria, por exemplo, o bilinguismo?

Fonoaudióloga: Não. Não coloco isso como bilinguismo. [...] Eu desenvolvo o oral. Todas as atividades que a gente faz [...], qualquer coisa a gente vai no oral. Eu vou estar falando o tempo inteiro. Mas, de repente, se ela não entende o que eu tô falando, ou eu sinalizo, se eu souber sinalizar aquilo, ou eu vou para algum outro recurso.

Pesquisadora: Como você faz o trabalho de aquisição de linguagem dela?

Fonoaudióloga: A gente escolhe temas. Então... Tem alguns joguinhos do computador, a gente seleciona uma parte que é só de fruta, uma parte que é a situação da casa, coisas que têm só na cozinha, só no quarto... São temas, na verdade, que a gente vai trabalhando para ela adquirir a linguagem justamente nesse sentido [...]. A parte de articulação mesmo, não. Eu quero que ela me dê. Do jeito que ela estiver me passando está ótimo.

A fonoaudióloga de Fernando utiliza apenas gestos naturais. De acordo com seu próprio relato, parece trabalhar com uma concepção estrutural de linguagem, segundo a qual a aquisição se dá por estruturas hierárquicas (fonema, sílabas, palavras, frases). É baseando-se nessa concepção que ela desenvolve a terapia fonoaudiológica. Embora em seu relato inicial apareça a ideia de que linguagem é interação e não repetição ou correção, o modo como a oralidade é trabalhada na terapia parece assemelhar-se ao ensino formal da língua. Não é à toa que Fernando não quer levar o caderno para casa. Um caderno que, provavelmente, significa para ele atividades e cobranças sem sentido aparente.

Já a fonoaudióloga de Vinícius segue a abordagem oralista, mas, em alguns momentos, usa mímica (como o gesto de dormir), privilegiando sempre a compreensão. Embora ressalte que o uso de gestos não é o foco de seu trabalho, não proíbe os pais ou a criança de usá-los. Ela diferencia também intervenção de correção e de trabalhos com fonemas isolados. O falar está relacionado com o ouvir, mas também com o significar o que ouve. Essa parece não ser uma abordagem formal de terapia, a despeito do que a literatura vem afirmando do trabalho, de modo geral, dos oralistas.

A fonoaudióloga de Taís parece não reconhecer, em seu próprio trabalho, uma incompatibilidade: fala e língua de sinais. Sobre a indicação de uma escola especial para a criança, ela diz "Não fui eu que sugeri", para logo em seguida afirmar "Eu falei: 'Vamos talvez procurar uma escola especial que ensinará os sinais pra ela'". Contudo, ela "aceita" o uso de sinais na terapia e faz, muitas vezes, um trabalho baseado no bimodalismo. Esse fato parece evidenciar que, algumas vezes, não podemos definir *a priori* a linguagem que será utilizada na terapia, quem a define é o sujeito e seus usos da linguagem.

Essa é a proposta de trabalho que mais se diferencia da oralista, já que faz uso dos sinais, embora ressalte que sua importância é apenas comunicacional, para a compreensão, como apoio, como tradução. Há uso de gestos, de sinais e de oralidade. Em alguns momentos, observa-se que a fonoaudióloga não está consciente dessa coocorrência de sistemas semióticos, tampouco da diferença ou da relação entre gesto e língua.

Dizer-se oralista não implica, necessariamente, uma mesma prática terapêutica. Vimos anteriormente que, na abordagem oralista, o objetivo é promover a aquisição da linguagem oral sem o uso de nenhum gesto (conforme definição do Conselho Federal de Fonoaudiologia). No entanto, o método usado pela fonoaudióloga de Vinícius permite o uso de gestos e até de mímica pela criança e pelos pais. Ressalte-se que a orientação de muitas fonoaudiólogas da abordagem oralista seria a proibição de qualquer gesto. Já a fonoaudióloga de Taís não exclui os sinais. A terapeuta de Fernando não usa gestos e trabalha efetivamente com produção articulatória. Assim, vê-se que há práticas variadas para uma "mesma" abordagem. Ao que parece, há diferenças entre "meios" e "fins": alguns supõem que o oralismo é um "fim" independente dos meios, outros supõem que entre "meios" e "fins" não há diferenças, ou os confundem. De qualquer forma, o "fim", isto é, fazer falar é o mesmo.

Nery e Novais (2001), que trabalham com uma abordagem oralista, ressaltam que a proposta terapêutica na surdez deve basear-se no pressuposto de que a aquisição da linguagem se dá na interação com o outro. Ou seja, deve-se privilegiar o reconhecimento do potencial de interlocução da criança. Assim, o trabalho de linguagem apoia-se na situação interacional, em que terapeuta e criança constroem sua história com base em situações lúdicas, para que o conhecimento mútuo facilite a atribuição de significados. As autoras comentam que essa concepção de linguagem tem modificado as propostas já cristalizadas que visavam ao treinamento auditivo e à fala, mas deixavam o surdo fora de situações dialógicas efetivas, o que impedia a sua constituição como um ser da linguagem. Elas também criticam a técnica de cobrir a boca visando usar somente a audição, já que uma situação dialógica natural não ocorre dessa forma.

A fonoaudiologia vem, assim, modificando sua forma de trabalhar com a abordagem oral. Além disso, o trabalho com a língua de sinais na abordagem bilíngue tem implicações, de uma forma ou de outra, para a abordagem oralista. Afinal, alguns fonoaudiólogos da abordagem oralista também encaminham as crianças para que adquiram a língua de sinais. Sua discussão (e do bilinguismo) não passa marginalmente à abordagem oralista. Isso ocorre a partir do momento em que uma criança que é atendida por uma fonoaudióloga da abordagem oralista usa a língua de sinais na terapia. O surgimento de outras possibilidades de significação faz a profissional ter de repensar seu plano de trabalho e suas técnicas para proporcionar a aquisição da linguagem oral. Afinal, como impedir ou desconsiderar uma língua ou mesmo um sistema gestual se já estiver entrelaçado à subjetividade da criança?

Lembro aqui que boa parte dos fonoaudiólogos que trabalham na abordagem bilíngue já foi oralista (refiro-me a fonoaudiólogos formados até a década passada). Nascimento (2002), em seu estudo, entrevistou profissionais que trabalham atualmente sob a perspectiva do bilinguismo, mas anteriormente haviam sido oralistas, mostrando uma espécie de descompasso nas justificativas de mudança dessas fonoaudiólogas para a abordagem bilíngue, em função do sucesso que alegaram ter obtido na abordagem oralista: "Os resultados eram bárbaros"; "Mas foram oralizados"; "Eu era uma boa fonoaudióloga oralista". A autora, então, pergunta:

> Por que mudaram de abordagem? A mudança, com certeza, não se fez pela busca de uma metodologia que tivesse melhores resultados (uma vez que eles já estavam lá), mas a mudança parece ter sido de natureza ética. O fato de assumir o surdo como membro de uma minoria linguística cria um constrangimento moral que impede a adoção de uma abordagem oralista, que desvaloriza os sinais e privilegia a língua oral. (Nascimento, 2002, p. 79)

Ao que parece, usar só a fala, os gestos ou os sinais não é o ponto que define uma abordagem ou outra. Se assim fosse, a fonoaudióloga de Taís teria assumido uma abordagem bilíngue. Não se pode negar que há similaridades entre a intervenção de uma fonoaudióloga oralista (a fonoaudióloga de Taís) e uma de abordagem bilíngue (a fonoaudióloga de Bianca, como veremos mais adiante), já que ambas usam a fala e recorrem à língua de sinais quando a criança não compreende. Contudo, a diferença parece estar no estatuto que a linguagem oral e a língua de sinais têm em cada abordagem. Na abordagem oralista, a linguagem oral é a valorizada, a língua a ser adquirida. Mesmo quando a língua de sinais aparece, surge apenas como um meio para alcançar a oralidade. Há também diferenças com relação ao ideal de fala desejada para o surdo: falar bem para ter um diploma, para pedir um pão na padaria, para entender a mãe etc. são metas diferentes a ser alcançadas. A proposta do "falar bem" para o surdo não tem um sentido unívoco em todas as abordagens ou mesmo para a família e os fonoaudiólogos.

O problema central dos estudos sobre a surdez é a superficialidade com que a linguagem oral tem sido descrita e analisada. Há autores que já levantaram essa questão:

> [...] A escassez de pesquisas e publicações que abordem o processo terapêutico deve-se, principalmente, à dificuldade de se discutir articulações teórico-práticas que se concretizam no fazer clínico. [...] Na área de deficiência auditiva em particular, muito tem sido escrito sobre princípios e técnicas utilizadas no trabalho com a oralidade; entretanto, as questões do método e de como os fundamentos teóricos e estratégias ganham vida no processo terapêutico com crianças pequenas têm sido pouco exploradas. (Nery e Novaes, 2001, p. 49-50)

Há ainda muitos fonoaudiólogos que trabalham com uma visão superficial da linguagem. Essa visão tem como base estudos nos campos da medicina e da educação – com efeitos práticos complicados que podem implicar negligência com relação ao conhecimento atual da teorização linguística e neuropsicológica –, bem como suas discussões ligadas aos aspectos sociocognitivos da linguagem. A fala, por muito tempo, foi compreendida como um ato motor, basicamente como produção articulatória. Sendo um ato essencialmente motor (e não simbólico, interativo, cognitivo, em suma, não sendo um ato linguístico), poderia ser "ensinado" e "aprendido".

SOBRE A AQUISIÇÃO DA LINGUAGEM ORAL

A ideia de que a fala é individual, biológica e dependente apenas da "competência" natural da criança e da audição tem como consequência o surgimento da crença de que o surdo deve falar quando possui uma prótese auditiva ou um implante coclear.

As próteses auditivas têm sido desenvolvidas com o objetivo de minimizar os efeitos da deficiência auditiva e de promover a audição, para que se consiga adquirir uma língua audioverbal. As firmas de próteses auditivas têm se preocupado cada vez mais em lançar no mercado aparelhos eletroacústicos sofisticados, uma evolução que ocorreu desde o primeiro aparelho auditivo desenvolvido, no final do século XIX, por Alexander Graham Bell. A partir daí, surgiram vários tipos de dispositivos eletrônicos: próteses auditivas analógicas, digitais e implante coclear. Atualmente, a mudança mais significativa é referente à aplicação de tecnologia digital nessa área.

Apesar disso, pouco se pode afirmar sobre a eficácia dessas próteses nos surdos profundos, embora já se promova o ganho médio de até 80 db. Ou seja, a discriminação da linguagem oral auditivamente é rara nos casos de surdez profunda. Mesmo em uma surdez severa, a distinção dos fonemas da fala nem sempre é eficaz. Há variações relacionadas à funcionalidade das próteses auditivas. Tomo o caso de Ricardo: ele considera a prótese auditiva importante não para diferenciar as nuanças da fala, e sim para perceber auditivamente os sons do ambiente. Ele consegue perceber que estão falando com ele, mas não *o que* estão falando. Ele diz que, se está em frente ao fogão, de costas para a esposa, e ouve a voz dela e vê sua mão apontando para o eletrodoméstico, mesmo sem identificar o que ela diz, consegue atribuir um sentido à sua ação e à sua voz e mexe a panela que está no fogo. Há ainda outros ganhos, para ele, em termos ambientais: barulho de carro, campainha, batida na porta.

Ricardo: Tem gente que é contra [referindo-se à prótese auditiva], considera o aparelho uma espécie de tortura. Eu sou contra essa opinião. Quem é surdo **tem** de usar aparelho. É fundamental. Do mesmo modo que a pessoa que não tem perna vai colocar uma prótese para poder conseguir andar. Imagine uma pessoa considerar uma prótese uma tortura! Não pode. Usar aparelho de audição é fundamental.

Já Dalva comenta por escrito:

Dalva: Usei [referindo-se à prótese auditiva] por pequeno período. Não posso usá-la porque me dá muita dor de cabeça e talvez seja por falta de hábito, não sei ao certo a razão dessa anormalidade. Para mim, acredito que o aparelho só tem vantagens para quem tenha um resto de audição e, como eu tenho surdez profunda, não creio no sucesso. Por outro lado, há ainda o meu total desconhecimento de sons, porque ao captá-los não sei distingui-los de "onde vêm", se telefone, se campainha da porta, batida na porta etc. Nesse caso, talvez eu tivesse vantagens se desde criança o meu aprendizado tivesse sido feito acompanhado por uma fonoaudióloga e ainda auxílio da família, com estímulos.

Alguns surdos têm defendido a prótese auditiva – embora, em alguns casos, esta não lhes possibilite a discriminação auditiva dos sons da fala –, enquanto outros não querem usá-la. Algumas vezes, mesmo o aparelho mais potente oferece apenas a oportunidade de o surdo ouvir ruídos do ambiente e alguns aspectos prosódicos da linguagem oral, com raras exceções. É claro que não podemos generalizar a questão. Há próteses auditivas que oferecem mais ganhos a determinadas crianças do que a outras. A distinção está menos na prótese e mais nas diferenças individuais. Vejamos os comentários das mães de duas crianças surdas profundas sobre as próteses:

Mãe de Taís: Com o aparelho não respondia ao telefone. Era só para algo muito forte, bomba, avião, moto com escapamento aberto.

Mãe de Fernando: Não falava nada. Mesmo com o aparelho... porque aquele aparelho eu chamava, chamava...

Já a mãe de Bianca acredita que faz diferença a filha usar a prótese.

Mãe: Ela colocou com 1 ano e 3 meses. Logo que ela começou a andar.

Pesquisadora: Tem diferença, então, de aparelho e sem aparelho?

Mãe: Muita diferença. Quando a Bianca colocou o aparelho eu achava assim... Nossa, vai ser pronto, ouvinte, vai ser... E, quando a Bianca colocou, eu não notei diferença nenhuma. Daí, a Taís [fonoaudióloga] falou assim: "Silvia, é como se fosse uma escuridão e tem um pinguinho vermelho lá. Você tem de chamar a atenção da Bianca para aquele pinguinho. Então, você vai ter de ensinar ela a ouvir, porque é desconhecido para ela. Ela pode até estar ouvindo, mas ela não conhece. Então, você vai ter de chamar a atenção". Aí, eu comecei a fazer treinamento auditivo [...]. Então, eu comecei a bater a porta: "Ó, a porta, o cachorro latindo. Bianca, o au-au, presta atenção". Tudo eu chamava a atenção. Hoje não. A moto ligou, "a moto". Quando ela não identifica o som, ela fica: "Té isso, té isso?" O telefone toca, ela escuta. Nossa, coisa que eu nunca pensava que ela ia escutar, mas muito treino. E ela fica assim, do lado do telefone: "Tá falando?"

Veem-se aqui surdos profundos com respostas auditivas diferentes à prótese. Mas há outro lado da questão. A prótese dá, pelo menos no início, a esperança de que a criança conquiste a fala ("Nossa, vai ser pronto, ouvinte"; "Tenho esperança em relação ao aparelho... com o aparelho, que ele tenha um resultado melhor pra conseguir falar um pouco, entender melhor"). Não são só os pais que têm essa esperança, mas também os professores das escolas regulares nas quais as crianças estudam. Para mais detalhes, vejamos o relato de uma fonoaudióloga que trabalha em uma das instituições de pesquisa:

Fonoaudióloga: Quando a criança já está protetizada, elas perguntam [referindo-se às professoras] se o aparelho... assim, poderia ser um mais potente, pra elas aprenderem melhor na escola, ou quando não estão, que muitos... é... Tem até um caso de uma mãe que teve de assinar um termo de compromisso que, enquanto a criança não usasse aparelho, a professora não se comprometeria com o ensino, com a alfabetização da criança. Então, muitas colocam no aparelho toda a esperança, sei lá, de aquisição da escrita, de aprendizagem. O aparelho parece, assim, que é a peça fundamental pro desempenho na escola. [...] Elas têm muito interesse em saber como seria uma técnica pras crianças fazerem leitura labial e emissão oral, nisso elas têm interesse. Quando elas vêm pra cá e a gente explica que a coisa não é bem assim, que seria interessante elas aprenderem o sinal, você vê uma certa desmotivação por parte delas, eu acho. [...] Elas vêm com esperança de que a gente fale o que tem de ser feito na sala com eles. Por exemplo, hoje mesmo, uma me pediu um manual pra estar usando com um menino em sala de aula, pra ele aprender a língua portuguesa através da oralidade e dos restos auditivos. Normalmente, as mães falam isso, né? Porque eles passam por firmas de protetização. Mas elas querem um manual. Uma coisa, assim, exata, de como ela fazer pra criança começar a oralizar ou fazer leitura labial. Elas têm essa expectativa. E mesmo quando eu oriento como poderia ser melhor, então, a criança mais perto dela, ela falar de frente, sei lá, essas orientações mais básicas, elas acham que tem de ser uma coisa rápida. Que isso, assim, fez e pronto, já tem de dar um resultado. Então... é complicado por causa disso.

A prótese auditiva continua a ser vista como uma "luz no fim do túnel" por muitos pais e profissionais. E usar prótese pode até significar, para a criança, maior empenho do professor no ensino. Os professores desconhecem que não basta ouvir para falar, assim como ouvir não implica compreender a fala. A ideia de que possa haver uma cartilha, um treino, com exercícios para que o surdo adquira a fala ainda é uma crença de muitos professores.

O IMPLANTE COCLEAR: UMA LUZ NO FIM DO TÚNEL

A busca pela fala é uma cobrança social e independe da família. Mas o fato comprometedor é que se exige sempre uma fala "perfeita" e também "natural", como se bastasse ouvir para falar, como se a aquisição da linguagem não fosse um processo nem dependesse de interações e usos efetivos da linguagem. Em busca dessa fala, surge uma tecnologia que pretende suprir as deficiências da prótese auditiva: o implante coclear. A pergunta é: ele pode mesmo erradicar ou contornar essa deficiência? Como as próteses mais tradicionais, o implante coclear não garante resultados, ou mesmo audição, a todas as crianças surdas.

Nussbaum (2003) ressalta que a mídia trata o implante coclear como cura. Para ela, é importante deixar claro que o implante coclear pode:

- promover acesso ao som ultrapassando as células ciliadas, permitindo ao usuário perceber os sons;
- transformar sinais elétricos e enviar os sons ao nervo auditivo e ao cérebro;
- oferecer mais acesso que as próteses tradicionais para a informação da fala;
- melhorar a percepção de crianças que já realizam treinamento auditivo.

Contudo, o implante coclear não pode:

- interpretar o som;
- garantir acesso completo à linguagem;
- permitir que uma criança completamente surda adquira a fala como uma ouvinte;
- fazer um som elétrico ser interpretado do mesmo modo que um som acústico.

O desenvolvimento das pesquisas com implante coclear nos últimos anos e a comprovação de sua eficácia têm ocasionado a indicação de implante coclear bilateral e não mais unilateral, como inicialmente se fazia. A partir de 2011, a Associação Brasileira de Otorrinolaringologia e Cirurgia Cérvico-Facial, nos seus critérios de indicação para implante coclear, já sugere, a critério médico, o implante coclear unilateral ou bilateral. Contudo, a indicação deste último é ainda muito recente. Inicialmente, estava sendo realizada apenas pelos órgãos reguladores de planos de saúde privados (Hyppolito e Bento, 2012) e somente a partir de dezembro de 2014, depois da portaria do SUS (Diário Oficial, 19/12/2014), a cirurgia de implante coclear bilateral foi incluída em seu rol de procedimentos. Ressalte-se que pesquisas atuais já vêm demonstrando que o desenvolvimento da linguagem de crianças com implante coclear bilateral é bem superior ao de crianças com implante unilateral em relação à linguagem receptiva e expressiva (Wie, 2010; Boons *et al.*, 2012).

Para a eficácia do implante coclear, é importante estabelecer um bom mapeamento (estimular níveis de conforto e desconforto, desconectar eletrodos que podem causar problemas). Nussbaum (2003) diz que determinar um mapa para cada criança é mais uma arte que uma ciência. Isso porque se deve ter muita experiência para avaliar bem a criança em termos audiológicos, já que ela não consegue, como o adulto que fez implante coclear, dar respostas objetivas sobre o modo como o som está sendo interpretado.

Vejamos, abaixo, o depoimento de uma fonoaudióloga que trabalha com (re)habilitação de surdos com implante coclear:

Fonoaudióloga: Quando eu regulo esse aparelho, eu regulo para aquela criança específica. Então, pode ser que, quando eu coloco os eletrodos, eu posso estar colocando, posso estar ativando, estimulando mais numa região mais sensível ou menos sensível daquela criança e posso estar estimulando mais uma frequência de fala do que uma frequência que ela tenha mais sensibilidade. O que vai diferenciar o implante coclear do aparelho é que, quando eu tô trabalhando com o aparelho auditivo, eu tô colocando um som bruto, um som geral, eu pego a onda sonora e amplifico, amplifico tudo. Então, pode ser que a criança tenha mais dificuldade de reconhecer, dependendo da sensibilidade que ela tem e do tonotopismo da cóclea. Quando eu coloco o implante, a estimulação vai direto ao órgão de Corti. Então, eu tenho condições de regular e fazer uma regulagem tentando aproximar os formantes de fala, tentando abranger uma maior área de frequência de fala para tentar reproduzir o som da maneira mais próxima do que ele era. Lógico que a gente sabe que isso fica quase que impossível, fica impossível você substituir um órgão natural por um órgão artificial que consiga o mesmo resultado. [...] Por isso, eu tenho de regular, para não deixar uma estimulação muito forte nem muito fraca.

Pesquisadora: Quando é criança, como que vai...?

Fonoaudióloga: Quando é criança pequena, a gente procura fazer uma atividade lúdica. Então, quando você ouvir "papapá", você encaixa.

Pesquisadora: Quando é... 6 meses...?

Fonoaudióloga: Quando é 6 meses, 8 meses, a gente tem um exame que a gente faz que é o NRT. É um programa para a gente ver como é que está sendo a estimulação elétrica da cóclea. Eu faço essa avaliação eletrofisiológica no ato cirúrgico, para ver como que tá funcionando, e nesse programa eu já vejo o máximo de estimulação elétrica que aquele eletrodo pode suportar. Então, eu mesma posso criar um primeiro mapa da criança e jogar esse mapa pro processador sem pesquisar e, depois, conforme a criança for ficando acostumada, eu vou criando...

Em outro momento:

Fonoaudióloga: Olha, alguns pacientes... a maioria... alguns sons eles acham muito parecidos, alguns sons eles acham muito diferentes. Então, o que a gente vê no depoimento deles? Que eles... é que alguns sons eles têm de associar, fazer por associação. Então, a maioria dos sons, eles... Vamos supor, eu falo "dado". Ele pega e me aponta o "dado", ou fala: "Você falou dado". Aí, por exemplo, eu falo algum som com "p", vamos supor, "pato". Aí, ele pega e me aponta o gato. Aí, eu falo: "Olha, você não ouviu. Eu falei 'pato'", com pista visual, que ajuda. Eu falo: "Eu falei pato". Aí, ele fala: "Ah! Pato". Então, da próxima vez que eu falar "pato", ele vai me apontar a palavra "pato" ou alguma outra semelhante, porque vai fazer associação. Aí, o que ele vai falar com relação a isso? Vai falar que o som que ele tá ouvindo não é igual ao que ele ouvia antes. Ele não tá ouvindo "pá". Da memória que ele tinha do som, não é mais o "pá", seria um som parecido, por isso que ele apontou o "ga", por exemplo. [...] Uma nova memória, que ele tem de fazer uma associação. [...] Mas o que vai acontecer? Não adianta ele trabalhar com a memória antiga, porque ele vai ter de ouvir a partir daquilo que ele tem. Então, a gente... Ele teria de fazer essa associação mesmo, pra poder... E, quando a gente pensa na criança, o que você vai imaginar? Quando a criança, ela é pré-lingual e nunca ouviu [...] quando você trabalha com essa criança, que você dá enfoque visual, que você dá enfoque contextual, que você dá enfoque, é... tátil, você imagina que tá criando essa memória dela que ela não tinha. Então, na verdade, a gente pode tá criando uma memória auditiva dela. Quer dizer, quando eu falar "pato", pode ser que uma mesma criança implantada não ouça o mesmo que outra criança implantada. Pode ser que o "pato" de uma criança implantada não seja o mesmo "pato" de um adulto e "pato" pra outra criança, mas que ela vai resgatar isso como "pato". Mas ela vai sempre associar aquele som que tá ouvindo como "p", como "t", como "d".

O mapeamento acaba por estabelecer a área dinâmica da audição. Contudo, as crianças e os bebês não têm como informar sobre "o que" e "como" estão ouvindo. Isso pode dificultar a eficácia do mapeamento e, portanto, do processamento da fala. Em alguns casos, esse fato é ligado ao fracasso do implante: o sujeito ouve, mas não compreende o que ouve; ouve apenas ruído; ou ouve a fala com reverberação. Mesmo na surdez pós-lingual, não se garante a efetividade do implante coclear. Notemos o que dizem dois sujeitos adultos que perderam a audição há pouco tempo e, posteriormente, colocaram um implante coclear:

Neusa: Isso aqui foi uma maravilha. Se eu pudesse, eu usava aqui [*aponta para o outro ouvido*], aqui [*aponta para a testa*]. Era a última coisa que eu queria na minha vida. [...] Agora, já estou aprendendo música. [...] Quando eu coloquei no programa um, eu tentei falar no telefone. [...] Eu ouvia, mas tinha dificuldade de entender. [...] No começo, as vozes são totalmente diferentes. A voz fica estranha. Depois começa a adaptação. O cérebro começa a trabalhar mesmo e eu comecei a perceber a diferença.

Jorge: Você fala, às vezes a sua voz não terminou aqui, você mudou já, você já falou outras coisas, é questão de milissegundos pra eu entender. E o problema é quando eu converso com a pessoa, às vezes eu entendo o que a pessoa tá falando e ele faz "uooooooooo" [*imita a voz de uma pessoa falando prolongando as vogais excessivamente*]. Às vezes eu ouço isso daí. Não é uma voz perfeita. [...] Eu acredito que vai melhorar. [...] A pessoa tá falando alto, você tá ouvindo que a pessoa tá falando alto. Se a pessoa falar baixo, você tá ouvindo que a pessoa tá falando baixo. No meu aparelho, eu não tenho isso. Você, você fala, e se você abaixar não dá pra eu perceber que você abaixou. Por exemplo, quando você está conversando comigo, quando chega no final você abaixa o som, né? Eu falo assim para você: "Eu falo assim para você" [*baixando a voz no final*]. Ficou mais baixo. Eu não percebo isso. Eu percebo o som tudo igual, entendeu? [...] Eu não ouço a música perfeita, a música cantada não dá para entender nada. [...] Quando a música começa a abaixar, não percebo, eu penso que ela continua do mesmo jeito. Então, é isso que dificulta ouvir um pouco, porque eu não sei se você abaixou ou se subiu. Eu ouço você falar alto, a sua voz para mim está fina, mas eu não sei se sua voz é fina porque eu não sei mais como é a voz da pessoa antigamente. [...] Eu tava conversando com a namorada dele [do filho], aí ela passou o telefone para ele e eu pensei que fosse ela mesmo que estava falando. Aí, ele: "Quem está falando agora é o João". "Mas a sua voz está igual à da Fernanda?", a namorada dele. Tem de ser mais grossa, mas não é.

Com base nesses relatos, vê-se que não se pode cobrar da criança que recebeu o implante coclear uma fala efetiva. Não se sabe o que ela realmente está ouvindo, discriminando, entendendo. Essa (nova) rede de associações que o surdo tem de fazer é que vai definir sua percepção e memória auditiva, e isso é variável de sujeito a sujeito.

Neusa ouve bem com seu implante coclear, percebe e discrimina sons, segundo ela, perfeitamente. Já Jorge comenta o "eco" que ouve e a falta de modulação da voz que se faz necessária para a compreensão da linguagem. Mesmo assim, ele comenta que está feliz com seu implante coclear. Antes, ele não ouvia nada e agora já fala ao telefone e ouve muitas coisas. Observam-se, aqui, os efeitos da plasticidade audiológica em adultos. O córtex auditivo adapta-se a novo sinal e o sujeito acaba por fazer novas associações, por isso utiliza outras áreas corticais para o processamento da (nova) informação auditiva (Rauschecker, 1999). Mas será que com as crianças ocorreria da mesma maneira?

Costa, Bevilacqua e Moret (1997) afirmam que crianças que utilizam vocalizações e são estimuladas a se comunicar oralmente com seus familiares obtêm ótimos progressos com o uso do implante. A maioria dos adultos implantados é usuária de telefone, o que proporciona aumento na qualidade de vida do sujeito. Bevilacqua (1998), ao discutir os resultados do implante coclear no desenvolvimento da linguagem oral em crianças com surdez profunda, afirma que, depois do implante, elas obtiveram reconhecimento auditivo por meio da fala, e todas as 38 crianças implantadas que estudou progrediram em relação à audição e à linguagem.

Os estudos sobre o implante coclear (Groenen *et al.*, 1996; Naito *et al.*, 1997; Miyamoto *et al.*, 1996; Eggermont *et al.*, 1997; Miyamoto, Svirsky e Robbins, 1997; Rose, Vernon e Pool, 1996; Giraud *et al.*, 2000; Szagun, 2007; Sharma e Dorman, 2011) dividem-se quanto às possibilidades auditivas de sucesso. De um lado, há autores que argumentam em favor da plasticidade audiológica. Nesse caso, após a ativação dos eletrodos do implante, haveria a ativação das sinapses, e a velocidade de maturação se tornaria a mesma da dos ouvintes. O atraso da maturação se deveria à privação da capacidade audiológica, mas, com a ativação do implante coclear e a exposição à fala, ocorreria a plasticidade audiológica, e a diferença entre crianças ouvintes e aquelas com implante coclear seria apenas em relação à idade cronológica (já que as ouvintes escutaram bem mais precocemente que as crianças com implante coclear). De outro lado, há autores que ressaltam o fracasso desse procedimento, que estaria relacionado:

- à idade crítica para aquisição da linguagem;
- às áreas corticais estimuladas pelo implante coclear. Nesse caso, acredita-se que o implante poderia estimular apenas a área auditiva primária, responsável pelos ruídos, enquanto a área de associação auditiva não seria estimulada;
- às diferenças no processamento auditivo entre sujeitos surdos e ouvintes. Nesses casos, após o implante coclear, haveria uma ativação de mecanismos cerebrais distintos. Isso está baseado em resultados sobre a compreensão da fala em adultos que realizaram implante pós-lingual. Em outras palavras, em condição anormal, pode haver uma reorganização em termos de especialização funcional do cérebro. Os sujeitos com implante utilizam mais áreas para compreender a fala que os ouvintes, o que poderia sugerir que o cérebro passa por uma reorganização em função das novas estratégias necessárias para processar a linguagem. Acrescente-se aqui que nem sempre a fala que se ouve com o implante coclear corresponde efetivamente à que se ouve com audição normal;

- às diferenças subjetivas na percepção da fala. Isso pode ser verificado não só em crianças que têm o mesmo grau e configuração de perda auditiva neurossensorial e podem apresentar habilidades substancialmente diferentes quanto à percepção da fala, mas também em estudos com adultos pós-linguais que realizaram implante coclear, nos quais se verificaram diferenças de *performances* entre os sujeitos. Os que têm melhor *performance* têm melhor organização cocleotopical no córtex auditivo.

Outros motivos do fracasso do implante coclear têm sido relacionados aos mecanismos biológicos inatos, à incapacidade cortical para a audição, às causas da surdez e às consequências diferentes de cada etiologia no cérebro (rubéola, meningite e outras). O citomegalovírus tem sido considerado uma etiologia da surdez relacionada ao fracasso do implante coclear (Nussbaum, 2003). Contudo, Vinícius, tido como um caso de sucesso, tem surdez por citomegalovírus. Logo, não se pode generalizar.

Um dos argumentos que atestam mais fortemente o fracasso do implante é de que o estímulo auditivo não chegaria à área de associação, o que impediria a discriminação e a memória auditiva. Segundo Luria (*apud* Kegan e Saling, 1997), para que se tenham imagens auditivas na zona terciária, é necessário um trabalho, na zona secundária, de associação, de memória e de discriminação dos estímulos auditivos. Se o estímulo não chega até essa área, é impossível que o pensamento se transforme em imagens auditivas. Nos surdos pós-linguais, o trabalho nas áreas primárias e de associação já não é necessário para que o pensamento produza imagens auditivas. Contudo, há casos em que a criança implantada tem discriminação auditiva suficiente para ter um pensamento por memória auditiva e, consequentemente, consegue adquirir a linguagem oral. Essa explicação, então, não se aplica a todos os casos.

Sobre as diferenças no processamento da audição entre sujeitos surdos e ouvintes, veremos mais adiante que há diferenças subjetivas também entre ouvintes no que se refere à aquisição de duas línguas. É provável que uma criança que realize a cirurgia de implante coclear mais tardiamente já tenha um trabalho cognitivo diferenciado do que aqueles que nasceram ouvindo. Isso poderia explicar as diversas formas de ativação de mecanismos cerebrais.

Isso ocorre porque a linguagem envolve não apenas ouvir, discriminar, memorizar, mas um trabalho (meta)linguístico do sujeito sobre a língua, os movimentos enunciativos aos quais o sujeito recorre, a subjetividade que põe em evidência as escolhas lexicais, a construção sociocognitiva do sentido. São esses movimentos que fazem o processamento da linguagem se realizar (Santana, 2005).

Para complementar essa discussão, vale a pena levar em conta as contribuições da neuropsicologia cognitiva a respeito do fenômeno de compreensão da linguagem. Essa área tem estudado as patologias de linguagem como uma possibilidade de entender o seu funcionamento normal e patológico. O estudo das dificuldades de compreensão nas afasias tem se mostrado relevante para que alguns pesquisadores possam aventar um modelo de processamento da linguagem.

Ellis (1992), por exemplo, propõe que o primeiro estágio de reconhecimento auditivo verbal seja feito pelos sistemas de análise auditiva, que tem por objetivo identificar os fonemas. Os resultados dessa análise são transmitidos ao léxico do *input* auditivo, que busca uma correlação entre o que é ouvido e o que está armazenado. Se a opção selecionada é adequada, será ativada a unidade de reconhecimento correspondente ao léxico do *input* auditivo. Esta, por sua vez, transformará a representação do significado da palavra ouvida em um sistema semântico. Trata-se de um processo bidirecional. Isso faz as pessoas poderem repetir uma palavra desconhecida sem necessariamente entendê-la.

Ellis discute um caso de surdez verbal pura em que o paciente era incapaz de compreender quando lhe falavam, apesar de reconhecer a voz de pessoas familiares e até reconhecer sotaques similares ao seu. A percepção dos sons não verbais estava intacta. Para sermos capazes de diferenciar consoantes da fala, devemos fazer discriminações muito finas e analisar com precisão os sinais acústicos que mudam rapidamente. A proposta de uma modalidade de percepção especial para a fala não tem sido aceita universalmente. Isso porque os sujeitos com surdez verbal beneficiam-se muito quando se diminui a velocidade da fala, o que pode fazer o intervalo da discriminação auditiva ser suficiente para ser identificado pelo hemisfério direito. Outro ponto é que há casos de pacientes com surdez verbal em processamento de sons não linguísticos. Em todos os casos de surdez verbal, as palavras isoladas são mais difíceis de ser identificadas do que aquelas em contexto, como ocorre com todos os sujeitos, afásicos ou não.

Nos casos de surdez verbo-semântica, o sujeito é capaz de repetir as palavras, mas não é capaz de atribuir-lhes significado, apenas quando as escreve. Uma explicação para essa surdez é uma desconexão do léxico do *input* auditivo com o sistema semântico. No entanto, não há alteração no sistema semântico, já que o sujeito é capaz de compreender as palavras lidas.

Em linguística, são numerosos os autores que se interessam pelo estudo do processamento da fala. Scliar-Cabral (1991) propõe e discute vários modelos em seu trabalho. A autora afirma que há uma série de variedades relacionadas ao sinal acústico que o ser humano é capaz de captar: sotaque, sexo, idade, estrato social. Além disso, há a variação dos segmentos, que têm a função de distinguir significados (os fonemas), condicionados pelo contexto fonético (o que vem antes ou depois), pela posição em que se encontram (sílaba de intensidade) e pelo ritmo. Para o sistema de recepção, a autora observa que se deve decidir quais palavras estão presentes na mensagem antes de computar a estrutura de significação dos enunciados. Para a análise dos sons da fala, a autora elaborou um modelo de processamento. Segundo ela, há uma série de atividades (meta)linguísticas necessárias para que a compreensão aconteça. Haveria um módulo contíguo responsável pelos detectores de traços fonéticos – o de análise e síntese de segmentos e da acomodação silábica, o das pausas, o dos morfemas puramente gramaticais, o da busca lexical e do emparelhamento semântico, o das estruturas sintáticas e textuais.

Partindo dos pressupostos acima, podemos levantar algumas considerações para discutir a aquisição da linguagem oral na surdez:

- o processamento dos sons verbais e não verbais envolve um trabalho linguístico-cognitivo diferente, mas inter-relacionado;
- para a compreensão da fala, é necessário um trabalho conjunto que envolve várias atividades: memória seletiva, memória semântica, análise de traços fonéticos e de segmentos verbais etc. No modelo luriano, essas atividades seriam realizadas pelas áreas de associação terciária, atividades que correspondem a um conjunto de procedimentos (meta)linguísticos e (meta)cognitivos;
- a identificação e a repetição dos sons da fala não implicam sua compreensão, embora signifiquem determinada atividade metalinguística requerida e integrada aos aspectos da linguagem.

Essas considerações explicariam o caso de crianças com implante coclear que repetem, mas não entendem; que são capazes de ouvir o som de um telefone celular tocando e incapazes de compreender a fala. Sabe-se que, em alguns casos, o implante coclear não permite uma percepção refinada. A criança que recebeu implante tenta adquirir a língua com os sons, muitas vezes distorcidos, que ouve. Essas distorções a impediriam de compreender a estruturação de uma língua na modalidade oral, de hipotetizar regras sobre a sua fonologia e gramática, mas não a impediriam de repetir palavras. Do mesmo modo, podemos repetir palavras em japonês quando não dominamos essa língua. Para ilustrar essa questão, vejamos os episódios a seguir:

Fábio tem 11 anos e 2 meses. Este episódio é parte de uma testagem de repetição para aferir sua discriminação auditiva, quatro anos e dez meses após o implante coclear. Ele está na sala com uma fonoaudióloga que lhe fala palavras com um papel cobrindo a boca. Fábio deverá repeti-las sem leitura labial:

Fonoaudióloga: Pilha.

Fábio: [ˊpi. lɐ]

Fonoaudióloga: Nenê.

Fábio: [ne.ˊne]

Fonoaudióloga: Muito bem... Outras palavras, tá?

Fábio: [*Mostra seu anel no lado esquerdo e seu relógio enquanto fala*] [ki. bʊˊni] [a.ˊnɛw] [xɛ. ˊc.ʒɪ]

Fonoaudióloga: Ah, que bonito. Ó, vamu escutá? [*faz gesto indicando o ouvido*] Telefone.

Fábio: [i.ʃi.ˊmcI] [*com desinteresse*]

Fonoaudióloga: TELEFONE.

Fábio: [e.e.ˊpo.nI]

Fonoaudióloga: Prova.

Fábio: [*Pega no anel da avaliadora que está na mão*] [ka.ˊ ʃa.dɐ]? [*Aponta para ela*] [ka.ˊ ʃa.dɐ]? [ka.ˊ ʃa.dɐ]? [*Pega no seu dedo esquerdo, onde se coloca a aliança*] [ma.ˊli.dʊ]?

Fonoaudióloga: Não. Vamu prestá atenção. Escuta [*apontando para o ouvido enquanto põe novamente o papel na frente do rosto*].

Fonoaudióloga: Prova.

Fábio: [ˊprɔ.ɐ]

Fonoaudióloga: Cinema.

Fábio: [tʃi.ˊtʃit.ʃɐ]

Fonoaudióloga: Trabalho.

Fábio: [ta.ˊpa.ʃʊ]

Fonoaudióloga: Amigos.

Fábio: [a´mi.gI]

Fonoaudióloga: Mamãe.

Fábio: [mɐ̃´mɐ̃]

Fonoaudióloga: Comida.

Fábio: [to´mi.tɐ]

Fonoaudióloga: Isso, muito bem!

Fábio parece ouvir e discriminar alguns sons da fala. Ele repete palavras que lhe são solicitadas. No entanto, isso não implica o uso delas no seu discurso espontâneo. As repetições são produzidas com trocas e distorções fonêmicas. Mas como ele ouve os sons? O implante coclear permite-lhe uma discriminação suficiente para que possa perceber sua fala e se autocorrigir? Em outras palavras, há possibilidade de *feedback* auditivo? Ele não conseguiria produzir o fonema /ʎ/, por exemplo, por não ouvi-lo ou por ter dificuldade articulatória (fato menos provável)? Ele perceberia que esse som faz parte da fonologia de sua língua?

Não podemos negar que Fábio ouve a fala e consegue repeti-la, mas nem sempre significa oralmente (como foi observado em outros momentos). O menino utiliza-se de gestos e de fala nas suas interações após o implante coclear. Quando quer contar algo, os gestos associam-se à fala cujos aspectos fonéticos-fonológicos não foram completamente adquiridos. Não há discriminação auditiva suficiente para que as autocorreções sejam realizadas.[2] Sem essa discriminação, não se pode atribuir sentido a essa língua, compreender e internalizar suas regras gramaticais.

As atividades metalinguísticas relacionadas à linguagem oral encontram impedimentos pela dificuldade de construir sentido apenas com base no aspecto auditivo. A organização sintática da língua é realizada, principalmente, pelas palavras de classes aber-

---

2. Ressalto que, para mais discussões, seria necessário um estudo fonético-fonológico da linguagem de Fábio.

tas. O processamento corticocognitivo de uma língua concebida dessa forma é diferente do de uma língua em que se tem acesso completo à gramática. É provável que Fábio não consiga compreender as regras gramaticais devido às dificuldades que continua tendo para significar os sons da fala: modulações da voz, ritmo da fala e discriminação de fonemas minimamente semelhantes. Para realizar esse trabalho, é necessário que a língua seja "tocada de ouvido", na expressão de Albano (1990).

Contudo, muitos pais e mesmo fonoaudiólogas que trabalham na área de audiologia não têm levado em conta essas questões e acabam por reforçar o mito de que o implante coclear é algo miraculoso:

> **Fonoaudióloga de Taís:** Eu tenho a sensação de que, assim, não esqueço esta frase: "Eu tenho a sensação de que 'aprisionei' a minha filha a uma surdez eterna". Olha a frase, olha o peso.

Esse é o relato da fonoaudióloga com relação ao comentário feito pela mãe de Taís após ouvir uma criança com implante coclear falando na sala de espera do consultório. A mãe, que inicialmente havia rejeitado a ideia do implante, acabou sentindo-se culpada por não ter procurado a cirurgia antes. Depois da cirurgia, ela tomou uma série de medidas para "garantir" a fala da criança: mudou a menina da escola especial para a regular, impediu o uso de sinais e gestos pelos professores e familiares e aumentou a cobrança para que a filha falasse e diminuísse a língua de sinais, pois acredita que esta prejudica a aquisição da linguagem oral.

O "medo" de que o surdo não venha a falar, ou de que ele substitua a fala pelo gesto, faz os pais agirem artificialmente com os filhos. Nossa fala é também composta de gestos manuais e faciais, mas mesmo um gesto comum aos ouvintes "não deve" ser realizado na interação com o surdo, já que eles poderiam achar mais "fácil" gesticular do que falar.

Sabemos, conforme discutido no capítulo anterior, que há um *continuum* entre gesto e língua, principalmente entre o gesto e a língua de sinais, mas esse impediria a aquisição da fala? As últimas pesquisas apontam que, diferentemente do que se pensa, os surdos que dominam a língua de sinais conseguem alcançar níveis funcionais e formais mais adequados da linguagem oral que aqueles que não a adquiriram (Behares, 1993; Nussbaum, 2003). Nas afasias, os gestos também podem funcionar como mediadores para a linguagem oral (Fedosse e Santana, 2002). Logo, os gestos não impedem a oralidade. Mas essa não é uma opinião adotada por muitos pais e profissionais.

De todo modo, a opção pelo implante coclear tem aumentado muito atualmente. Ela é endossada não apenas pelos profissionais, mas também pelos próprios surdos:

> **Dalva:** Eu acho o implante ótimo, porque futuramente não haverá mais surdo. Antigamente, rubéola nasce surdo. Agora descobriram uma vacina. Precisa dar um apoio para continuar os estudos. [...] Sempre sou a favor da medicina para corrigir problemas e melhorar a integração de pessoas deficientes no meio social. Nunca é como ter um ouvido "original", mas diminui o sofrimento, ajuda a reingressar na sociedade, viver mais bem-humorado e ainda poder obter emprego e elevar seu nível cultural, frequentando novas escolas de qualquer grau.

No entanto, há divergências quanto a isso:

> **Paula:** Você pode falar pra todos os médicos burros. Nenhum implante ajuda o surdo, [...] surdo não quer aprender a falar.

Os comentários dos pais sobre os ganhos auditivos com o implante coclear também não deixam de apontar a necessidade de aprofundamento das questões técnicas, éticas e práticas que envolvem o procedimento, tido a um só tempo como solução para a deficiência e violação do direito à diferença:

Pai de Vinícius: Eu comparo assim, o aparelho com um fusquinha e o implante com uma BMW. Você mudar do fusquinha para uma BMW foi um avanço tecnológico enorme e o ganho que ele teve também.

Pesquisadora: E, quando colocou o implante, qual que era a diferença?

Mãe de Fernando: Nossa! Imediata do implante. Imediata. No começo, falava: "Joana, vai ser mais ou menos assim como você... Lembra da adaptação que ele colocou aparelho, tudo? Você vai achar que ele não tá ouvindo, mas ele vai tá pegando tudo". Aí, passou, acho que um mês, acho que não foi um mês, foi umas três semanas. Aí, comecei a falar: "Fernando! Fernando!" Ele já olhava. Eu achava o máximo. Ele aqui na sala e eu chamando ele no quarto, na cozinha, e ele lá, indo. Porque com o outro, nunca que ele ia fazer isso, né?

Mãe de Taís: O implante foi feito para isso. É pra ouvir cachorro latindo. Não sei que é, mas é para desenvolver a fala, essencialmente. Hoje toca o telefone e ela avisa, no restaurante.

Pesquisadora: Assim que ela ouviu, o que aconteceu?

Mãe de Taís: A primeira reação, ela sorriu, depois ela caiu no choro profundo e mandou tirar. Ela ficou desesperada, apavorada. [...] E falava para a médica tirar, parar, "dodói, dodói"... [...] A fonoaudióloga falou: "Não tá doendo, mãe, não dói, é que ela ficou apavorada. Ela escutou. É um momento novo, então ela tá apavorada e aí ela chorou". [...] Quando alguém fala muito alto, a Taís fala "dói" e puxa a antena. [...] Na verdade, é a mesma coisa que a pessoa chegar perto de você e gritar. É um desconforto para o seu ouvido, é uma sensação que você tem. [...] Só que ela não sabe falar, né? "Ó, manera." Não é uma dor, é um desconforto. Ela fala que dói. Hoje mesmo ela pediu pra usar no P1 porque "dodói". [...] Eu vou num restaurante, tem muita gente, ela: "Dói, blá-blá-blá". Muita gente falando. A professora dela, de ouvinte, fala alto. Então, quando a pessoa fala muito alto, ela fala: "Dodói". [...] Aí, a pessoa baixa a voz e ela conecta a antena novamente. Mas a primeira reação é puxar a antena e ficar segurando. Ela não desliga o aparelho, ela puxa a antena.

A maioria dos pais que optam pelo implante coclear deposita na cirurgia a última esperança de fazer o filho ouvir, esperança tida também em relação à prótese auditiva. Como o implante estimula diretamente as células responsáveis pela audição, as possibilidades de ouvir aumentam para aqueles que têm surdez profunda, mas nem sempre os surdos submetidos ao implante são capazes de interpretar os sons da fala. O problema é que os pais estabelecem uma relação direta entre "ouvir a falar" e "compreendê-la", em consonância com a expectativa de alguns profissionais da área.

Mãe de Fernando: Quando tem muita gente, assim, ele me cutuca e aponta. Eu falei: "Fernando, eu não tô ouvindo, o que você quer? Água? O que você quer? Coca?" Aí, ele vai falando porque você tem de puxar.

Pesquisadora: E você usa gesto também, ou não?

Mãe: Não. Assim, uma referência. Alguma coisa que ele não entendeu, porque muitas coisas... Agora, como ele não tá usando sinais, muitas coisas eu não sei o que ele quer. Porque ele balbucia, balbucia, não forma frases ainda e não sabe o brinquedo. Então, eu falo: "Fernando, eu não sei o que é". Ele tenta falar. Aí, a gente vai lá pegar. Eu fico falando, falando, e assim vai. É mais lento, assim, do que os sinais...

Pesquisadora: Pra compreender, né?

Mãe: É. A compreensão é mais lenta. Que nem conceito de maior, menor. Porque se eu falasse pro Fernando: "Fernando, pega a bola maior" [*gesto de grande*], ele ia saber, pega a bola maior. "Pega a bola menor" [*gesto de pequeno*], ele ia saber. Com certeza. Só que eu não tô fazendo mais isso, né?

Pesquisadora: Para ele compreender só pelo som?

Mãe: Só pelo som.

Pesquisadora: Você acha que se você usar o gesto com a fala vai prejudicar a...?

Mãe: A fala. Eu acho.

Pesquisadora: Ele vai se apoiar...

Mãe: No gesto, que é mais fácil pra ele. Porque agora, com o implante, não é necessário usar sinais do jeito que ele usava, né? O implante dá esse ganho, né? E é dele também, porque ele vai ter de se esforçar um pouco, né? Porque não adianta, né? Mas eu acho que ele deu uma boa, agora...

Pesquisadora: E quando ele quer contar alguma coisa dele?

Mãe: Não, não conta. Ele só solta assim, palavras. Outro dia, que ele soltou. [...] Quando ele quer começar a contar, ele fica... Aí, ele... Como que fala? Aquele jargão que eles falam... Aí, ele embanana tudo. Eu falo: "Fernando, devagar". Ele não fala assim: "Ah, mamãe, eu quero ir lá pra baixo". Ele não fala: "Mamãe, eu quero". Não. "Dá Coca. Dá guaraná." Agora que ele tá soltando duas palavrinhas.

Pesquisadora: E ele? Como é que ele se sente, assim, em relação a quando ele não consegue se comunicar?

Mãe: Então, é difícil quando não consegue saber o que é. Às vezes, a gente não consegue. Às vezes, ele acaba esquecendo.

Pesquisadora: E quando ele não consegue entender o que vocês estão falando?

Mãe: É difícil ele não entender o que a gente tá falando. Eu acho **muito** difícil, porque tudo que a gente fala, assim, ele entende. [...] Eu sei, por alguma coisa que eu peço pra ele, ele faz. Sei que ele entendeu, né? Mas... "Eu não quero que você faça certa coisa. Você entendeu?" Ele fala que entendeu. Balança a cabeça, é porque entendeu, né?

A ideia de que percepção, discriminação e significação dos sons são processos equivalentes faz os pais pensarem que, se a criança ouve ao ser chamada, entende perfeitamente o que lhe é dito. Some-se a isso a noção de que a linguagem é uma questão de codificação e decodificação. Ou seja, ao interlocutor cabe apenas a tarefa de decodificar a fala. Mas não se pode considerar os interlocutores simplesmente como falantes, tomando a mensagem como informação entre o emissor A e o receptor B. Consequentemente, essa concepção faz a mãe acreditar que é sempre compreendida pelo filho. O que se esquece aqui é que mesmo os bons falantes não são compreendidos ou não compreendem o tempo todo. Isso porque a linguagem é um fenômeno interpretativo por excelência, e, então, cabe aos sujeitos realizarem as próprias interpretações, nem sempre convergentes, do que é dito, ajustando comunicação e significação na ação interativa.

Fernando, nas suas interações em sala de aula, em geral, não entende o que lhe é falado. Seus interlocutores falam com ele como se ele ouvisse perfeitamente. Mas assentir com a cabeça ou repetir palavras não garante a compreensão. A pergunta, pois, deveria ser: o que ele ouve? O que ele entende daquilo que ouve? No entanto, há a crença, após o implante coclear, de que "ele ouve, mas ainda não está falando". Acrescida a isso, surge a cobrança do bem falar. Fernando – uma criança de 5 anos e 3 meses, que usa implante há um ano e cinco meses – é um caso, entre muitos outros, em que os pais exigem uma fala perfeita:

Pai de Fernando: Aqui, ó, ó. **Vermelho** [*aponta para uma parte da capa do livro que está em vermelho*].

Fernando: Teteo.

Pai: Não, ó, filho. Filho...

Fernando: Aaah! [*Aponta para uma parte da capa do livro que está em amarelo*] amacateteleo.

Pai: Não. Não. [*Faz gesto de "não" com o dedo*] Olha aqui. **Amarelo**.

Fernando: Aparelo.

Pai: Não, olha aqui. **Amarelo**.

Fernando: Abarelo.

Pai: [*Aponta para outra parte do livro em vermelho enquanto fala olhando para a criança e ela olha para ele*] **Vermelho**.

Fernando: Teteo [*olhando para o pai*].

Pai: Não, não, não [*com impaciência*]. **Vermelho**. [*Olha para Fernando, que olha para ele*]

Fernando: Peteo [*olha para o pai*].

Pai: Vermelho [*Olha para a criança, que olha para ele*].

Fernando: Peteo [*olha para o pai. Este passa a página e desiste de tentar fazer Fernando pronunciar "vermelho" corretamente*].

Apesar de conseguir ouvir a voz do pai, olhando quando é chamado e repetindo o que o interlocutor lhe diz com a mesma entonação e enunciados semelhantes foneticamente (amarelo/abarelo; vermelho/peteo), a criança parece não fazer uma ligação entre significante e significado da maioria das palavras que ouve. Embora

Fernando tenha somente um ano e meio de "audição", as dificuldades com o uso dos signos da linguagem oral são constantes. A significação linguística parece não ter sido estabelecida pela criança, salvo algumas exceções (amacateteleo, por exemplo). Ele ainda está no início desse processo e, não raras vezes, parece ficar à deriva. Se a criança entra na linguagem pela fonologia e pela pragmática, o "toque de ouvido" (Albano, 1990) ainda não foi suficiente para que haja essa abstração, para a formação de uma fonologia acústico-articulatória elementar. Não podemos ter certeza do tipo de som que Fernando ouve e como ele ouve. Se os sons ouvidos são distorcidos, isso dificulta sua "entrada" na língua. Podemos observar, no entanto, como ele procura sanar essas dificuldades por meio dos gestos. A repetição oral, diferentemente do que o pai pensa, não permite a aquisição da linguagem. Não há, entre ambos, possibilidades de coconstrução de significação (oral ou gestual).

Vejamos, abaixo, Fernando com a fonoaudióloga. Ela age com a criança de maneira semelhante à dos pais:

A fonoaudióloga aponta para a figura de um cavalo:

Fernando: Upa, upa.

Fonoaudióloga: Qual é o nome?

Fernando: Atalo [*fala juntamente com a pergunta da fonoaudióloga*].

Fonoaudióloga: Fernando, vamos caprichar? Cavalo.

Fernando: Atalo.

Fonoaudióloga: Cavalo.

Fernando: Tatalo.

Fonoaudióloga: Ca.

Fernando: Tatalo.

Fonoaudióloga: Ca.

Fernando: A.

Fonoaudióloga: Ca.

Fernando: Pa.

Fonoaudióloga: Cavalo.

Fernando: Tatalo.

Nesses episódios vê-se, mais uma vez, a cobrança do bem falar. A criança surda não só deve falar, mas também deve falar bem. O uso do implante faz crer que a criança se torna, automaticamente, um ouvinte, e cobra-se dela a fala de um ouvinte. Sua fala, para o interlocutor, é sempre desviante, e ele acaba por considerar essa criança um mal falante. Assim, a criança tende a se afastar de situações em que necessite falar. Talvez por isso Fernando dificilmente use a oralidade para se comunicar.

Os acertos aproximados da criança não são considerados. Quando a pronúncia não é correta, não é aceita nem pelo pai nem pela fonoaudióloga. Contudo, a fala de Fernando evidencia as relações fonológicas de associação que realiza: substituição do fonema labiodental sonoro /v/ pelo linguodental surdo /t/, simplificação de líquidas (vermelho/peteo), anteriorização das consoantes posteriores /ka/ por /ta/. As vogais foram pronunciadas corretamente, assim como a entonação e a segmentação dada pelo pai. A simplificação fonológica faz parte do processo de aquisição de linguagem normal. No entanto, a criança surda não tem o direito de passar por isso. Ela deve falar, e falar perfeitamente.

Esse tipo de trabalho técnico de treino da fala afasta-se de uma concepção que considere o sujeito na/da linguagem. Humphries (2014) discute em seu trabalho que a "re"abilitação não pode significar apenas treino, quando se discute a terapia de fala para crianças com implante coclear. Para a autora, treino e reabilitação são conceitos de remediação e não de desenvolvimento. Compreender esses conceitos é fundamental para que se possa discutir as diferentes necessidades da criança implantada e as questões que envolvem os fatores ambientais que contribuam para o desenvolvimento da linguagem e do letramento. Esse trabalho envolve, envidentemente, pais, cuidadores e demais profissionais que trabalhem com a criança.

Essa questão é importante porque é necessário que se pense na apropriação da linguagem pela criança, e não somente no treino das habilidades auditivas. Para que se possa trabalhar, de fato, com a linguagem, é importante considerar não apenas a fala do surdo, mas o seu discurso no momento de interação com o outro, seja ele surdo ou ouvinte. A unidade de análise não pode ser a fala isolada da criança, mas sim o diálogo, que passa a ser a unidade mínima necessária para que se possa analisar a produção linguística da criança.

Segundo De Lemos (1989), é no diálogo que a criança passa a ser autora do próprio discurso. Ora, que possibilidades dialógicas e interativas surgem entre mãe ouvinte e criança surda? As crianças ouvintes participam de muito mais rotinas significativas orais que as surdas. As mães destas, na maioria, não lhes contam histórias, não comentam sobre uma festa, não lhes falam sobre seus planos. Enfim, o diálogo resume-se à descrição da situação presente: comer, tomar banho, arrumar-se. Se os surdos falam pouco, se têm pouca intenção comunicativa, é porque o diálogo entre eles e os pais é ainda mais difícil que o diálogo entre dois sujeitos de duas línguas diferentes.

Para que a criança tenha intenção comunicativa, é importante que o interlocutor também queira se comunicar com ela e interpretar o que foi significado por gestos ou por fala. Além disso, conclui-se que a fala do surdo prescinde de atividades significativas; aprender a falar não é simplesmente imitar o outro. A questão é que, na surdez, falar tem sido visto como a aquisição de um conjunto de regras gramaticais. Não é à toa que existem métodos como o de Perdoncini (Couto, 1991), que tem como base a gramática transformacional chomskiana e cujo ensino da língua portuguesa é feito por meio do "organograma da linguagem". O principal objetivo é facilitar o aprendizado da estrutura frasal. Organograma é um conjunto simbólico composto de figuras geométricas que representam a estrutura frasal: o círculo representa o núcleo do sujeito ou sintagma nominal; o quadrado simboliza o núcleo do predicado ou o verbo; e o triângulo pode representar o complemento verbal ou nominal, respectivamente, o sintagma nominal ou o sintagma adjetivo. Acredita-se que a estrutura simbólica permite maior segurança na organização das frases. Vejamos, na Figura 1, o exemplo de um organograma:

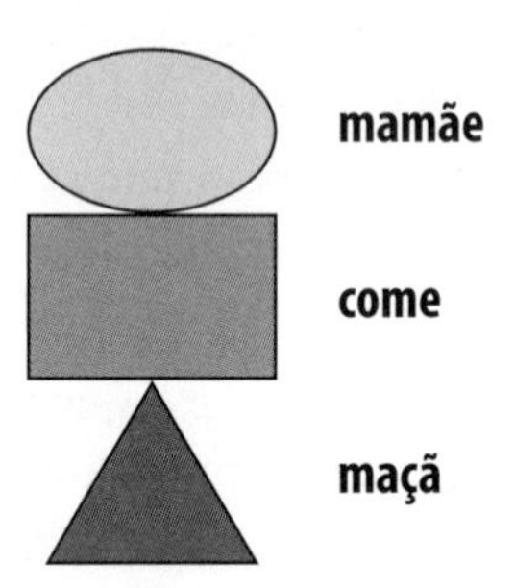

Figura 1 – Organograma

Nesse organograma, o sujeito da oração corresponde ao círculo; o quadrado, ao verbo; e o triângulo, ao complemento. Há, ainda, figuras que correspondem aos advérbios, às negações, ao plural das frases, aos pronomes etc. Ou seja, a linguagem é tida como uma combinação de regras "imutáveis" da língua. Falar corresponde a usar essas regras em combinações infinitas. A complexidade das frases e do organograma acaba sendo, em etapas posteriores, um fator complicador para a aquisição.

Adquirir linguagem significa muito mais que aprender um conjunto de regras. Franchi (1992) ressalta que, quando se aprende a falar, não se adquire apenas um conjunto de "funções", com suas características e modos de expressão. Tampouco se aprende em consequência de exercitar diferentes atos efetivos de linguagem ou de assimilar convenções e o domínio de um formulário de policiamento da prática "comunicativa". Aprender a falar é também dominar e desenvolver sistemas de regras formais recursivas que permitem construir, com base em elementos iniciais mais simples, as estruturas abstratas que compõem infinitas orações, servindo às mais diversas necessidades de manifestações das experiências humanas. O autor ainda complementa que a função comunicativa da linguagem depende do sucesso com que se exerce a sua função construtivo-representativa, imaginativa. A linguagem é uma atividade constitutiva (do conhecimento), um processo contínuo de elaboração e reelaboração de categorias, de valores, de pensamento.

Segundo Albano (1990), o que permite à criança adquirir uma língua é também a construção de hipóteses sobre as regras dessa língua; aprender a falar é descobrir como gramaticalizar recursos já explorados ludicamente nos subsistemas da sensoriomotricidade que melhor se prestam à reinvenção de processos de autorreferência. Para a autora, "construir gramática é tornar a fala suficientemente autor-referenciada para poder compor-se segundo critérios internos e, assim, liberar-se das amarras da situação" (*ibidem*, p. 23-24).

É muito comum acreditar que saber gramática é decorar um conjunto de regras. No entanto, é bem mais que isso; é dizer e entender frases, é compreender os elementos implícitos da língua, é construir neologismos (como "deletar") com regras possíveis de ser generalizadas. Dominar a gramática de uma língua não é saber um rol de frases prontas. É conhecer as várias maneiras de dizer a mesma coisa (Possenti, 2000).

Ao levar esses aspectos em consideração, questiona-se se o processo de aquisição da linguagem oral proposto ao surdo pode oferecer a ele as possibilidades de hipotetizar as regras da língua. A leitura labial permite-lhe formar infinitas orações, dizer a mesma coisa de várias maneiras, perceber auditivamente os fonemas que fazem parte de sua língua, autocorrigir-se, criar hipóteses sobre a língua, reconhecer preconstruídos discursivos, fazer inferências? O surdo "falante" conseguiria realizar as atividades linguísticas, metalinguísticas e epilinguísticas próprias a essa atividade?

Há grandes possibilidades de a resposta ser negativa. Na maioria dos casos, também é possível que o surdo não adquira plenamente a linguagem oral e permaneça com o *status* de mal-falante. Vejamos o relato de uma fonoaudióloga oralista que trabalha com surdos que fizeram implante:

Fonoaudióloga: O maior problema que eu acho para uma criança deficiente auditiva é a questão da abstração. Isso eu acho realmente que é um problema grande do oralismo. Quando a gente trabalha o oralismo, ela tem uma dificuldade grande de abstrair. Eu tenho adolescentes lá que já são oralizados, que já estavam falando, falando frases, frases inteiras. Conversa, normalmente, ela tem elaboração completa, mas quando, vamos supor, ela tem algumas dificuldades em tempo verbal, ela tem dificuldade em colocação de pronomes, de advérbios, então, vamos supor, ela fala assim: "Eu amor muito você". Aí, a gente vai começar a trabalhar essa parte de elaboração gráfica, oral... Mas eu acho que a maior dificuldade deles mesmo é a dificuldade de abstração. Uma piada, né? Não entende piada de jeito nenhum.

Esse relato demonstra bem as dificuldades do surdo com o uso da linguagem oral. Falar não é apenas codificar e decodificar, nem somente aprender um conjunto de vocábulos e organizá-los na ordem certa. As inferências, pressuposições, generalizações de regras não podem ser vistas como um processo de abstração apartado da linguagem. Essa visão fragmentada das atividades linguísticas (percepção, palavras isoladas, discurso, compreensão de piadas) faz os profissionais trabalharem com uma linguagem "artificial", simplificada, que dificulta ainda mais a imersão do sujeito na linguagem oral, já comprometida pela ausência da audição. Não se podem realizar atividades, com/na linguagem, fragmentadas e destituídas de sentido. Se o acesso à língua é "parcial", também são parciais o entendimento e a participação desse surdo no seu funcionamento.

Por não ouvir os fonemas, as crianças surdas adquirem a fala pela leitura labial. Esse pode ser considerado um trabalho simbólico e interpretativo do sujeito. Para que se possa atribuir sentido ao gesto articulatório, é necessária uma percepção visual diferente da dos gestos manuais. A dificuldade na produção da fala reside principalmente no fato de que, na produção dos gestos articulatórios, são impossíveis as autocorreções. Não há *feedback* visual ou auditivo, apenas cinestésico. Com isso, ele é sempre dado pelo interlocutor quando este não compreende o que o surdo tentou falar. As autocorreções têm, assim, origem no discurso do outro.

Vygotsky (1995) já assinalava que a linguagem deve anteceder os sons e, na surdez, a leitura orofacial é o começo do pensamento mediante a palavra oral. Durante a leitura do movimento dos lábios, ao notar a posição da boca e os movimentos dos órgãos articuladores, a criança vincula o gesto ao conceito. À medida que ocorre o movimento dos lábios, a criança surda consolida tanto os conceitos quanto a pronunciação interior, não estando em condições de pronunciar corretamente a fala na forma mental. Para o autor, a leitura orofacial e a escrita fazem parte de um trabalho conjunto, mas a mais importante é a primeira. Seu estatuto simbólico se dá pelas sensações visuais das palavras nos lábios do falante. É assim que a leitura orofacial e a linguagem se fundem.

A linguagem oral na surdez deixa de ser uma língua de modalidade audioverbal e passa a ser uma língua de modalidade visuoverbal. A imagem mental da palavra, na surdez, é feita visualmente e não auditivamente, demonstrando que a associação do significante com o significado é feita não na forma som/sentido, e sim gesto articulatório/sentido. No entanto, as semelhanças articulatórias de fonemas como /m/, /b/, /p/ e a dificuldade de visualização de outros, /k/, /g/, acabam por transformar a fala em um "mistério" a ser decifrado. Há muitas palavras que têm um gesto articulatório semelhante (por exemplo: pato, bato, mato). Apesar de o contexto ajudar na atribuição do sentido, essa língua de modalidade gestual-oral, digamos assim, tem uma imensa rede de possibilidades lexicais. A rapidez com que os textos orais são produzidos dificulta a significação. Ressalte-se ainda que, no discurso oral, a segmentação da palavra não é realizada da mesma forma que quando pronunciamos palavras isoladas. Por exemplo, um enunciado como "vamos lá" é falado /vamu'la/. Há, assim, uma modificação da segmentação do enunciado, o que faz o surdo se ver numa rede de gestos articulatórios semelhantes e de difícil significação.

Tendo em vista a variação linguística, a leitura labial não pode ser considerada "uniforme". Ela é sempre realizada por meio da percepção visual do gesto articulatório do interlocutor, e esse interlocutor não é "homogêneo" nem fala uma língua "homogênea". Há variações linguísticas entre gaúchos, baianos, paulistas, que não são apenas semânticas, mas também fonológicas e, algumas vezes, sintáticas. As diferentes formas de falar (pontos de articulação, prosódia) incidem em diferenças "visuais" para a leitura labial. Falar, por exemplo, "Jesus", para os paulistas seria /je'zus/; já para os cearenses, seria /jE'zuys/. Esse é mais um ponto que dificulta a leitura labial dos surdos. Além disso, há interlocutores que falam rápido demais ou têm articulação "travada". Há ainda aqueles sujeitos que têm um grande bigode cobrindo os lábios, o que dificulta a visualização, como se queixou uma surda que participou desta pesquisa, referindo-se à dificuldade de fazer leitura labial com seu marido. Ao surdo cabe se dar conta dessa variedade de falantes, já que esse é o único "caminho" possível para a fala.

A maioria dos ouvintes desconsidera o nível de percepção visual que é necessário para a realização da leitura labial. Para isso, basta baixarmos o volume da TV e tentarmos entender, por exemplo, o que um jornalista está falando apenas pela observação dos movimentos de sua boca. Com certeza, teremos muita dificuldade de atribuir sentido aos gestos articulatórios. Ressalte-se que essa é uma tarefa difícil para nós, que somos "competentes" na linguagem oral. Imagine-se, aqui, a dificuldade para o surdo.

As hipóteses que o surdo monta sobre a linguagem oral – que ele não ouve ou não ouve tão bem –, suas reflexões, seu trabalho com a linguagem e sua atuação como sujeito da linguagem devem ser sempre considerados, assim como as estratégias e as "alternativas" às quais ele recorre para aprender uma língua de modalidade oral, o que é feito, na maioria das vezes, "visualmente" e não auditivamente.

Vejamos, abaixo, um episódio de Fábio, com 8 anos e 10 meses, tendo realizado o implante há dois anos e quatro meses:

Há vários carrinhos no chão. A mãe pega um deles e mostra à criança.

Mãe: Fábio, cadê a roda? A roda do carro?

Fábio: Femela.

Mãe: Não. Eu não perguntei a cor. A roda.

Fábio: Aqui, ó [*aponta para o carro*], femelo.

Mãe: Não. Não. Eu não perguntei a cor, não.

Fábio: Aah.

Mãe: Perguntei a roda [*pega o rosto da criança e o vira diretamente para ela*]. **Roda**.

Fábio: Óta.

Mãe: Cadê a roda?

Fábio: Óta, óta.

Mãe: A roda [*pega na roda*]. E a direção?

Fábio: [*Aponta para o carro e diz*] Moti [*faz gesto de agarrar algo em frente ao rosto*], moti.

Mãe: Morde? O quê?

Fábio: Lempa? [*gesto de quem está escrevendo com uma mão na outra mão*] Cachorro coeu [*gesto com as mãos de ir embora*], modi [*faz gesto de agarrar algo em frente ao rosto*], picá [*gesto de pegar próximo à cabeça, na parte superior, e descer pelo lado direito com mão em garra, e faz o mesmo com a mão esquerda do lado esquerdo enquanto diz*], muié [*e aponta novamente para o carro*].

Mãe: Foi?

Fábio: Táuata [*aponta para o carro*].

Mãe: Ah! Dos "101 Dálmatas", não foi? Ela tem um carro desse [*e continua com as perguntas*]. Fábio, cadê a direção?

Em alguns momentos, Fábio procura, em vão, as respostas que seriam "corretas", como o nome das cores, mesmo quando a pergunta não é essa. Reconhece, naquele contexto, enunciados possíveis de ser produzidos. Para que isso ocorra, essa criança já deve ter passado por várias experiências em que lhe foi "cobrado" o conhecimento das cores. A criança continua "acertando" na repetição, mas sua narrativa é oral/gestual. Quando ele quer contar algo, sobre o carro que viu no filme, por exemplo, ele o faz principalmente por gestos, e a oralidade os acompanha. As palavras conhecidas na linguagem oral são usadas para compor seu relato com os gestos (lembra, cachorro, correu, morde, pegar mulher, dálmatas). Os enunciados acima são todos de classe aberta. Substantivos e verbos justapostos para a organização da narrativa. Esse processo parece se repetir, mesmo em momentos posteriores.

O episódio a seguir é de Fábio aos 12 anos, com cinco anos e oito meses de implante coclear. Fiz-lhe algumas perguntas sobre a sua vida. Sua fala ainda não é "proficiente", mas ele já produz outras palavras, além dos substantivos e verbos, como interjeições, pronomes e advérbios. No episódio abaixo, comentei que também sou do Ceará, como ele:

Pesquisadora: Fábio, eu nasci lá, no Ceará. [...] Pergunta o nome da cidade.

Fábio: Campinas?

Pesquisadora: Fortaleza.

Fábio: Fortaleza. Ah, foi? [*Admirando-se*] Fortaleza? Ati não?

Pesquisadora: Não.

Em um momento posterior:

Pesquisadora: [*A pesquisadora entrega um papel e pede que Fábio desenhe sua casa*] Eu desenho a minha. A minha casa em Campinas. Ó, a minha casa, ó [*começa a desenhar um apartamento*].

Fábio: Canti?

Pesquisadora: No apartamento, que eu moro.

Fábio: Tua casa canti, tua casa canti?

Pesquisadora: Se é grande? Não. Pequena.

Fábio: Vala![3] [*Admirando-se. Em um momento anterior, ele havia comentado que sua casa era grande e descrito todos os seus compartimentos, inclusive a piscina*]

Pesquisadora: Bem pequenininha.

Fábio: Fortaleza, é?

Pesquisadora: [*risos*] Não. Não é em Fortaleza. É em Campinas. Eu moro em apartamento [*termina de desenhar o apartamento*].

Fábio: Pixina?

Pesquisadora: Ãh?

Fábio: Pixina?

Pesquisadora: Não. Não tem.

Aos 6 anos, Fábio usava essencialmente gestos. Seis anos depois, usa gestos icônicos e indicativos e fala. Em muitas ocasiões, ele não compreende o que está sendo dito. No entanto, há momentos em que a construção do sentido se dá apenas pela oralidade, como foi visto acima – embora, em muitos outros momentos da entrevista, ele usasse gestos e fala. Após quase seis anos de implante coclear, poderíamos dizer que Fábio procura, ainda que nem sempre consiga, representar e dar representabilidade ao mundo por meio da linguagem oral. Esta, pelas dificuldades auditivas, é adquirida pela leitura labial, pela memória visual do gesto articulatório. As interjeições e o sentido discursivo são exemplos disso (Ah, foi? Vala!). Fábio ainda usa muitos gestos, mas é na coocorrência de sistemas semióticos que sua linguagem está fundamentada: da fala, que ainda não foi internalizada em sua plenitude, e de gestos, que não possuem as funções da linguagem oral em sua forma plena.

O implante coclear não conseguiu oferecer a efetividade pretendida para essa criança. Embora ele, em um primeiro momento, pareça ser uma "loteria", com casos de sucesso e de fracasso, quando se estuda profundamente as condições interativas, linguísticas,

3. Essa é uma expressão de admiração comum no Ceará e corresponde a uma forma reduzida da expressão "Valha-me, Deus!".

cognitivas, compreende-se que falar implica bem mais que apenas condição auditiva. Fábio é considerado um caso de "fracasso": ouve, mas nem sempre entende; fala, mas não fala bem.

Os episódios de Vinícius, que fez o implante com 4 anos e 9 meses, podem ilustrar também essa discussão. Os dados a seguir são de períodos diferentes. No entanto, a atividade realizada é sempre a mesma: a mãe e a criança estão vendo um livro de histórias. Vejamos as mudanças ocorridas durante os períodos que se seguem:

Aos 4 anos e 11 meses, dois meses após a ativação dos eletrodos do implante coclear:

Mãe: Onde tá o menino? O que o menino pegou? O que o menino pegou embaixo da cama? [*Aponta para o livro*]

Vinícius: Apato [*responde sem ter feito leitura labial. Vira a página do livro*].

Mãe: O tênis. É o tênis, Vinícius [*volta à página anterior*]. Esse aqui não é o sapato, [*com a mão na boca para a criança não fazer leitura labial. Nesse momento, a criança olha para a mãe e para a mão em sua boca, procurando ver (ou entender?) o que ela está escondendo atrás da mão*] é o tênis.

Vinícius: Eni.

Mãe: É o tênis.

Aos 5 anos e 4 meses, sete meses após a ativação dos eletrodos do implante coclear:

Vinícius: Tilafa [*aponta para o desenho*].

Mãe: O que o homem tá fazendo?

Vinícius: [*Gesto de comer enquanto fala*] ome [*olhando para o livro*].

Mãe: Ele vai dar comida pra girafa? [*Enquanto a mãe fala, Vinícius continua olhando o livro*]

Vinícius: Ele fai ta omita pa tilafa.

Acima, vê-se que o implante permitiu à criança a discriminação auditiva, que a faz não necessitar mais de leitura labial. É capaz de ouvir, já que é especular à mãe. Vale ressaltar que essa mãe sempre interpreta os gestos da criança e, quando a criança não tinha implante coclear, usava gestos para se comunicar com o filho. Assim, o sentido construído gestualmente, aos poucos, foi construído oralmente.

A fala de Vinícius, nesse momento, ainda se mistura com os gestos. É como a criança em fase de aquisição: primeiro o gesto, depois a fala e o gesto, e finalmente só a fala. Vinícius já faz uso de algumas palavras, mas apenas quando é especular à mãe produz enunciados com estrutura sintática mais complexa.

Aos 7 anos e 1 mês, dois anos após o implante coclear:

Mãe: Ãh? Que é isso?

Vinícius: Aí, aí, a cobra fica icondida pra assim, ó [*deita o corpo no chão e fica encolhido como se estivesse se escondendo*].

Mãe: Ela fica escondida assim? Pra quê?

Vinícius: Pra picá a pessoa.

Mãe: Ela fica escondida...

Vinícius: E pica a pessoa [*voltando a sentar-se*].

Mãe: Ela dá o bote [*com a mão na boca*].

Vinícius: O bote.

Mãe: É [*faz com o dedo o movimento da cobra aproximando e dando o bote*], sssssssssss, faz assim. Morde [*com a mão cobrindo a boca*]. A cobra morde? [*Com entonação de espanto*]

Vinícius: Morde.

Mãe: Ela morde?

Vinícius: Morde quando a cobra...

Mãe: Ou ela...

Vinícius: Pica a... na pessoa...

Mãe: Ela pica?

Vinícius: Morde.

Mãe: Eu acho que ela...

Vinícius: Pica.

Mãe: Eu acho que ela pica a pessoa, não é?

Vinícius: É.

Mãe: Agora passa. A outra folha.

Vinícius: A cobra... a cobra fica assim, ó, aí o homem vê a cobra, aí [*faz gesto de "esfaquear" o ar*] mata.

Mãe: Tá bom, agora...

Vinícius: Aí, leva pro zoológico. Aí zoológico, aí zoológico... come a cobra.

Mãe: Não. Ninguém come a cobra no zoológico, não.

Vinícius: É do zoológico. O zoológico é um lugar que a cobra come.

Mãe: Ah! Enterra a cobra? Enterra a cobra no zoológico?

Vinícius: É. Aí leva pro negócio do papagaio, que o papagaio... o homem, ele fica deitado [*ininteligível*], o papagaio fica [*ininteligível*].

Mãe: Uai! O zoológico é lugar de enterrar animal?

Vinícius: É. De enterrar animal. Os animal ficam vivos e o homem não enterra os animais no zoológico.

Mãe: [*Com a mão cobrindo a boca*] O zoológico é o lugar onde os animais vão pras pessoas verem [*tira a mão da boca*]. Eles são cuidados lá, eles comem, eles dormem. Tem remédio se ficar doente, tem o veterinário pra cuidar deles.

Vinícius: Aí, a pessoa cuida dele pra, pra cobra não morder os animais.

Mãe: Isso... é.

Vinícius: Aí, Aí... a polícia fica com medo da cobra pra poder matar.

Mãe: Não. Não é pra matar a cobra que fica no zoológico...

Vinícius: É. Pra matar. É poque ela pica a pessoa.

Mãe: Mas ela fica lá no zoológico, dentro lá do tanque dela e ela não vai picar ninguém.

O uso dos conectivos e de outros elementos de ligação, dificilmente utilizados na linguagem oral dos surdos, parece não ser uma dificuldade para Vinícius. Estão presentes, também, os organizadores textuais típicos da oralidade (aí, ó). As repetições de palavras (aí, aí; zoológico, zoológico; cobra, cobra) são indicativos da disfluência normal da aquisição da linguagem, revelando um trabalho sobre a língua. Vinícius, em sua breve narrativa, consegue evidenciar esse trabalho linguístico, demonstrando um saber da língua e um saber do mundo (polícia que mata, cobra que pica, zoológico e animais).

A importância do interlocutor no processo de aquisição também é verificada nesse episódio. Vê-se que Vinícius reorganiza sua fala baseando-se nos enunciados do interlocutor ("Aí zoológico, aí zoológico... come a cobra"; "Ninguém come a cobra no zoológico, não"; "O zoológico é um lugar que a cobra come"), mostrando um trabalho (meta)linguístico contextualizado, uma aquisição plena da linguagem oral e a constituição da criança como sujeito da linguagem.

CONSIDERAÇÕES FINAIS

DURANTE MUITO TEMPO, GRANDE parte dos fonoaudiólogos que trabalhavam na área de audiologia educacional fundamentava apenas superficialmente as terapias em teorias da linguagem ou, ainda, realizava seus trabalhos baseados em uma concepção estruturalista de língua. Atualmente, já há uma preocupação em relacionar a teorização linguística às abordagens educacionais para o surdo, embora nem sempre a prática corresponda a isso.

No contexto atual, as variações sociolinguísticas na área da surdez, bem como a luta política com relação à valorização da língua de sinais, trazem mudanças para o fonoaudiólogo que trabalha na abordagem oralista. Este acaba por deparar, na clínica, com outros processos de significação (a língua de sinais, os gestos) e, diante disso, tem de modificar sua proposta estabelecida *a priori*. O surdo traz para a clínica sua relação com a(s) língua(s). Respeitar isso é procurar entender o modo como a linguagem, oral e sinalizada, constitui esse sujeito.

Os avanços tecnológicos relacionados às próteses auditivas têm permitido um ganho considerável de audição. A crença na ação miraculosa da prótese auditiva e do implante coclear faz alguns pais esquecerem até mesmo que seus filhos continuam surdos. Contudo, não é possível garantir sua funcionalidade no processo de aquisição da linguagem. Os surdos que realizaram a cirurgia de implante coclear podem, a depender das condições linguísticas, obter um processamento da audição e a aquisição da linguagem oral de forma proficiente.

O implante coclear também tem evidenciado a existência de plasticidade cerebral, tanto nas crianças quanto nos adultos. Nestes, vemos que outras áreas cerebrais podem ser requisitadas para o processamento auditivo, mostrando que a plasticidade pode ocorrer independentemente da idade. O (in)sucesso do implante coclear parece estar, assim, mais ligado à qualidade e à interpretação do som que chega ao córtex cerebral, à qualidade das interações, do que à idade de aquisição. O surdo não tem como criar hipóteses sobre as regras de uma língua audiovisual sem exposição e práticas efetivas com essa língua.

Deve-se considerar que crianças diferentes têm respostas diversas às próteses, assim como têm interações familiares distintas. Não basta apenas ouvir para falar. O principal equívoco, nesses casos, é considerar a criança com prótese auditiva ou implante coclear um "ouvinte", especialmente sem poder assegurar "o que" se ouve, "o que" se compreende, bem como a efetividade da prótese para o processamento da linguagem. Dessa forma, não seria justificável, em termos (neuro)linguísticos, privar a criança de adquirir a língua de sinais diante do desconhecimento do "sucesso" do implante coclear. A aquisição da língua de sinais não impede a aquisição da linguagem oral.

Por outro lado, a linguagem oral na surdez profunda é visuoverbal e não audioverbal. Adquirir as regras sintáticas, fonológicas, pragmáticas, discursivas e morfológicas apenas visualmente dificulta o surdo de tornar-se um falante proficiente nessa língua. A cobrança social pela fala perfeita negligencia os aspectos relacionados à aquisição da linguagem oral na surdez.

Compreender tais aspectos significa levar em conta processos que o surdo aciona diante da aquisição da linguagem oral. Por viver em uma sociedade ouvinte e, mais particularmente, por viver em uma família de ouvintes, muitos surdos atribuem à fala um estatuto interativo importante. Entender essas diferenças é entender que o processo de aquisição da linguagem oral na surdez compreende bem mais que a relação fala-audição; é um trabalho da criança com e sobre a linguagem, é o resultado de suas rotinas (não) significativas na linguagem oral, de sua atuação no mundo do simbólico, um simbólico carregado de gestos fônicos e manuais.

5. O surdo bilíngue

> *Tem muitos pais que optam. Eu não vou obrigar meu filho a falar porque ele é limitado. Não vai dar mesmo, eu tô forçando uma natureza que não existe. Aí, têm outros que... "Não, não quero que meu filho aprenda sinais, senão ele nunca vai falar." Aí, não sei quê... Então, tem uma hora que você pensa assim... "Gente, o que eu faço? Eu deixo aprender sinal? Eu não deixo?"*
>
> (Relato da mãe de Taís, criança surda)

PROCURANDO FUGIR DA NECESSIDADE de optar entre uma língua de base visuomanual - que evidencia a surdez e, portanto, a diferença - e outra de base audioverbal - que reflete a normalidade -, surge uma possibilidade de resolver o conflito: proporcionar a aquisição das duas línguas para o surdo e torná-lo um bilíngue. Para tanto, os principais responsáveis pelos surdos - seus pais - devem possibilitar à criança meios de adquirir tais línguas. Levar o filho para interagir com adultos surdos proficientes em língua de sinais enquanto eles próprios devem fazer aulas para adquirir essa língua e, juntamente, realizar protetização precoce e submeter a criança à terapia fonoaudiológica, a fim de que desenvolva também a fala, caso esta seja a modalidade escolhida pelos pais como segunda língua. Contudo, surge a dúvida: em casa, os pais devem falar ou usar a língua de sinais? Eles são orientados para se comunicar com o filho em língua de sinais, mas também por meio da fala. Dessa forma, encontram um meio-termo, misturam as duas línguas. Qual a repercussão disso na aquisição da linguagem da criança surda?

Os estudos sobre bilinguismo na surdez surgiram na década de 1980. A fundamentação dessa abordagem é o acesso da criança, o mais precocemente possível, à língua de sinais e à linguagem oral. No entanto, ambas não devem ser assimiladas simultaneamente, dada a diferença estrutural entre elas. A língua de sinais (L1, primeira língua) deve ser adquirida por meio da interação entre a criança e o adulto surdo, e a língua na modalidade oral seria fornecida à criança pelo adulto ouvinte, surgindo como segunda língua (L2), teoricamente baseada nas habilidades linguísticas já desenvolvidas pela primeira língua. Dessa forma, o surdo pode apresentar um desenvolvimento linguístico-cognitivo paralelo ao verificado na criança ouvinte. Além disso, pode haver interação harmoniosa entre ouvintes e surdos, havendo acesso às duas línguas: a de sinais e a da "comunidade ouvinte" (Moura, 1993).

O bilinguismo inaugura um novo debate na área da surdez: ele defende a primazia de uma língua sobre a outra, ou seja, da língua de sinais sobre a língua portuguesa, antes aprendida simultaneamente, na comunicação total, ou isoladamente – a linguagem oral, no oralismo, ou a língua de sinais, quando se afirmava que o surdo não aprenderia jamais a falar. Essa primazia, defendida por muitos autores, tem por base dois argumentos. Primeiro, a presença de um período crucial para a aquisição da linguagem. Segundo, a existência de uma competência inata, pressuposto núcleo duro do paradigma inatista, segundo o qual, para aprender uma língua, bastaria estar imerso em uma comunidade linguística e receber dela *inputs* linguísticos cruciais.

Há, na proposta bilíngue, uma falta de consenso com relação à aquisição da segunda língua. Alguns autores defendem a ideia de que a língua de sinais deve ser aprendida antes do português, devido à diferença estrutural dos dois idiomas e visando ao desenvolvimento linguístico e cognitivo do surdo. Outros defendem que as duas línguas devem ser aprendidas simultaneamente. Outros, ainda, defendem que se deve ensinar apenas a modalidade escrita de língua portuguesa e não a oral. E, por fim, há aqueles que acreditam que se deve ensinar ao surdo ambas as modalidades do português, o ensino da oralidade podendo ou não ser feito por meio da leitura e da escrita. Essas diferentes propostas são resultado das várias definições de surdo bilíngue. Derivam, pois, do conceito que se adota de bilinguismo e do fato de que a aquisição é concebida como um ato individual, de apropriação que se faz da língua.

Enquanto não se considera que as implicações linguísticas estão relacionadas diretamente às sociolinguísticas, pragmáticas, psicolinguísticas, neurolinguísticas, continua-se discutindo as abordagens para a surdez como se elas não surgissem das possibilidades sociocognitivas do surdo em adquirir língua. Como se o processo fosse o inverso: a abordagem educacional decide que língua o surdo pode/deve usar. Acrescento que isso tem consequências diretas no trabalho terapêutico. É por isso que a discussão do bilinguismo na surdez deve ultrapassar o "método bilíngue" e concentrar-se na discussão sobre o funcionamento da(s) língua(s).

QUE TIPO DE BILINGUISMO TEM SIDO PROPOSTO PARA A SURDEZ?

Diz-se que o surdo deve ser bilíngue. Mas deve ser proficiente em duas línguas? Quando a linguagem oral deve ser adquirida? No Brasil, o estatuto do bilinguismo na surdez ainda continua imerso em controvérsias. Isso porque não se discute o que significa, de fato, o falar bilíngue. Para Mello (1999), ele diz respeito não apenas ao uso da língua, mas também às atitudes e ao comportamento das pessoas com relação ao meio social, às línguas e seus usuários, e está diretamente ligado ao contexto sociopsicológico no qual transcorre a interação verbal.

Autores como Heredia (1989), Bochner e Albertini (1995) e Heyes (1999) afirmam que uma pessoa pode falar duas línguas e ter competência em apenas uma, ou, ainda, pode ser competente em alguns contextos e não em outros. A questão central para esses autores é que, se considerarmos bilíngue somente o indivíduo que possui domínio igual e nativo de duas línguas, excluiremos, por certo, a grande maioria. O bilinguismo seria um fenômeno relativo que se apresenta de forma dinâmica - a condição de bilíngue se modifica na trajetória de vida dos indivíduos e assume diferentes contornos com relação ao domínio e à variação de uso das línguas.

Já no campo da surdez, Sá (1999, p. 38) ressalta que:

> [...] não é conveniente caracterizar a língua de sinais como língua de competência plena para o surdo, visto que, na abordagem educacional com bilinguismo, *objetiva-se alcançar a competência plena em duas línguas*, tanto na língua de sinais quanto na língua na modalidade oral, não apenas para fazer jus ao prefixo bi, mas pela avaliação de que essa é uma proposta coerente com a capacidade dos surdos, que diferem dos ouvintes apenas no que diz respeito à dificuldade de audição.

A autora ainda acrescenta que o bilinguismo aumenta as capacidades cognitivas e linguísticas do surdo, possibilitando melhores resultados educacionais que os conseguidos sob a priorização da língua na modalidade oral.

Sá propõe, como meta, uma competência "plena" nas duas línguas e ressalta que a diferença entre surdo e ouvinte é apenas a dificuldade da audição. Ora, é justamente a privação da audição que impossibilita a aquisição de uma língua de canal sensoriomotor audioverbal. É claro que o surdo tem outros caminhos para chegar à fala, mas o nível de proficiência não pode ser considerado o mesmo que o dos ouvintes. Isso nos leva à seguinte questão: aquele que tem surdez profunda tem a possibilidade de ser proficiente na linguagem oral? Se não, podemos considerá-lo "plenamente" bilíngue? Que conceito de bilinguismo se deve considerar para caracterizar o bilinguismo na surdez? Um falante pleno em ambas as línguas?

Acredito que exigir a proficiência plena nas duas línguas para o contexto da surdez seja um equívoco. Tomo, aqui, o conceito utilizado por Grosjean (2003a). Para o autor, bilíngues são pessoas que usam duas ou mais línguas na vida cotidiana. Dessa forma, seria possível ter níveis de proficiência diferentes entre as modalidades de língua (ler, escrever, falar, compreender) já que, se classificássemos como bilíngues apenas os sujeitos que são tão proficientes quanto os "monolíngues", não se poderia considerar os sujeitos que utilizam diariamente duas línguas. Com relação especificamente aos surdos, o autor ressalta que é um tipo de bilinguismo minoritário, que utiliza uma língua minoritária (a língua de sinais), em contraposição à escrita da língua majoritária – no nosso caso, a língua portuguesa na modalidade escrita e/ou oral. Mas há ainda os surdos bilíngues em duas línguas de sinais, embora essa forma de bilinguismo seja menos frequente e envolva ainda mais estudos. Nesse contexto, parece termos também um caso singular de bilinguismo. O fato de o surdo ser ou não bilíngue, em alguns momentos, parece afastar-se de uma questão social e aproximar-se de uma definição feita *a priori* pelos pais, fonoaudiólogos e professores da escola especial. Assim, o bilinguismo na surdez é desejável e recomendável e ocorre após um laudo médico e a constatação da surdez. No caso dos surdos filhos de pais surdos, a língua portuguesa escrita parece ser a L2: não há tantas cobranças no falar. No caso dos surdos filhos de pais ouvintes, a L2 pode ser tanto a língua na modalidade oral, pelas tentativas de oralização e protetização precoce, quanto a língua de sinais, adquirida tardiamente pela falta de interlocutores.

A luta pelo bilinguismo, em alguns momentos, parece ser menos uma questão linguística e mais uma questão político-social, já que o que subjaz a ela é a possibilidade de inserção dos surdos em uma sociedade ouvinte. Compreender isso significa, talvez, considerar irrelevantes as classificações sobre o bilinguismo na surdez, tais como: a partir de que momento poderíamos chamar o surdo de bilíngue?

Na literatura, encontramos vários conceitos relacionados ao bilinguismo que se diferenciam quanto à definição de competência, de contexto (há, por exemplo, contextos em que uma língua é dominante e a outra é subordinada), de idade de aquisição, de domínio e de função de usos das línguas, bem como divergem quanto às concepções de sujeito bilíngue, das idealistas às sociolinguísticas. Produzir enunciados orais em forma telegráfica ou falar enunciados simples, escrever algumas sentenças e ler textos simples poderia ser considerado aquisição de segunda língua e representar um surdo bilíngue.

Parece que se dá menos importância a uma questão de proficiência linguística e mais aos *usos* da linguagem. A possibilidade de comunicar-se com ouvintes, bem ou mal, aparenta ser a linha divisória entre os bilíngues e os monolíngues. Mesmo o conceito de proficiência, por dizer respeito a questões que vão do linguístico ao discursivo, não tem uma representação unívoca.

Vejamos o que o instrutor surdo de uma das instituições da pesquisa diz sobre sua condição bilíngue.[1] Ele aprendeu língua de sinais com 15 anos. Até essa idade, fazia leitura labial e usava gestos (articulatórios e manuais). Atualmente, compreende os ouvintes usando leitura labial e produz gestos articulatórios sempre sem som.

Pesquisadora: Você é bilíngue?

Instrutor: Sim. Minha família é ouvinte. Eu sou surdo. Eu via as pessoas falando. Eu sou bilíngue. Minha mãe nunca usou língua de sinais. Eu uso língua de sinais com surdos. Com minha família converso em português. Eu sou bilíngue. Uso os dois: a fala e a língua de sinais. E também escrevo.

Pesquisadora: Você lê, escreve, fala...

Instrutor: Sei mais a língua de sinais. Falo pouco. Escrevo mais ou menos.

1. Esse diálogo foi realizado por meio da língua de sinais, da fala e da escrita. Nesse episódio, traduziu-se a língua de sinais para a língua portuguesa escrita.

Nesse relato, vemos um surdo que se diz bilíngue, mas não é proficiente. Ele pode ser tomado como bilíngue, mas, para quem considera bilíngue a proficiência em duas línguas, não. Porém, para ele, que consegue funcionalmente sair-se bem em interações com ouvintes, isso é o suficiente para se denominar bilíngue. No entanto, nem sempre o uso funcional é definidor de um estatuto de bilinguismo. O aprendizado da língua portuguesa, para ele, significa a leitura labial, a produção de gestos articulatórios, a leitura e a escrita. O gesto articulatório aqui corresponde à linguagem oral. É possível para o ouvinte, ao ler os lábios desse surdo, fazer a correspondência gesto-significado. Em alguns enunciados, há semelhança nas produções articulatórias de determinadas palavras, mas, nesse momento, o surdo utiliza a escrita para que o sentido do seu discurso possa ser assimilado pelo interlocutor. Ou seja, ele passa da oralidade para a língua de sinais ou para a escrita e utiliza, em alguns momentos, as duas línguas ao mesmo tempo.

Quando se discute bilinguismo na surdez, tem sido também utilizado o termo bilíngue-bimodal. Nesse caso, o surdo teria proficiência na língua de sinais e na linguagem oral/escrita (Humphries, 2014). Os surdos, assim como os ouvintes que são bilíngues em duas modalidades, podem falar e fazer sinais ao mesmo tempo. Essa utilização conjunta depende dos interlocutores. No caso anterior, como a investigadora é ouvinte, o surdo utiliza também a oralidade.

Para Quadros, Lillo-Martin e Pichler (2013), os bilíngues bimodais podem produzir duas línguas simultaneamente, mas não produzem dois enunciados diferentes; produzem apenas uma proposição. Ou seja, nesse caso, a complementariedade entre o que é dito em uma língua e o que é dito na outra produz uma única proposição. As autoras classificaram da seguinte forma os tipos de sobreposição de línguas observados nos dados das crianças ouvintes filhas de pais surdos:

a. sobreposição de línguas, língua falada como base – neste caso, a fala está sendo usada e aparecem sinais durante a produção falada;

b. sobreposição de línguas, língua de sinais como base (Libras) – neste caso, os sinais estão sendo usados e aparecem algumas palavras do português sobrepostas aos sinais;
c. sobreposição mista – a fala ou os sinais são privilegiados em tempos diferentes com produções sobrepostas de uma ou de outra língua;
d. sobreposição completa – as duas línguas são produzidas simultaneamente.

Vemos, assim, que não é possível fazer proposições diferentes com duas modalidades de língua diferentes, mas pode-se, sim, passar de uma modalidade para outra dialogicamente. A passagem para a modalidade escrita da língua também indica uma complementaridade entre os tipos de linguagem, o que confere ao sujeito o estatuto de bilíngue-bimodal.

Vejamos o que a fonoaudióloga de Taís diz sobre a condição bilíngue dela:

> **Pesquisadora:** Você acha que ela é bilíngue?
>
> **Fonoaudióloga:** Ah, ela é.
>
> **Pesquisadora:** Mesmo que a fala ainda esteja...?
>
> **Fonoaudióloga:** Não, até porque agora ela está utilizando a escrita. [...] Na escrita, você dá um enunciado para ler, dá um enunciado: "Forme três palavras com a letra 'x'". Ela lê bonitinho. Ela pode não estar entendendo o que ela está lendo. Aí, é outro problema. Mas a leitura está saindo. Ela lê. [...] A compreensão... você precisa explicar o que ela leu.

O bilinguismo, nesse caso, parece ser estabelecido por uma competência mínima, pela produção de algumas palavras oralmente e pela decodificação da escrita. A compreensão do que se lê não parece ser considerada leitura, e a simples decodificação dos símbolos escritos é suficiente para que se possa identificar o sujeito como leitor. Taís não consegue realizar comentários na linguagem oral ou escrita, mas nem por isso a fonoaudióloga deixa de considerá-la bilíngue. A possibilidade que Taís tem de falar e "ler" já é, para a fonoaudióloga, uma condição bilíngue. Como se "reconhecer" essa condição implicasse também dizer: "Sim, ela pode falar", "Sim, ela tem condições de falar". A afirmação de ser ou não bilíngue passa a ser tida como a possibilidade de inserção do surdo entre os ouvintes, por meio da fala, mas não consiste na aquisição "plena" de uma língua na modalidade oral. Já quando se fala em bilinguismo dos ouvintes, a cobrança parece ser de uma competência plena e não funcional. Vejamos o que a fonoaudióloga de Bianca comenta sobre isso:

Pesquisadora: Você se considera bilíngue?

Fonoaudióloga: Não. Não, porque eu não sou fluente na língua de sinais. Eu conheço a língua, mas dizer que eu tenho uma fluência na língua eu não tenho. Pouco tempo, né?

Pesquisadora: O que você acha da condição bilíngue? Se traz alguma vantagem pra criança... Você acha que traz?

Fonoaudióloga: Eu acho que é muito particular. Se a criança tem condições de adquirir a segunda oral e escrita... Eu não conheço nenhuma criança que... Junto? Oral e escrita? A segunda língua oral e escrita? Acho que depende de cada criança. [...] Eu, como fono, defendo a língua oral, porque a gente vive numa sociedade ouvinte, onde as pessoas precisam sair e se comunicar. Na realidade em que a gente vive, o motorista do ônibus não sabe língua de sinais, o professor na escola não sabe língua de sinais. Quem sabe língua de sinais? São pouquíssimas as pessoas. Eu acho que, pra uma realidade em que a gente vive, é muito difícil você abandonar a língua oral.

No relato da fonoaudióloga, pode-se observar que ela se baseia na noção de competência plena em duas línguas para que se possa ser bilíngue. Há até o questionamento da possibilidade de o surdo ser bilíngue nas duas modalidades da língua portuguesa. O interessante é que a profissional realiza terapia na abordagem bilíngue, usa a língua de sinais e a fala em interações com os surdos, mas não se considera bilíngue, não se considera proficiente. É provável que ela se baseie na noção recorrente de que o bilíngue é capaz de fazer tradução simultânea. Ressalte-se que essa é a definição de uma ouvinte, e não de um surdo. Outro ponto que podemos destacar nesse relato é a definição da segunda língua, para a fonoaudióloga, como sendo a modalidade oral. A oralidade é cobrada pela família e pela sociedade.

Na surdez, há uma variedade de situações particulares de aprendizado de cada língua. Os usos também são diferenciados. A abordagem bilíngue, por ser de certa forma nova, ainda está à procura de explicações mais definidas com relação à escrita e à oralidade na surdez.

Padden (1998) ressalta que a maioria dos estudos bilíngues não tem discutido como as crianças, ao longo do domínio da língua de sinais, utilizam o alfabeto digital, nem como interagem com o inglês falado ou escrito. O autor reconhece que pouco se sabe ainda sobre a competência da criança surda bilíngue e como os diferentes sistemas emergem durante a comunicação. Mas existe uma boa razão para a escassez de trabalhos a respeito de falantes bilíngues de *American Sign Language* (ASL) e de inglês: um problema real de definição do "inglês" em contextos em que ocorre a ASL. "Inglês" pode ser definido como alfabeto digital, leitura, escrita, gesto articulatório e fala. A aquisição bilíngue requer que se leve em conta uma linguagem como um sistema interacional, em desenvolvimento com usos sociais específicos. As crianças surdas seguem caminhos diferentes para adquirir o inglês, e a competência na linguagem está justamente nos caminhos alternativos pelos quais as crianças a adquirem. Tais percursos alternativos mostram que a natureza da competência no inglês pode acontecer de forma diferente da dos ouvintes. Para o autor, essa é a chave para entender a aquisição bilíngue do surdo.

Nascimento (2000) ressalta que a fonoaudiologia depara, agora, com um novo paradigma de educação dos surdos. O trabalho da área sobre o bilinguismo não tem ainda um padrão estabelecido, é um lugar de transição. O histórico da profissão, que se constituiu no oralismo, é ainda muito forte. No discurso desses profissionais, pode-se perceber, ao mesmo tempo, uma aproximação e uma tentativa de ruptura, levando à desestabilização entre dois pré-construídos diferentes: um modelo não normatizador, fundado no bilinguismo, e um modelo clínico, fundado no oralismo. Esse momento de crise configura-se pela dificuldade de conceber um novo paradigma de trabalho que possa correlacionar as duas línguas: a de sinais e a oral. A clínica fonoaudiológica, que sempre foi lugar da (normatização da) linguagem oral, muitas vezes até proibindo qualquer forma de gestualidade, tenta construir um novo modelo, não alicerçado apenas na oralização. A autora ainda questiona: como as duas línguas ocuparão o espaço do trabalho fonoaudiológico?

Em estudos posteriores, Nascimento (2002), analisando o discurso de fonoaudiólogas que trabalham com a abordagem bilíngue, concluiu que o trabalho nessa abordagem permite a melhora ou o desenvolvimento da linguagem. No entanto, questiona: se a língua dos surdos for a de sinais, a atuação da fonoaudióloga se estenderia a ela? Se não for, por outro lado, a linguagem de sinais não seria suficiente para o surdo, pois ele teria de ser submetido à terapia fonoaudiológica para que aprimorassem sua fala e escrita. Se o indivíduo surdo é "normal", o que justificaria sua inserção na clínica fonoaudiológica, que historicamente sempre se dedicou às patologias? Como se pode escapar da possibilidade de considerá-los deficientes?

Nascimento conclui que a única novidade no trabalho fonoaudiológico com o bilinguismo é o fato de, atualmente, considerá-lo opcional para os surdos, o que, de certa forma, produz uma ruptura com os sentidos historicamente cristalizados. Assim, ao assumir a abordagem bilíngue, a função mais importante da fonoaudiologia seria:

> [...] esclarecer os pais do papel da língua de sinais na constituição da subjetividade do surdo. Essa língua que ele adquire espontaneamente convivendo com outros surdos o permite sentir-se "dono da linguagem". Em um segundo momento, o fonoaudiólogo pode trabalhar, então, com as técnicas de oralização e leitura labial, para aqueles surdos que se dispuserem a aprendê-las, desenvolvendo, assim, estratégias de comunicação com o ouvinte. (Nascimento, 2002, p. 86)

O parecer do Conselho Federal de Fonoaudiologia, aprovado na 21ª Reunião Interconselhos de 27 de agosto de 1999 e depois na 1ª Reunião da 58ª Sessão Plenária Ordinária de 2 de outubro de 1999, dispõe sobre o conhecimento das áreas específicas da atuação do fonoaudiólogo e das questões envolvidas nesse processo. Relacionadas à linguagem, o fonoaudiólogo deve ter como pré-requisitos necessários para a intervenção educacional do deficiente auditivo:

- noção dos conceitos científicos de língua nas modalidades oral, escrita e sinalizada;
- conhecimento das teorias de aquisição de linguagem;
- noções das funções comunicativa e cognitiva da linguagem;
- noções das consequências da deficiência auditiva na aquisição e produção da linguagem e no desenvolvimento desta.

Na proposta bilíngue, defende-se que a estimulação da língua oral, realizada por fonoaudiólogos, ocorra paralelamente à aquisição da língua de sinais, que deve se dar por meio do convívio com sujeitos deficientes auditivos que a dominem. Dessa forma, procura-se preservar a estrutura gramatical das duas línguas e, como nas demais filosofias, cabe ao fonoaudiólogo utilizar uma metodologia de oralização e desenvolver os aspectos de estimulação auditiva, articulação, leitura orofacial, linguagem, etc.

A resolução mais atual, nº 387, do CFFa, de 18 de setembro de 2010, que dispõe sobre as atribuições e competências do profissional especialista em Fonoaudiologia Educacional, define que é da competência do fonoaudiólogo:

> 4.2 – Na educação bilíngue para surdos: sensibilizar e capacitar, quando possuir formação para ensino de Língua Brasileira de Sinais (Libras), educandos, educadores e familiares para a utilização da Libras e recursos tecnológicos que se façam necessários;

Vemos que houve uma modificação nos últimos dez anos com relação à própria definição do trabalho fonoaudiológico na educação com a abordagem bilíngue, assim como mudança na nomenclatura utilizada: de "deficiente auditivo" para "surdo", provavelmente influenciada pela Lei de Libras (Lei nº 10.436/2002) e por sua regulamentação em 2005 (Decreto nº 5626/2005). O fonoaudiólogo deve não só sensibilizar, mas também capacitar profissionais na utilização da Língua Brasileira de Sinais.

Ressalto ainda o artigo 3º do Decreto nº 5626/2005:

> A Libras deve ser inserida como disciplina curricular obrigatória nos cursos de formação de professores para o exercício do magistério, em nível médio e superior, e nos cursos de Fonoaudiologia, de instituições de ensino, públicas e privadas, do sistema federal de ensino e dos sistemas de ensino dos Estados, do Distrito Federal e dos Municípios.

Ou seja, inicialmente era definido que o fonoaudiólogo deveria "desenvolver os aspectos de estimulação auditiva, articulação, leitura orofacial, linguagem". Amorin (2001) ressalta que essa resolução do Conselho Federal de Fonoaudiologia é vaga com relação à língua de sinais, utilizando o termo "noção" e não "conhecimento" desta, ficando implícito que, embora se destacasse um trabalho paralelo com a língua de sinais, o que cabe ao fonoaudiólogo é a oralização.

Posteriormente, tem-se a obrigatoriedade de carga horária de cursos de língua de sinais na formação do fonoaudiólogo. Contudo, ter obrigatoriedade de um curso de Libras durante a graduação não implica considerá-la com o mesmo status da língua na modalidade oral e nem mesmo que o fonoaudiólogo seguirá uma abordagem bilíngue. A Libras pode fazer parte da formação do aluno, mas este, quando se formar, pode indicar para os pais a aquisição da Libras apenas quando o implante coclear não funcionar, por exemplo. Ressalte-se, ainda, que, em pesquisa realizada por Guarinello *et al.* (2013) sobre a formação de Libras nos cursos de fonoaudiologia por graduandos, a maior parte dos alunos que já deparou com alguma situação em que precisou usar a língua de sinais considera seu desempenho insuficiente.

Nesse sentido, é preciso que se modifique o olhar do fonoaudiólogo sobre a língua de sinais. O trabalho no contexto clínico com o bilinguismo deve ser entendido como um trabalho com a segunda língua. Só com base nessa visão é possível que se tenha um afastamento da fonoaudiologia de *reabilitação e cura* para uma mudança de paradigma da surdez enquanto *constituição do estatuto de bilíngue*.

Entretanto, surge aqui uma questão: por que o bilinguismo dos surdos poderia/deveria envolver um contexto clínico, principalmente no que se refere à modalidade oral? A resposta a essa questão deve-se às especificidades da surdez. Ou seja, há a necessidade não de um professor de segunda língua, mas de um profissional, como o fonoaudiólogo, de que seja um conhecedor dos processos de aquisição de linguagem nas suas especificidades, com a competência para proporcionar a aquisição de uma língua audioverbal muitas vezes sem audição" e, ainda, capaz de proporcionar a escrita de uma língua de modalidade oral sem que se tenha adquirido essa modalidade (Santana, Guarinello e Bergamo, 2013; Santana e Guarinello, 2014). Acrescente-se aqui que o estatuto de bilíngue apenas na linguagem escrita ainda não foi legitimado no Brasil.

É apenas nesse contexto que se resolve a controvérsia: se a língua dos surdos é a língua de sinais, por que protetizar? Por que o surdo deve/pode frequentar a clínica fonoaudiológica? A resposta é: para oferecer a esse surdo melhores condições da aquisição de L2. É nesse contexto que se encontram profissionais habilitados para proporcionar a aquisição de L2 aos surdos que possuam ou não próteses auditivas. Ou seja, a depender de como se pensa o bilinguismo na surdez, pode-se até mesmo modificar o estatuto da clínica, de patologia para a normalidade (Santana, Guarinello e Bergamo, 2013). Acrescente-se que a clínica fonoaudiológica atual não é um espaço apenas de patologia e reabilitação, mas também de promoção de saúde, de aprimoramento da fala, da voz e da linguagem.

Fica claro o quanto a relação entre fonoaudiologia, linguagem oral e língua de sinais demanda discussões que envolvem a interdisciplinaridade entre as áreas. Tudo ainda é muito recente e, portanto, não (re)conhecido.

A ESCOLHA DOS PAIS PELO BILINGUISMO

O que faz os pais optarem pela abordagem bilíngue? A compreensão de que as duas línguas são necessárias para a criança ou a crença na autoridade médica? Em muitos casos, o que determina a "opção" entre uma abordagem ou outra é a confiança na orientação médica que, por sua vez, é consoante, em geral, com determinada concepção de normalidade. Ou seja, a família tem expectativas de que o médico seja capaz de decidir o que é melhor para a criança com relação à linguagem e à surdez, e, independentemente do seu perfil, encaminham-na para um instituto que seja bilíngue ou oralista. Há famílias que mudam sua opção ao ver que "ainda" há (outra) possibilidade de o filho adquirir a fala.

Vejamos o relato da mãe de Taís, antes de retirar a filha da Derdic:

Pesquisadora: Você vai continuar falando com sinais, mesmo que ela saia da Derdic?

Mãe: Não, porque aí eu acho que com o tempo ela vai perder os sinais. Porque os sinais é uma língua [...], a gente sente, se não for praticada, vai ser esquecida. Se bem que a gente ensinou "xixi", "cocô" e "água" [*conselho da mãe para a professora da escola ouvinte*]. Essas são as necessidades básicas. O resto não aprendam, pelo amor de Deus! Porque sinais ela faz na outra, aqui é pra ela falar, pra treinar a audição. Treinar a audição com a fala das crianças. Eu falei pra ela: "Aqui ninguém sabe sinais". Então fala "Ninguém?", "Ninguém". "Taís, como vai fazer? Taís vai falar e vai ouvir." "É?" "É. Ninguém sabe sinal, Taís, e ninguém vai aprender sinal." Eles [referindo-se à família], num primeiro momento, foi, vamos fazer sinais. Então, foram lá, pegaram apostila, aprenderam, fizeram tudo bonitinho. Aí, agora eu falo: "Fala, tia, é sinal ou é fala?" "Fala." "Mas os sinais, tia? Ela faz um monte de sinais para mim." "Tá bom, ela faz, mas responda em sinais e fale com ela e tente arrancar dela uma fala quando ela fizer o sinal. Finge que não entendeu, pra obrigar, nem que saia 'aa', nem que não saia água, mas tentou."

A mãe pretende, ao privar a criança do uso da língua de sinais, que ela "esqueça" essa língua e passe a comunicar-se apenas por meio da fala. Mas o que nos leva a esquecer uma língua? Apenas o "não uso"? Se passarmos dez anos em uma ilha deserta, sozinhos, esqueceremos o português? A pergunta não deve ser por que esquecemos, e sim por que nos lembramos. Com certeza, lembramo-nos porque o português é nossa língua do pensamento. Se categorizamos o mundo também por meio da linguagem, e o pensamento e a linguagem estão (inter)relacionados, nós a utilizamos constantemente, ainda que sozinhos, ainda que sem interlocutores. Por quais motivos Taís abriria mão da língua de sinais, sua língua de pensamento, e a substituiria pela fala que não domina? A língua de Taís não é considerada funcionalmente uma *língua*. Não é uma língua no sentido social e cognitivo, que parece ter vantagens em ser aprendida. Uma língua que não parece ser capaz de tornar um "interlocutor" tagarela. Há, contudo, um número reduzido de pais que reconhecem – ou compreendem – o que representa a língua de sinais. Esse é o caso da mãe de Bianca:

Pesquisadora: Você acha então que a abordagem bilíngue... tem vantagens?

Mãe: Tem.

Pesquisadora: Mais do que se ela fosse na outra abordagem? A outra abordagem é o oralismo, faz só que fale....

Mãe: Não. É superdifícil, né? Porque eu conheci outro menininho, né? Que essa mãe opta só pela fala. Ela só fala com ele. Quando a gente passeia... Ele é diferente da Bianca. [...] "Bianca, vamos passar o dia com o Fernando." Fiz sinal pra ela: "Um dia na casa do Fernando". Então, ela sabia onde ela ia. Com esse menino era diferente. Nós fomos almoçar, né? Daí, ela falou: "Depois nós vamos brincar lá no parquinho". E o menino não mostrou sentimento nenhum, emoção nenhuma. Nada. Aí, eu falei pra Bianca: "Ó, depois", tudo em sinalzinho e falando, "depois que a gente comer, nós vamos lá no parque". Você precisa ver a emoção dela. Ela sabia pra onde ela ia, ela sabia o que era parque, que ia ter balança. Ela sabia disso. E ela começou a passar isso pra ele. "Ó, vai ter isso", fazia sinalzinho. Ele não entendia porque ele não tem a língua de sinais. Ele não entendia nada. Quando a mãe dele começou a pôr o tênis, porque até então ele 'tava descalço, né, começou a pôr um tenizinho... tudo, parecia que ele demonstrava emoção. Parecia. A Bianca já estava agitada, querendo sair pra fora, tudo. Quando ele chegou lá, foi que eu vi a emoção que a Bianca sentiu nele. Quando ele chegou lá, quando tava no parque. Aí, eu achei demais isso. Aí, eu falava pra ela: [...] "Mas olha a importância dos sinais". E quando a gente foi almoçar... e... Fiquei supertriste... Ela começou a falar tudo o que tinha pra ele, né? "Tem arroz, feijão... Qual? O que você quer?" Ele não falava. Aí, o que ela fez? Ela pegou ele e levantou em cima do fogão para ele ver o que tinha nas panelas... Aí, fiquei muito triste. Eu achei, assim, um desrespeito com aquele menino. A Bianca sentadinha na mesa. "Bianca, ó, tem arroz, tem isso [*fazendo sinais*]. O que você quer?" Ela começou a falar comigo. Daí, eu peguei o prato e coloquei. Sabe, eu acho isso um respeito. [...] Mas olha um dia o que eu fiz. Eu falei assim: hoje eu não vou usar sinal. Eu quero ver como que ela é. Aí, eu comecei a pedir as coisas pra ela: "Bianca, vai lá e faz isso pra mamãe". "Ãh?" "Vai lá, faz isso pra mamãe." Eu acho que algumas coisas ela entendia, só o contexto. O que era pra ela pegar ela não entendia. E ficava olhando pra mim. "Ãh?" Ficava assim, né? E ela exigia sinal de mim. "Não. Vai lá, a mamãe tá falando." Ela não ia, menina. Daí eu fazia sinal. P'xi [*estalando os dedos*], rapidinho. A cor que eu queria, o jeito que eu queria. Ela pegava tudo certinho, tudo certinho [...]. Daí, eu pensava assim: eu quero ter na minha casa uma harmonia com a minha filha. Uma paz, assim. Eu quero que ela me entenda o mais rápido possível. Quero ter entendimento, pedir as coisas pra ela, ela fazer. Eu quero isso pra ela. E o que eu achava naquela casa do amiguinho dela, não tinha essa harmonia. Não tinha essa paz, assim. Era tudo muito.... Fala alto, sabe? Muito... Fala alto... Queria entender, tipo, assim... "Pega..." Como se tivesse falando com ouvinte, sabe? "Pô, mas você não tá entendendo o que eu tô falando?" [...] O que eu percebo, assim, na Bianca... A Bianca não é agressiva. Nervosa ela não é. Isso que eu percebo, assim, nela. Diferente desse menino. Ele não é agressivo de ficar batendo. Mas eu sinto assim, ele tem... sabe, assim, uma ansiedade nele, uma ansiedade, assim, nele, fico supertriste. [...] Eu sempre passei assim pra Bianca... Sentimento, que eu acho superdifícil, então, quando eu tava nervosa, eu falava assim pra ela: "Olha, mamãe tá nervosa [*sinal de nervosa*], tô cansada [*sinal de cansada*]. Trabalha..." E ela foi entendendo, menina, foi entendendo... E um dia que ela chegou assim pra mim: "Hoje eu tô brava" [*fazendo em sinais*]. "Por que você tá brava?" "Tô brava, tô cansada" [*fazendo em sinais*]. Eu falei: "Então vai dormir". Ela coloca muito o que ela sente. Tudo. Quando ela tá triste... "Por que você tá triste, Bianca? Fala pra mamãe." Ela fala. Ai, menina, a gente tem uma harmonia, assim... Mas eu acho que é tudo a língua de sinais.

A mãe de Fernando, que participou da abordagem bilíngue, optou pelo implante coclear para seu filho. Ela comenta as mudanças depois que parou de usar a língua de sinais:

Pesquisadora: E quando você usava sinais, vocês se comunicavam bem? Ele entendia? Como é que era?

Mãe: Tudo. Eu fiquei até meio neurótica, assim, porque eu falei assim: "Eu vou ter de me comunicar com ele, vou ter de... tudo". Onde eu ficava sabendo que tinha linguagem de sinais, eu e a Sandra [referindo-se à mãe de Bianca] íamos juntas. Só que ela gostava mais, ela se interessava mais. E eu? Eu vou fazer pelo Fernando. Porque não é bem isso que eu quero. Eu não queria usar sinais a vida toda com o Fernando. Eu acho difícil uma criança que usa sinais falar.

Pesquisadora: Quando você parou de fazer sinais, como é que ele ficou? Ele continuou fazendo um tempo?

Mãe: Quando eu parei com os sinais, como era eu que fazia, então ele fazia o que eu fazia. Ensinava tudo. Depois que eu parei de fazer sinais, rapidinho ele parou. Umas três semanas, quatro. Aí, ele fazia só sinal de sorvete, de quebra, algumas coisinhas, assim, ele fazia. Mas porque eu não passava pra ele, né?

Pesquisadora: Mas você entendia?

Mãe: Entendia. Eu fazia assim, por exemplo. Aí, eu comecei a falar assim. Começava a falar muito, né? Mas ele ficava totalmente perdido. Que nem um dia em que eu falei assim: "Fernando, apaga a luz". Aí, ele ficou assim pra mim... Aí eu tinha de dar uma referência. "Fernando, apaga a luz" [*apontando para a luz*]. "Pega o telefone" [*apontando para o telefone*]. Tipo, assim, eu fazia dessa forma pra ele. Que nem hoje, eu já falo: "Fernando, apaga a luz". Ele já vai, já apaga. Eu já não dou uma referência pra ele.

Pesquisadora: Qual era a melhor comunicação? A língua de sinais ou a língua oral?

Mãe: Que nem, eu acho assim, a língua de sinais, ela é boa nesse aspecto, assim. Eu usava língua de sinais, que nem uma frase em língua de sinais, ele pegava rapidinho, né? Os sinais. Que nem agora, como ele tá ouvindo, agora é mais lento do que os sinais pra falar, até porque você precisa falar muito, muito, muito, né? Com os sinais era mais cômodo. Ele pegava rapidinho os sinais, apesar de não ter usado muito. Porque, que nem agora, ele vai ter de falar: "Mãe, eu quero ir lá pra baixo", "Quero descer", "Quero brincar". Ele não fala, ainda: "Mamãe, quero brincar". Ele não fala ainda. Ele aponta que ele quer ir lá pra baixo. Ainda está fazendo uns sinaizinhos de apontar, assim. Mas ele está soltando bem mais sons. [...] A fono falou, tudo ele ouve. Mas tá lento ainda pra falar.

Vê-se, aqui, a diferença entre esses dois relatos. A mãe de Bianca considera a língua de sinais não uma comodidade, e sim uma necessidade, um direito. Necessidade que se reflete nas possibilidades de intercompreensão, de discursos que se dão na relação mãe-filho na/pela linguagem. Já a mãe de Fernando é muito clara na decisão para a vida do filho ("Eu não queria usar sinais a vida toda com o Fernando"). Na verdade, uma decisão dela própria, não da criança. O medo de que os sinais impedissem Fernando de adquirir a linguagem oral fez a mãe optar pelo oralismo. Mesmo sabendo que a língua de sinais oferece vantagens comunicativas, de compreender a criança e de ser compreendida por ela, a mãe decide parar de usar a língua. Como ela disse em vários momentos da entrevista, a língua de sinais é uma língua mais "cômoda" para a criança. É como se ele ficasse "preguiçoso" e não quisesse mais falar, já que é mais fácil e "cômodo" o sinal. Nesse caso, a aquisição de uma língua torna-se uma questão de comodidade ou de esforço. A aquisição da linguagem oral torna-se uma obrigação que deve ser atingida pelo empenho pessoal da criança. O que os pais não levam em conta é que, quando Fernando usa sinais, ele acaba por "demonstrar" qual é a única possibilidade de assumir o papel de interlocutor, de sujeito da linguagem. E esses sinais poderiam ser "atribuidores" de sentidos para a fala.

Fernando parou de fazer os sinais logo após a mãe, já que esta não os interpretava mais. Verifica-se, aqui, quanto o interlocutor tem um papel imprescindível na aquisição da linguagem. A ação mediadora da mãe, nos períodos iniciais de vida do filho, tem sido considerada de fundamental importância para se compreender tanto o desenvolvimento da linguagem quanto a construção do sujeito. Nas teorias sociointeracionistas de aquisição da linguagem, o "natural" é a própria relação entre a criança e o outro, visto como intérprete – doador de sentido a seus comportamentos (De Lemos, 1986). Quando a mãe para de atribuir sentido aos gestos de Fernando, não há mais motivo para fazê-los.

A mãe de Fernando, privilegiando a fala, afastou-se do bilinguismo, como se ele representasse apenas a língua de sinais. Contudo, Quadros, Curz e Pizzio (2012) compararam o desempenho de crianças bilíngues bimodais ouvintes (filhas de pais surdos) e crianças surdas usuárias de implante coclear (filhas de pais surdos e de pais ouvintes), com diferentes contextos de acesso à Língua Brasileira de Sinais (Libras), em tarefas que envolvem memória fonológica. Crianças surdas com acesso irrestrito à Libras que recebem implantes cocleares precocemente e realizam o acompanhamento fonoaudiológico podem apresentar desempenho muito semelhante ao das crianças ouvintes bilíngues bimodais; desempenho este que foi superior ao das crianças com pais ouvintes e que apresentavam acesso restrito à Libras. As autoras concluem, assim, que a aquisição precoce da língua de sinais pode ser um importante fator a ser considerado no desenvolvimento linguístico de crianças surdas que realizaram a cirurgia para a colocação do IC precocemente.

Os benefícios da língua de sinais para a aquisição da linguagem oral já têm sido apontados por alguns estudos (Karmmer, 2013; Humphries, 2014). O bilinguismo bimodal promoveria a possibilidade do desenvolvimento linguístico e cognitivo, considerando que o implante coclear nem sempre tem a efetividade desejada, ao mesmo tempo que o acesso à língua de sinais pode promover também o acesso à língua na modalidade oral, além de maior desenvolvimento cognitivo.

Ou seja, a mãe de Fernando, ao retirar a língua de sinais do filho, por preconceito, acaba por diminuir suas possibilidades de significação, impossibilitando-o de tornar-se bilíngue em duas modalidades diferentes: língua oral e língua de sinais.

BILINGUISMO OU COMUNICAÇÃO TOTAL?

Propõe-se a língua de sinais como primeira língua, mas, muitas vezes, a teoria não corresponde à prática. As duas línguas são utilizadas simultaneamente, assemelhando-se ao bimodalismo proposto pela comunicação total. Embora a proposta do bilinguismo procure distanciar-se da comunicação total, em muitos momentos ele é, de fato, confundido com ela, por um motivo ou outro. Para Lacerda (1996), apesar de o bilinguismo ser amplamente difundido no Brasil, as experiências com a educação bilíngue aqui ainda são restritas pela dificuldade tanto de considerar a língua de sinais uma língua quanto de encontrar profissionais e professores que saibam utilizá-la. Assim, ou as práticas são simplesmente oralistas, ou acabam por adotar informalmente a comunicação total.

Essa proposta surgiu na década de 1970, com o descontentamento em relação ao oralismo. A comunicação total não exclui recursos e técnicas para a estimulação auditiva – abrange a adaptação de aparelho de amplificação sonora individual, a leitura labial, a oralização, a leitura e a escrita. Há completa liberdade para usar qualquer estratégia que permita o resgate da comunicação. Seja por meio da linguagem oral, seja pela língua de sinais, seja pela datilologia, seja pela combinação desses modos, deve-se priorizar a comunicação. Seus programas estão interessados em aproximar pessoas e permitir contatos e, para tanto, pode-se utilizar qualquer recurso linguístico-comunicativo. Em suma, privilegia-se a interação entre os surdos e os ouvintes e não o aprendizado de uma língua (Ciccone, 1990).

Além da Língua Brasileira de Sinais, a comunicação total usa o alfabeto manual (representação manual das letras do alfabeto), o *cued speech* (sinais manuais que representam os sons da língua portuguesa), o português sinalizado (língua artificial que utiliza o léxico da língua de sinais com a estrutura sintática do português e alguns sinais inventados para representar estruturas gramaticais que não existem na língua de sinais) e o *pidgin* (simplificação da gramática de duas línguas em contato; no caso, o português e a língua de sinais). Alguns especialistas recomendam, ainda, o uso simultâneo da língua de modalidade oral e dos códigos manuais, o que é chamado de bimodalismo (Goldfeld, 1997).

No bimodalismo, a fala e a sinalização são praticadas ao mesmo tempo. O português sinalizado é um exemplo dessa abordagem. Apesar de vários trabalhos criticarem a estimulação simultânea, por acharem que a criança não é capaz de processar duas línguas completamente diferentes, o que se observa, na prática, é a utilização das duas línguas conjuntamente. Assim, a criança aprende que a palavra equivale ao sinal utilizado e, com isso, torna-se propensa a erros e produz frases incompreensíveis sempre que expressa os próprios "pensamentos" (Almeida, 2000).

A comunicação total permitiu o uso de sinais proibidos pelo oralismo. Os estudos sobre a comunicação total tinham como objetivo tornar acessível a gramática da língua falada pela visão, já que esta não poderia ser acessível pela audição (Geers e Schick, 1988; Mayberry, 1992). Assim, os surdos poderiam espontaneamente adquirir a gramática da língua falada pelo *Manually Coded English* (MCE). No entanto, as expectativas de que a comunicação total oferecesse os mecanismos para a aprendizagem da gramática foram frustradas. Os resultados indicam que a gramática do inglês não pode ser aprendida por meio de um módulo combinando fala e sinal. Muitos linguistas e educadores são contra o MCE porque ele é uma língua "artificial".

Goldfeld (1997) critica a comunicação total ressaltando que a língua de sinais não é utilizada de forma plena. Logo, não se leva em conta o fato de ela ser "natural" (ter surgido de forma espontânea na comunidade surda) e de carregar uma cultura própria. A criação de recursos artificiais para facilitar a comunicação e a educação dos surdos dificulta a comunicação entre aqueles que dominam códigos diferentes da língua de sinais. Brito (1993) também argumenta que a comunicação total vem a ser apenas uma visão oralista camuflada, e que o oralismo e a comunicação total representam a mesma visão do problema.

A comunicação total parece ser do tipo "vale tudo". Assim, não se questiona o papel da linguagem oral, tampouco o da língua de sinais nesse contexto. Criou-se uma língua "artificial" com o objetivo de ensinar a gramática da língua falada ao surdo, como se fosse um processo individual e não social. Como se pudesse ser "ensinada" como uma categoria sintática à parte das outras funções linguísticas. A ideia de que "o que vale é comunicar" acaba por prejudicar a conquista de uma matriz de significação que possa ser a base para a aquisição da linguagem e para o desenvolvimento cognitivo. Não se pode misturar a gramática de uma língua e criar sinais respectivos em outra apenas com fins "educacionais" (Santana, 2003).

Na verdade, toda essa discussão é ainda muito recente, tanto no âmbito linguístico quanto no educacional. A comunicação total, apesar de ser considerada uma abordagem que não considera a questão linguístico-cognitiva, ainda é muito usada. Algumas vezes, professores e fonoaudiólogos acreditam utilizar a abordagem bilíngue – na teoria – enquanto estão realizando a comunicação total – na prática. Outros já reconhecem bem essa diferença:

Dalva: Eu trabalho comunicação total porque surdo precisa viver nos dois mundos, porque só língua de sinais vive isolada. Bilinguismo é bom, mas prejudica muito a escrita. Por exemplo, na comunicação total: "Eu vou à casa da vovó". Bilinguismo: "Eu vovó casa". Futuramente, como ele vai conseguir escrever? Uma pessoa escreve "vou casa"? Bilinguismo é bom, mais rápido, mas no futuro... Eu prefiro trabalhar no começo uma base bem forte na comunicação total. É importante ver o crescimento. Por exemplo, se um aluno faz [*sinal de água*] só, eu não entendo [*finge que não entende*]. Só se falar "água". Ah! Não é bobagem o oral. Não está perdendo tempo. Eu acho que aprende primeiro a fala, depois o sinal. Primeiro a fala. É mais fácil.

Vê-se, aqui, que os objetivos da comunicação total são realmente a linguagem oral e a sua modalidade escrita. A língua de sinais acaba por distanciar a criança da estrutura da língua oral e, por isso, é vista como prejudicial. De modo geral, o que encontramos nos contextos interacionais do surdo são interlocutores (professores, pais e fonoaudiólogos) que utilizam a fala com a língua de sinais. Ao surdo, cabe colocar-se subjetivamente diante dessas situações, ou seja, fazer suas "escolhas linguísticas". Notemos o episódio a seguir:

Taís está com a fonoaudióloga. Elas olham um caderno em que há gravuras de ações. Esse caderno já foi usado outras vezes como estimulador da oralidade:

Fonoaudióloga: A menina faz o quê? [*Aponta para um caderno*]

Taís: A benina lafa a bão.

Fonoaudióloga: Lava a mão. A Taís [*aponta para a Taís*] lava a mão?

Taís: [*Faz "sim" com a cabeça*]

Fonoaudióloga: Lava?

Taís: [*Sinal de lavar a mão*] Aa [*sinal de sujo*], pa [*sinal de comer*], papá [*sinal de brincar*], papá [*sinal de lavar*], põpe [*sinal de comer*].

Fonoaudióloga: É? E você não vai falar?

Taís: [*Gesto com a cabeça de "o quê?"*]

Fonoaudióloga: Falar [*sinal de falar*] tudo isso [*gesto de tudo*]? Que a mamãe [*sinal de mamãe*] fala [*sinal de falar*] para lavar a mão [*sinal de lavar a mão*].

Taís: Mamã [*sinal de mamãe*] pa [*sinal de ir*] papa [*sinal de lavar*] ai on [*aponta para si*] [*sinal de levar*] baba ó [*sinal de voltar*] [*sinal de comer*] abotá.

Nesse episódio, vê-se que Taís comunica-se muito mais em língua de sinais do que pela fala. Em muitos momentos, utiliza as duas línguas simultaneamente. Ressalte-se que na escola essa prática era contínua. São as práticas sociais de linguagem que favorecem um ou outro tipo de aquisição. Nesse caso, parece prevalecer um uso bimodal. Quando Taís faz um comentário, ela o faz em língua de sinais, embora utilize algumas palavras da linguagem oral (abotá/almoçar). Mesmo tendo produzido um enunciado oralmente ("A benina lafa a bão"), sua descrição de uma figura do caderno não pode ser considerada uma produção espontânea, já que, em comentários posteriores, a criança não utiliza nenhuma das palavras que oralizou. A produção do enunciado inicial não pode deixar de ser tida como uma atividade estritamente metalinguística que deve ter sido memorizada no trabalho de evocação oral.

Muitos profissionais e pais usam sinais junto com a fala. O português sinalizado parece ser uma alternativa para garantir aos pais que a criança aprenda mais facilmente a língua portuguesa oral ou escrita. A oralidade continua sendo o objetivo imediato e principal dos pais. Então, cabe ao surdo esforçar-se para competir no mundo de ouvintes; cabe a ele saber falar, escrever e ler. Viver num mundo de linguagem oral, estudar e trabalhar faz essa linguagem ser não uma "opção", mas uma "contingência".

Pesquisadora: Cê espera, assim, o que da fala dela?

Mãe: Eu queria, assim, ó, eu sei que ela não vai ser uma ouvinte. Não sonho com isso. Não tenho essa esperança. Não tenho. Eu acho que disso a Bianca não precisa. Assim, eu quero assim, ó, por exemplo, que ela vai numa padaria pedir pão, ela saiba falar "pão". Assim, coisas simples. Mas não que ela venha contar pra mim, suponhamos, assim, de um namoradinho de quem ela tá gostando. Eu sei que ela vai contar pra mim em sinal. Porque é uma coisa de dentro dela. Mesma coisa que eu penso, assim, quando eu quero contar uma coisa pra minha melhor amiga. Eu quero contar do meu jeito, eu não quero ficar contando pra uma pessoa que ela vai ficar me corrigindo: "Ai, Sandra, fala assim... Mas não é assim que fala, usa direito o português", tipo assim. Não, eu quero contar pra uma amiga que do meu jeito que eu falar ela vai me entender. Eu quero soltar aquilo lá, aquela hora, e eu quero que a Bianca sinta isso, que ela venha contar do jeito dela. Porque eu sei que ela vai vir me contar assim. [...] Eu espero assim da fala dela, pra uma precisão, sabe? Pra quando ela chegar no médico, numa farmácia, que ela consiga expressar aquilo que ela quer de forma que o ouvinte entenda.

Se para alguns pais a fala parece ter um estatuto social, comunicacional, para outros a língua de sinais é considerada a língua do pensamento, a língua da criança, da constituição de sua subjetividade. É esse o papel que a língua de sinais tem para Bianca, evidenciado quando ela "conversa sozinha" em língua de sinais, quando ensina aos seus interlocutores ouvintes essa língua.

Os professores e amigos comunicam-se por fala e por sinais, e são todos interlocutores não proficientes. Mas são interlocutores que se predispuseram a aprender outra língua para melhorar a interação com uma criança surda. Contudo, nem sempre é possível ensinar a língua de sinais a outros interlocutores, como é o caso de Taís. Ela não pode ensinar a língua aos outros, já que a família proibiu o uso da *sua* língua. Assim, Taís fica isolada. A professora ressalta que ela tem conhecimento e precisa apenas associar som/imagem. Acredita-se, ali, que Taís ouve perfeitamente bem com o implante coclear: as dificuldades são de fala, mas não de audição. Entretanto, Taís não consegue ainda significar por meio da linguagem oral. Em detrimento dessas considerações, Taís continua a ser tratada como um ouvinte que não fala.

Ao contrário do que se pensa, a língua de sinais poderia facilitar a aquisição da linguagem oral para Taís. Lacerda e Mantelatto

(2000) ressaltam que é com base na língua de sinais que o fonoaudiólogo pode trabalhar com a aprendizagem do português, seja na modalidade oral ou na escrita. O trabalho na linguagem oral deve ser marcado por situações que privilegiem recursos visuais, questões dialógicas e interações, deixando de lado preocupações meramente articulatórias. O foco deve ser a aquisição da linguagem em sua amplitude, embora seja necessário, em algum momento, um trabalho proprioceptivo.

A linguagem oral, assim, seria favorecida pela língua de sinais, que serve de base para todo e qualquer desenvolvimento de linguagem da pessoa surda. Considerando a modalidade oral, a protetização bilateral adequada é desejada o mais precocemente possível, pois poderá propiciar o desenvolvimento da função auditiva e permitirá o uso de pistas auditivas associadas às visuais. Para as autoras:

> [...] o surdo não tem que falar – oferece-se a possibilidade para a aquisição do português. O fonoaudiólogo deve buscar, com o sujeito surdo, caminhos de acesso à língua de sinais, à língua do grupo majoritário ao qual ele pertence (na oralidade ou escrita). É preciso conhecer as peculiaridades linguísticas dos sujeitos surdos e respeitar seus modos de construção e apropriação de linguagem. (Lacerda e Mantelatto, 2000, p. 39)

Há também algumas semelhanças na proposta de aquisição da linguagem oral tanto no bilinguismo quanto no oralismo: prótese auditiva, trabalho proprioceptivo, utilização de recursos visuais. A diferença básica reside na mediação efetuada pela língua de sinais, no valor atribuído a essa língua, que favorece a construção de sentido do gesto articulatório, o que, de outra forma, poderia ser considerado apenas uma atividade de treino sem significado para a criança.

O trabalho com a família deve ser também prioritário. Os pais questionam-se se devem utilizar apenas a língua de sinais ou se podem falar. Afinal, "se quero que meu filho desenvolva a fala e o levo ao fonoaudiólogo, por que tenho de aprender Libras?" Não vamos conseguir impedir os pais de falarem com seus filhos na língua deles (Santana, Guarinello e Bergamo, 2013). Logo, eles devem ser orientados a entender a constituição do bilinguismo na família: os momentos em que são convocados a interpretar o mundo "auditivo", os momentos em que devem interagir por meio da língua de sinais, os momentos em que podem e devem utilizar a fala para propiciar a aquisição de L2 a seus filhos, oportunizar interações com o instrutor surdo para a aquisição da língua de sinais, para a inserção da criança na comunidade surda. Afinal, é muito importante que a criança seja inserida de forma efetiva nas duas línguas para que se torne efetivamente bilíngue.

Vejamos, abaixo, o relato da fonoaudióloga de uma das instituições de pesquisa sobre seu trabalho na abordagem bilíngue. No caso específico, do trabalho com a Bianca:

Fonoaudióloga: Como meu objetivo é a emissão oral e a leitura labial, eu sempre passo a atividade antes em língua de sinais, pra ver se ela compreendeu, e depois a gente inicia a brincadeira. Então, por exemplo, eu digo pra ela, dou as regras da brincadeira... Eu digo que vou sortear uma peça, vou só oralizar, e ela tem de me dizer o que eu tô oralizando. Depois a gente troca, ela que oraliza e eu tenho de entender o que ela tá oralizando. Mas, antes, as regras eu passo em língua de sinais pra ela. E, quando ela não compreende alguma coisa, normalmente ela tem preferência pelos sinais, então ela também pergunta em sinal.

Pesquisadora: Ela usa espontaneamente a língua oral?

Fonoaudióloga: Principalmente quando eu tô na terapia de fono, então ela usa a oralidade. Mas dizer que só oraliza, não. Ela usa muito os sinais. [...] Ela sabe que aquele momento é um momento de trabalho de oralidade. O que acontece muito, que eu percebo, eu não sei se outras pessoas já perceberam, é que as mães, quando precisam faltar, escolhem um dia que não tem fono. Foi atípico o fato de Bianca ter faltado ontem. Normalmente... amanhã, vai na fono, pra aprender a falar. Então, a Bianca tem consciência de tudo o que acontece, tudo ela sabe antes. [...] Ela já vem sabendo, e vem sabendo também que é o local onde ela vai oralizar, fazer leitura labial e tudo isso. [...] Quando ela tá com ouvinte, ela acaba privilegiando a oralidade. Não abandonando os sinais, mas, assim, não sei se ela acha que as pessoas vão entendê-la melhor pela oralidade, ela acaba usando a oralidade. Quando ela está com as crianças surdas, ou com os adolescentes, ela só usa sinal, ela não usa a língua oral. Ela faz muito bem essa distinção.

Este é o ponto principal da abordagem bilíngue no contexto da surdez: por meio da língua de sinais, fazer a criança compreender e ser compreendida em uma língua que ela possa falar, fazê-la participar das interações efetivamente – o que a linguagem oral não lhe permite. O que ocorre, muitas vezes, é que o surdo chega para atendimentos fonoaudiológicos sem nenhuma língua. Nesse caso, o fonoaudiólogo acaba atuando na aquisição das duas línguas simultaneamente, mesmo quando não é proficiente em língua de sinais (o que é bastante comum, acrescente-se).

Bianca, por exemplo, utiliza simultaneamente as duas línguas, é bilíngue/bimodal. Mas, quando está apenas com surdos, usa somente a língua de sinais. Em muitos momentos, foi observado o uso de gesto articulatório com os sinais. Não só Bianca procede assim, mas também outros surdos. Ou seja, há sempre o gesto articulatório permeando a oralidade, como pode ser observado no episódio abaixo:

Bianca está com 6 anos e 3 meses. Ela e a fonoaudióloga desenham figuras com tema de festa junina. Bianca pensa no desenho que vai fazer e relata:

Bianca: [*Sinal de roupa*]

Fonoaudióloga: Roupa? [*Faz gesto articulatório de roupa e espera Bianca desenhar*]

Bianca: [*Olha para a fonoaudióloga e fala apenas com gesto articulatório*] Faz o seu. [*E aponta para a fonoaudióloga*]

Fonoaudióloga: É diferente [*sinal de diferente*]. Eu [*sinal de eu*] vou fazer outro [*sinal de outro*].

O gesto articulatório já foi internalizado por Bianca. Isso foi favorecido pelo uso da língua de sinais, que exerceu o papel de mediadora para a construção do sentido da fala. Uma fala que é composta não apenas por palavras isoladas - como é comumentemente descrito na literatura sobre surdez –, mas de enunciados significativos para a criança ("Faz o seu"). Vale ressaltar que esses enunciados apresentam-se como blocos cristalizados (De Lemos, 1989), não analisáveis para a criança surda, como ocorre com a criança ouvinte no início do processo de aquisição. Ao compreender o sentido pela língua de sinais, o surdo passa a fazer uma "tradução" do significado do gesto articulatório do interlocutor, já que não é possível ouvir os sons da fala. E esses gestos, ganhando sentido, acabam por favorecer a aquisição da linguagem oral na surdez. O surdo passa, assim, de uma língua de modalidade visuomanual para uma língua de modalidade visuoverbal. Com certeza, para ele, é melhor compreender o sentido do gesto articulatório pela língua de sinais do que simplesmente observar os movimentos da boca.

O bilinguismo parece possibilitar uma significação diferente para o surdo. Os surdos participam de uma co-ocorrência de semioses verbais e não verbais, pois convivem com surdos e ouvintes. Essa inter-relação de semioses pode ser observada em seu discurso. Em muitos momentos, mesmo quando usam a língua de sinais, não deixam de produzir significados por meio dos gestos articulatórios, utilizando uma sobreposição de línguas:

> A instrutora de língua de sinais está contando uma história sobre festa junina e, após escrever na lousa os dias das festas (dia 29, São Pedro; dia 24, São João), lê para as crianças:
>
> **Íris:** [*Sinal de 29*] [*Gesto articulatório de 29*] [*Sinal de 24*] [*Gesto articulatório de 24*]

Quando Íris dá aula aos surdos, ela utiliza língua de sinais e gesto articulatório, correspondendo aqui à sua linguagem oral. Outro instrutor surdo que entrevistei comenta que já se acostumou a fazer gesto articulatório com a língua de sinais. Diz que sempre o fez. Observei que esses gestos ganham sonoridade quando há ouvintes. Quando não há, eles são produzidos quase sempre sem som.

Tanto Bianca quanto a instrutora de língua de sinais são filhas de pais ouvintes e ambas realizaram terapia fonoaudiológica. É importante ressaltar isso porque o mesmo poderia não ocorrer com surdos filhos de pais surdos que convivem em ambiente em que a oralidade não é tão "cobrada", mesmo fazendo parte de uma sociedade na qual o falar e o ouvir são cobrados como legítimos. Ao que parece, os sinais podem acompanhar a fala a partir do momento em que há a internalização das duas línguas. Isso porque esses gestos articulatórios, na maioria das vezes, são uma tradução simultânea da língua de sinais para a fala. É possível, também, que isso ocorra apenas com os surdos que foram oralizados.

De um lado oposto a esse, se pensarmos na oralidade dos ouvintes, percebemos que produzimos muitos gestos que acompanham a fala e estes são também culturalmente estabelecidos. Se tomarmos como exemplo o gesto de "tchau", esse quase sempre acompanha a fala, assim como o enunciado "Tudo bem?" é quase sempre acompanhado pelo gesto de estender a mão, ou virar o rosto para receber um beijo. Se não estivermos com as mãos ocupadas, usamos os gestos para intensificar a fala: gestos indicativos, gesto de chamar alguém, entre outros. Os gestos ganham mais importância nos momentos em que as emoções estão mais fortes (raiva, medo e felicidade). Nesse momento, eles significam tanto quanto a fala, embora não possam ser considerados como língua.

O que estou querendo ressaltar é que, se na oralidade nos servimos de gestos para complementar, enfatizar nosso enunciado, por que o surdo não poderia usar a oralidade para fazer o mesmo? Os gestos articulatórios poderiam servir de apoio à língua de sinais, como os gestos manuais servem de apoio à oralidade a depender das nossas interações. Esse bilinguismo bimodal, em que se utilizam as duas línguas conjuntamente, parece ser próprio da linguagem dos surdos filhos de pais ouvintes que utilizam Libras. Em muitos casos, a dificuldade de adquirir a linguagem oral, por fatores biológicos, e a língua de sinais, por fatores interativos, faz ser questionada a proposta de bilinguismo puro e proficiente em uma língua de modalidade oral e na língua de sinais.

Diferentemente do bilinguismo em duas línguas orais, em que não há possibilidade de falar as duas ao mesmo tempo – a não ser realizando uma mistura de "códigos", ora uma língua, ora outra –, na surdez, por serem línguas de canais sensoriomotores diferentes, isso é possível.

Embora a alternância entre as línguas seja também um fenômeno social, não podemos deixar de levar em conta que ela ocorre, muitas vezes, pelas dificuldades do surdo com a fala e pelas dificuldades do ouvinte com a língua de sinais. Em outras palavras, essa alternância pode ocorrer também em função da competência do falante diante de determinada língua.

Vejamos como Bianca, com 6 anos e 8 meses, usa as duas línguas na terapia fonoaudiológica:

Apontando para o dente, diz:

Bianca: Tá poli.

Fonoaudióloga: Tá mole?

Bianca: [*Pega a mão da fonoaudióloga e coloca no dente*]

Fonoaudióloga: Ai, ai, ai [*com expressão facial representando, com o exagero próprio a uma brincadeira, medo e nojo*]. E sua mãe... [*Toca em Bianca.*] Bianca, sua mãe guardou o dente? O dente?

Bianca: [*Responde fazendo leitura labial e balança a cabeça negando*]

Fonoaudióloga: Jogou?

Bianca: [*Sinal de jogou*]. A fata [*sinal de fada*] fa pecá [*sinal de pegar*] [*sinal de casa*] [*sinal de em cima*] tá [*sinal de dar*] [*sinal de presente*] [*sinal de eu*].

Fonoaudióloga: Sua mãe falou isso?

Bianca: [*Expressão facial como se perguntasse "o quê?"*]

Fonoaudióloga: Sua mãe que falou? Quem que vai pegar? [*sinal de pegar*]

Bianca: A fata [*sinal de fada*].

Fonoaudióloga: A fada? Ah! E vai te trazer um presente?

Bianca: Xá teu [*sinal de já*] [*sinal de deu*].

Fonoaudióloga: Já te deu?

Bianca: [*Confirma com a cabeça*]

Fonoaudióloga: O que foi?

Bianca: Um lifu [*sinal de livro*] pa cotá [*sinal de cortar*], pa colá [*sinal de colar*].

Fonoaudióloga: Um livro de cortar e colar! Hum... Que legal!

Bianca: Fotê [*aponta para a fonoaudióloga*] aíu [*sinal de caiu*] teti [*aponta para o dente*]?

Fonoaudióloga: Caiu...

Bianca: [*Aponta para a fonoaudióloga*]

Fonoaudióloga: Já. Todos, ó [*mostra os dentes*].

Bianca: Pa...

Fonoaudióloga: Só que nasceu [*sinal de nasceu*]... Nasceu [*sinal de nasceu*]? Esse é o sinal [*sinal*] de nascer [*sinal de nascer*]?

Bianca: [*Confirma com a cabeça*]

Fonoaudióloga: Torto, ó [*mostra o dedo torto junto ao dente*]. Tudo torto.

Bianca: Aíu [*sinal de cair*] ual [*sinal de qual*]?

Fonoaudióloga: Qual? Todos.

Bianca: [*Sinal de tudo*]

Fonoaudióloga: [*Confirma com a cabeça*] Ficou bonito... [*com entonação e expressão facial de ironia*]

Bianca: [*Faz "não" com a cabeça*]

Fonoaudióloga: O seu ficou bonito?

Bianca: [*Confirma com a cabeça*]

Fonoaudióloga: O meu também.

Bianca: [*Nega com a cabeça*]

Bianca interage com a fonoaudióloga por meio da língua de sinais e usa a fala. Por meio da leitura labial e da interpretação da expressão facial, é capaz de entender também as ironias da fonoaudióloga ("Ficou bonito", com entonação e expressão facial de ironia), assim como é capaz de usar enunciados da linguagem oral. A língua de sinais e a fala estão em muitos momentos juntas nos enunciados de Bianca. Contudo, não foi sempre assim. Durante a fase inicial de aquisição, observou-se que a língua de sinais sobrepunha-se à fala, embora a mãe da menina falasse e fizesse sinais ao mesmo tempo.

Parece que a falta de domínio da linguagem oral e o desejo de expressar seus pensamentos e sentimentos a fazem passar de uma língua para outra. O bilinguismo, nesse caso, não pode ser considerado um fator relacionado apenas à interação com os ouvintes, mas também ligado à competência que o surdo tem dessas línguas.

ESCRITA: UMA OPÇÃO BILÍNGUE

Muitos têm entendido a língua na modalidade escrita como segunda língua e proposto a não obrigatoriedade da fala aos surdos. A definição de segunda língua, no Brasil, nem sempre é clara, como já dito anteriormente. Em outros países, como nos Estados Unidos, há definição mais exata no que diz respeito à segunda língua do surdo.

Há situações em que a escrita parece ser definida como segunda língua apenas nos casos de surdos que passaram da idade crítica para aprender a linguagem oral e/ou têm dificuldade de adquiri-la. Lembremos que já houve época em que nada poderia ser feito em termos de oralidade por aqueles que têm surdez profunda: os que não conseguiam aprender a falar deveriam somente aprender a ler e a escrever. Ser bilíngue apenas na escrita, de certa forma, acaba por deflagrar uma "falha" na aquisição da oralidade ou na atitude dos pais em colocar seus filhos mais cedo na terapia fonoaudiológica. Propõe-se, assim, a escrita para o surdo em detrimento de sua dificuldade com a oralidade.

Nesse contexto, questiona-se: qual a relação entre a fala e a escrita? Pode-se aprender a escrita de uma língua sem falá-la? A língua de sinais poderia mediar a aprendizagem da língua portuguesa escrita? Vejamos com mais detalhes essas questões.

Na área dos estudos da surdez, autores como Fernandes têm defendido a aprendizagem da escrita para os surdos sem passar pela oralidade. Nas palavras da autora:

> No que se refere ao fato específico da aprendizagem da escrita, ou seja, do domínio de um código escrito que reproduza uma língua oral-auditiva em seu funcionamento, ouvir, algumas vezes, até "atrapalha": o que faz uma criança, nessa fase, perguntar se "beleza" se escreve com "s" ou com "z"? [...] Concluímos que este percurso é natural à criança de modo geral, surda ou ouvinte, e nada tem a ver com a presença ou ausência do som na fase de aprendizagem da escrita [...] a ausência do requisito "som" para o letramento das crianças surdas traz uma série de vantagens no aprendizado, a começar pelo prazer da descoberta do que é leitura, simplesmente desconhecendo o que seria ter de ultrapassar a barreira técnica de elaboração das construções sonoras das palavras [...] não é a consciência dos sons, em si mesmos, nem a forma como eles se combinam, os responsáveis pela aquisição da língua, mesmo para as crianças ouvintes. (Fernandes, 2003, p. 47)

Há uma ideia de que o surdo pode aprender a escrever e ler sem necessariamente falar, o que implica, portanto, uma concepção de independência entre a fala e a escrita. Entretanto, estudos recentes na área de linguística têm apontado uma relação que concebe mais semelhanças (linguísticas, cognitivas e tipológicas) que diferenças, baseadas no contexto situacional entre elas. Essa visão distancia-se da concepção dicotômica entre a oralidade e a escrita, que propõe esta como descontextualizada, explícita, condensada e elaborada; enquanto aquela seria contextualizada, implícita, fragmentada e pouco elaborada. Assim, indica-se que os textos escritos podem situar-se próximos ao polo da fala conversacional (bilhetes e cartas familiares, por exemplo), e os textos falados podem situar-se próximos ao polo da escrita formal (em conferências, entrevistas profissionais para cargos administrativos, entre outros) (Koch e Elias 2009; Marcuschi, 2001).

A fala e a escrita da língua fazem parte do mesmo sistema linguístico: o sistema da língua portuguesa. A escrita, tendo isomorfia, foi "inventada" para tentar representar a fala.[2] Isso não quer dizer que a escrita seja dependente da fala, mas que existe interdependência entre esses sistemas simbólicos.

Para Tfouni (1995), o processo de representação que o indivíduo deve dominar durante a aprendizagem da escrita não pode ser considerado linear (som/grafema). É muito mais complexo: vai desde o estágio de representação do som em grafemas (/s/ representado pelos grafemas ss, c, sc, xc) até o estágio de representação de um interlocutor ausente durante a produção de uma carta. É por isso que tem sido discutido o ensino da linguagem escrita completamente desvinculado da oralidade.

A interdependência entre esses sistemas tem sido apresentada em trabalhos sobre a aquisição da escrita em crianças ouvintes (Vygotsky, 1988; Smolka, 1993) e nas afasias (Santana, 2002). Nas afasias, encontram-se tanto alterações da linguagem oral quanto da linguagem escrita. Contudo, elas não se sobrepõem, demonstrando uma relação entre as modalidades da linguagem, mas não uma relação direta. Em outras palavras, essa relação não é de representação. As mesmas alterações da escrita não são as da fala. Não só a fala e a escrita estão afetadas de formas diferentes como as diferentes configurações da escrita também podem estar afetadas diferentemente.

Sobre essa relação na surdez, Brito (1992) afirma que, dada a função mediadora que desempenha nos processos de aquisição da escrita, é na linguagem de sinais que o surdo poderá apoiar-se para efetuar a leitura da palavra escrita. Reconhece-se que há a intermediação da "fala" no processo de aprendizagem da escrita. A "fala", para o surdo, seria a língua de sinais, importante na interpretação de textos, na criação de expectativas e na (re)criação do discurso escrito.

---

2. Numa perspectiva saussuriana acerca da relação entre a fala e a escrita, a única razão de ser da segunda é representar a primeira.

Brito conclui que, devido às diferenças estruturais entre fala e escrita, parece mais adequado tratá-las como duas línguas diferentes do ponto de vista formal. Do ponto de vista cognitivo, entretanto, elas não constituem sistemas inteiramente autônomos, posto que a aprendizagem eficaz da segunda pressupõe a aquisição do aprendiz da primeira.

Poderíamos ignorar a aquisição da linguagem oral para a aprendizagem da escrita? Em que bases neurolinguísticas essa proposição se sustentaria? A escrita do português oral é alfabética. Para Morais (1994, p. 78), "a chave que pode abrir a fechadura do código alfabético é a descoberta do fonema". Para o autor, é preciso aprender a associar as letras e a representação consciente de fonemas para aprender a ler. Aprender a utilizar um código alfabético é encontrar os correspondentes fonêmicos das letras. Relacionar grafema/fonema e atribuir sentido à palavra são formas de leitura. Mas haveria possibilidades de ler sem ser por essa correspondência, ou seja, sem mediação fonológica?

Na área de neuropsicologia cognitiva há propostas de modelos para o processamento da leitura e da escrita. Ellis (1992) aponta, por exemplo, um modelo de leitura que poderia ser efetuado de duas formas: com mediação fonológica ou apenas pelo *input* visual. Ele afirma que a leitura pode ser independente da fala em alguns aspectos, mas não em outros. Podemos reconhecer, por exemplo, uma palavra e atribuir-lhe sentido apenas pela memória visual. Seria dessa forma que os surdos aprenderiam a escrita do português. Dessa mesma forma, há muitos leitores em uma segunda língua que não sabem falá-la ou compreendê-la auditivamente. Ou seja, podemos ler em francês sem nunca chegar a falar a língua. Mas que tipo de leitor e escritor seríamos?

Em primeiro lugar, é importante considerar que, para ler ou escrever, é necessário ter uma língua para fazer a mediação. Lembro aqui que a escrita, no pressuposto vygotskyano, é um simbolismo de segunda ordem. Construímos seu significado por meio de uma explicação dada por alguém, de um dicionário ou mesmo pelo contexto. Na surdez, esse significado poderia ser transmitido pela língua de sinais. O surdo lê uma palavra escrita em português e atribui-lhe sentido pela língua de sinais. Há momentos em que ele não consegue compreender todas as palavras escritas, mas, como o leitor ouvinte, pode ler algumas palavras, deixar de ler outras e, com base nas que reconhece, atribuir um sentido ao texto.

A escrita dos surdos não pode ser mediada pela oralidade. Para Fernandes (2006), alfabetizar os surdos baseando-se na fala é um erro, considerando que, nesse caso, o primeiro contato sistematizado com a escrita não é significativo, já que não há como perceber o mecanismo da relação letra-som. Nesses casos, as crianças surdas começam a copiar o desenho de letras e palavras e simulam a aprendizagem, prática que se perpetua ao longo da vida escolar.

A autora apresenta um quadro sobre as implicações do processo de alfabetização para os alunos surdos quando eles são alfabetizados com base na oralidade (Fernandes, 2006, p. 7):

Procedimentos adotados na alfabetização	Implicações para a aprendizagem de alunos surdos
Parte-se do conhecimento prévio da criança sobre a língua portuguesa, explorando-se a oralidade: narrativas, piadas, parlendas, trava-línguas, rimas etc.	Não há conhecimento prévio internalizado; a criança não estrutura narrativas orais e desconhece o universo "folclórico" da oralidade.
O alfabeto é introduzido relacionando-se letras a palavras do universo da criança: nomes, objetos da sala de aula, brinquedos, frutas etc. Ex.: A da abelha, B da bola, O do ovo...	Impossibilidade de estabelecer relações letra x som; a criança desconhece o léxico (vocabulário) da língua portuguesa, já que, no ambiente familiar, sua comunicação se restringe a gestos naturais ou caseiros (na ausência da língua de sinais).
As sílabas iniciais ou finais das palavras são destacadas para a constituição da consciência fonológica e percepção de que a palavra tem uma reorganização interna.	A percepção de sílabas não ocorre, já que a palavra é percebida por suas propriedades visuais (ortográficas) e não auditivas.
A leitura é processada de forma linear e sintética (da parte para o todo); ao pronunciar sequências silábicas, a criança busca a relação entre as imagens acústicas internalizadas e as unidades de significado (palavras).	A leitura é processada de forma simultânea e analítica (do todo para o todo); a palavra é vista como uma unidade compacta; sem sentidos acústicos que lhes confiram significado, as palavras são memorizadas mecanicamente.

Com base nessas observações, vemos que há uma grande diferença entre a alfabetização dos surdos e a dos ouvintes. Quadros (1999) afirma que a escrita alfabética da língua portuguesa não serve para representar a significação com conceitos elaborados na Língua Brasileira de Sinais, já que um grafema, uma sílaba e uma palavra escrita no português não apresentam nenhuma analogia com um fonema, uma sílaba e uma palavra em Libras, mas com o português falado.

Para Quadros e Schmiedt (2006), no trabalho com a escrita da língua portuguesa não se deve partir da ideia de uma transferência de conhecimentos da primeira para a segunda língua, mas sim da ideia de um processo paralelo de aquisição e aprendizagem em que cada língua apresenta seus papéis e valores sociais representados. Sobre a aquisição da segunda língua por alunos surdos, as autoras levantam alguns aspectos que devem ser considerados (*op. cit.* p. 32-33):

a. o processamento cognitivo espacial especializado dos surdos;
b. o potencial das relações visuais estabelecidas pelos surdos;
c. a possibilidade de transferência da língua de sinais para o português;
d. as diferenças nas modalidades das línguas no processo educacional;
e. as diferenças dos papéis sociais e acadêmicos cumpridos por cada língua;
f. as diferenças entre as relações que a comunidade surda estabelece com a escrita, tendo em vista sua cultura;
g. um sistema de escrita alfabética diferente do sistema de escrita das línguas de sinais;
h. a existência do alfabeto manual que representa uma relação visual com as letras usadas na escrita do português.

Padden (1998) acredita que, se nos ouvintes a aprendizagem da escrita se dá pela fala, nas crianças surdas o uso de soletração na análise ortográfica do inglês demonstra que o processo de aquisição não é fonêmico, mas ocorre pela aprendizagem de regras posicionais grafêmicas. Os erros observados nas construções de palavras demonstram que as tentativas de escrever envolvem transposição de letras, omissões e substituições. Essas tentativas resultaram em palavras que não se assemelham na pronúncia, mas na escrita, e são analisadas em dois níveis: identidade de letras (*ganne* por *green*) e posição de letras (*alppe* por *apple*). Ocorrem mais transposições e substituições que omissões. Essas análises apontam que as crianças não realizam sequências impossíveis nas estruturas ortográficas e mostram seu conhecimento da regularidade morfológica na escrita. Quando elas descobrem o princípio alfabético, fazem conexão entre o alfabeto digital e a escrita. Assim, o alfabeto digital continua mediando a escrita por anos. Um fato interessante que o autor comenta é que, quando a criança começa a escrever, ela cria representações icônicas para as letras baseando-se em sinais. Elas conhecem as letras do alfabeto, mas querem representar a forma do alfabeto digital na página escrita. Só depois elas percebem que o sistema tem outras propriedades e regularidades posicionais e grafêmicas.

Peixoto (2006), estudando as interfaces entre a Libras e o português escrito, afirma que a diferença é que a língua de sinais constitui um apoio, um lugar de reflexão e de atribuição de sentido ao texto escrito, no qual a palavra escrita é o resultado de um diálogo entre os elementos e as características dos dois sistemas da língua. Parte-se de um sinal para chegar a uma palavra, o que faz a criança buscar significantes nessa língua para chegar à escrita. A autora levanta os pontos em comum entre as duas línguas: o alfabeto digital e os empréstimos linguísticos que existem na Libras. O sinal é formado conforme a primeira letra da palavra, como no caso de "azul". É por isso que a criança surda, ao imaginar a grafia de uma palavra que nunca viu escrita, aproxima essa escrita do sinal que corresponde à palavra. Por exemplo, para a palavra "depende", que tem um sinal parecido com a palavra "desculpe", escreve "IES" para a primeira palavra e "IESON" para a segunda. Para a autora, a criança analisa o significante sinalizado, estabelecendo relações com o significante escrito e buscando elementos comuns entre eles, distanciando-se, assim, das relações entre o que se fala e o que se escreve.

A língua de sinais tem uma estrutura diferente da do português; não é fonêmica, como a oral, nem alfabética, como a escrita. Ou seja, "bola", tanto na língua de sinais quanto na fala ou na escrita do surdo, pode representar um "bloco cristalizado" e não [(b+o=bo) + (l+a=la)]. A segmentação das palavras orais ou escritas para o surdo não tem significado. O conjunto e o contexto são mais importantes. A memória visual da palavra pode ser depois evocada no momento da produção de um texto escrito. A segmentação da escrita, a correspondência fonema/grafema, torna-se uma questão de memória visual e não auditiva.

Pereira e Rocco (2009) descrevem em seu estudo processos observados nas produções escritas iniciais de crianças surdas mediadas pela língua de sinais:

1. Uso das letras do próprio nome: o uso das letras do próprio nome caracteriza as primeiras tentativas de escrita também nos dados de crianças ouvintes.
2. Uso de fragmentos de palavras: o aluno escreve fragmentos da palavra pretendida e insere outras letras que não compõem a palavra. Por exemplo, para escrever "nós fomos visitar o museu OCA" a criança escreve "eso fom vie ums côa".
3. Uso de palavras que já sabe escrever: há uma repetição no texto de palavras que ela acredita que já "sabe" escrever, por exemplo, "FIOJVAO" para "feijão".
4. Escrita na ordem da língua de sinais (eu fui mamãe voar).
5. Organização das palavras, formando um texto: por exemplo, ao ser solicitada que escrevesse sobre aquilo de que gosta na escola, uma criança dispõe as ideias uma abaixo da outra, o que resulta no formato de um texto, ainda que, em algumas linhas, só apareça uma palavra.

Para as autoras, uma comparação com dados sobre aquisição da escrita por crianças ouvintes revela muita semelhança no início do processo de aquisição da escrita, embora os resultados sejam diferentes e decorram, sobretudo, do fato de as crianças surdas terem acesso à escrita pela visão. Além disso, por não contarem com a língua portuguesa na modalidade oral, o processo de aquisição da escrita apresenta diferenças em relação ao da criança ouvinte, tanto no ritmo como no percurso em direção à escrita convencional. A língua de sinais é importante para a aprendizagem da linguagem escrita porque permite uma mediação entre elas. Para discutir essa questão, vejamos episódios de escrita, retirados de Guarinello (2004), de dois adolescentes surdos: Miguel e Uriel.

Miguel comunica-se, preferencialmente, por meio da língua oral, faz leitura orofacial e, desde pequeno, teve atendimento fonoaudiológico para desenvolver a fala. Há apenas dois anos teve o primeiro contato com a língua de sinais. Na época da coleta desse dado, ele tinha 13 anos e cursava o sexto ano:

Miguel havia lido o livro *Patinho feio* com a sua fonoaudióloga. Logo após, seguindo a ordem das figuras, escreveu sobre sua leitura. As palavras em negrito referem-se às que foram escritas com a ajuda do interlocutor. Os surdos perguntaram como essas palavras eram escritas por meio da língua de sinais:

Escrita 1

Porque o Patinho Feio.

Pata mãe é triste cuidava o patinho e triste porque ele **r**ir porque o patinho feio.

coitado o patinho é o pobre muita fome.

O patinho é **sozinho** ficou cansado, com fome e com medo e o **d**ormiu.

O pato selvagem é brincavam alegria.

O pato medo **fugiu** é sozinho o patinho.

O patinho comeu peixe depois cresce forte.

O Cisne veio encontrou e o cisne amigo.
O Cisne viu o água diverente o Pato.
(Guarinello, 2004, p. 161)

Uriel comunica-se basicamente por meio da Libras, embora tenha recebido atendimento fonoaudiológico desde criança para desenvolver a fala. Na época da coleta desse dado, ele tinha 14 anos e fazia o oitavo ano:

Uriel escreve, após contar para sua terapeuta, em língua de sinais, um roubo ocorrido no apartamento de sua irmã.

Escrita 2

Um **Acontecer**, minha irmã apartamento, o **ladrão** pega um ferro **forçar**, a porta quebr**ou** abril,
ele pulo na dentro casa andou viu todos cosia,
ele robrou TV. Radio, CD 70.
Karina e Terezinha chegou para apartamento,
elas viu subiu TV, rádio, CD 70,
ela ficou chora, chora, a Terezinha ficou **nervosa**.
Ela falou para namorada também eu.
(Guarinello, 2004, p. 175)

Nos episódios de escrita acima, vemos que há mais semelhanças que diferenças na escrita dos dois sujeitos, embora um tenha mais proficiência em língua de sinais e o outro utilize mais a linguagem oral. Há também diferenças no tipo de texto, um relato de uma história (seguindo as gravuras) e um relato pessoal, embora ambas sejam narrativas. Poderíamos dizer, de forma geral, que as dificuldades atingem todos os níveis da linguagem, apesar de o aspecto sintático ser o mais evidente (dificuldades com o uso de conectivos, morfologia verbal e nominal, uso de preposições etc., comuns aos falantes de L2 quando iniciam a escrita da segunda língua).

Encontramos, nessa temática, três grandes mitos: 1) supor que a língua de sinais pouco ajuda na aquisição do português escrito, já que a escrita é a da língua portuguesa oral e não da língua de sinais: toma-se aqui uma relação de independência entre a língua oral e a língua de sinais; 2) supor que basta adquirir a língua de sinais para que o surdo consiga escrever bem: toma-se aqui também uma relação direta entre língua de sinais e escrita; 3) supor que, para adquirir a língua escrita, o surdo deve adquirir antes a linguagem oral: toma-se aqui uma relação direta entre oralidade e escrita.

O primeiro ponto importante é, justamente, entender o papel da língua de sinais e mesmo da oralidade na aquisição do português escrito. A língua de sinais não pode ser compreendida como tendo uma relação direta com a língua escrita. Ela é, evidentemente, importantíssima para a escrita e a leitura, porque pode ser a mediadora e porque exerce o papel de língua do pensamento, língua estruturante da cognição, nos termos de Vygotsky. Ela permite ao surdo "entrar na linguagem escrita" por outros caminhos, diferentes dos ouvintes. As hipóteses que o surdo constrói para a escrita são, assim, de outra ordem, por isso os "erros" são de natureza visual (*carra* por *carro*) e categorial (*colacar para carro* por *colocar no carro*). Por sua vez, temos aqueles que acreditam que basta adquirir a língua de sinais para que o surdo possa escrever bem, como se essa relação também fosse direta e não se tratasse de duas línguas de modalidades e estruturas diferentes e das práticas de letramento do surdo com a linguagem escrita.

Com relação a ter de adquirir a fala para poder escrever melhor, sabe-se também que essa afirmação é um equívoco. Não há, nem nos ouvintes, uma relação direta entre falar bem e escrever bem. Na surdez, a relação da escrita com a oralidade também não é direta, pois os surdos não se baseiam na fala para adquirir a escrita. É claro que não podemos deixar de considerar que os surdos estão imersos em uma sociedade oral e são, pela oralidade, afetados. Porém, isso não significa que a fala seja pré-requisito para a escrita.

Ou seja, falar melhor ou ter tido anos de terapia para desenvolver a fala não faz o surdo realizar hipóteses fonéticas para a língua escrita. Embora não saibamos ainda o real papel da oralidade para a escrita do surdo, do que se tem conhecimento, até agora, é que tal escrita não se baseia na oralidade e que a língua de sinais articula e permite a reflexão, participando ativamente da atividade metalinguística realizada.

Para Guarinello (2007), o surdo é capaz de escrever e aproximar seu texto do português padrão, desde que lhe sejam dadas oportunidades de interagir com a escrita por meio de atividades significativas e que haja um trabalho de parceria e atribuição de sentidos pelo leitor. Assim, o processo de aquisição da linguagem escrita baseia-se na interação com o outro, e nessa parceria reconstroem-se os sentidos dos textos.

Desse modo, precisamos entender a escrita do surdo sem compará-la com a do ouvinte. A língua de sinais, por ter uma estrutura diferente, faz a escrita da língua portuguesa ser realizada preferencialmente com palavras de classe aberta, como ocorre na estrutura da língua de sinais. E é com base nessa língua que sua linguagem interna "organizaria" a escrita.

Se a escrita do português é significada a partir da língua de sinais, deve-se também, a partir da língua de sinais, promover práticas de letramento. Quadros e Schmiedt (2006) ressaltam que o letramento nas crianças surdas, como processo, só faz sentido se significado por meio da língua de sinais brasileira, a língua usada na escola para aquisição das línguas, para aprender por meio dessa língua e para aprender sobre as línguas. Para as autoras, deve ser considerada a inexistência de letramento na primeira língua. Nesse sentido, os surdos não são letrados na sua língua quando se deparam com o português escrito.

Letramento, segundo Soares (1998; 2003), é a condição de quem lê e escreve ou, em outras palavras, o estado ou a condição de quem responde adequadamente às demandas sociais pelo uso amplo e diferenciado da leitura e da escrita. Enquanto a relação entre alfabetismo e escolarização é intrínseca, já que é na escola que se ensina e aprende a tecnologia da escrita, o vínculo entre letramento e escolarização vai além da escola e envolve um caráter social.

No processo de aquisição de L2 pelo surdo devemos considerar o letramento e, mais especificamente, os Letramentos Múltiplos como ponto de partida. De acordo com Rojo (2010), esse conceito leva em conta a questão das multissemioses ou multimodalidades das mídias digitais, a multiplicidade de práticas de letramento que circulam em diferentes esferas da sociedade e a multiculturalidade (o fato de que diferentes culturas locais vivem essa prática de maneira diferente).

Rojo (2013) também ressalta que a multimodalidade não tem sido descrita nos trabalhos sobre multissemioses que envolvem as múltiplas modalidades de linguagem (pintura, fotografia, cinema, vídeo, dança), considerando aqui que há uma extensão entre diferentes semioses e o conceito de modalidade da língua (oral e escrita). No contexto da surdez, acrescento também a língua de sinais. Ressaltem-se aqui os livros e demais portadores de textos que se encontram na internet editados em Língua Brasileira de Sinais. Como exemplos, podemos citar os livros de literatura infantil e juvenil, tais como *O gato de botas*, *Aladim*, *As aventuras de Pinóquio*, *Alice no país das maravilhas*, *Perter Pan*, *O caso da vara*, *O alienista*, entre outros já publicados por editoras brasileiras.

Ou seja, a concepção de múltiplos letramentos vai ao encontro das especificidades da surdez: língua de sinais, cultura surda, práticas visuais, mídias digitais. Na escola, para que se possa realmente efetivar essa proposta, é importante que se considerem dois conceitos (Rojo, 2010): gêneros discursivos e esferas de atividades e circulação de discursos.

Os gêneros discursivos seriam enunciados relativamente estáveis, elaborados pelas mais diversas esferas da atividade humana (Bakhtin, 2003). Eles não se definem por sua forma, mas por sua função. As práticas discursivas envolvem vários tipos de gêneros:

carta, lista de compras, cardápio de restaurante, piada, bate-papo por computador, aula virtual, resenha, bula de remédio, catálogo telefônico, folhetos, jornais, contas, letras de música, bíblia, dicionários, calendários, álbum de fotografias, mapas, manuais de instrução, receitas, agenda, planilhas, dentre outros.

Os diversos gêneros do discurso circulam na vida cotidiana, nas diferentes esferas de atividades (doméstica, familiar, do trabalho, escolar, jornalística, publicitária, religiosa, artística etc.), em diferentes posições sociais, em gêneros variados, mídias diversas e culturas diferentes.

De acordo com Santana e Carneiro (2012, p. 62-63), há aspectos, a partir de uma concepção de múltiplos letramentos, que são importantes para que se possa levar em conta as estratégias na aquisição do português escrito pelos surdos:

a. Práticas de letramento mediadas pela aquisição da primeira língua, a língua de sinais. Letramento em língua de sinais e em português escrito. Caso o surdo seja oralizado, isso não modifica a necessidade das práticas de letramentos. Desde o momento em que a criança nasce em uma sociedade letrada, todos os significados dos letramentos e os portadores de textos devem fazer parte das interações dela.
b. A leitura de vários gêneros discursivos deve ser ponto premente nas interações dos surdos. Os fatores que contribuem para a interpretação de um texto devem ser objeto de ensino/aprendizagem: a autoria, o gênero discursivo e sua veiculação, o título.
c. A produção escrita deve levar em conta a possibilidade do sujeito de ser autor e produzir os diferentes gêneros discursivos. Para isso, deve-se considerar que: a) se tenha o que dizer; b) se tenha uma razão para dizer o que se tem a dizer; c) se tenha para quem dizer o que se tem a dizer; d) o locutor se constitua como tal, enquanto sujeito que diz o que diz para quem diz [...]; e) se escolham as estratégias para realizar (a), (b), (c), (d) (Geraldi, 1995, p.137).

d. O texto escrito deve ser analisado levando-se em conta o surdo como um falante de segunda língua, que produz sentidos e, com base em sua língua materna, tenta construir coerência baseado em conhecimentos prévios e na atribuição de sentidos que pretende. Nesse caso, coerência e progressão tópica devem ser elementos-guia para as análises de coesão e progressão referencial.
e. As práticas de letramentos multissemióticos devem ampliar a noção de letramento para o campo da imagem, das outras semioses que não somente a escrita: cores, imagens, *design*, tudo que está disponível na tela do computador e que ultrapassa o letramento tradicional (letra/livro) (Rojo, 2010). Assim, os textos em língua de sinais e linguagem visual devem/podem acompanhar todo o processo de letramento do surdo, considerando que a construção de sentidos do texto também leva em conta os aspectos visuais de desenhos, gráficos, figuras.
f. Os aspectos socioculturais devem estar diretamente relacionados às práticas discursivas: a interpretação do mundo visualmente confere ao surdo especificidades linguísticas, cognitivas e sociais. Para citar apenas um exemplo, temos as piadas dos surdos das quais a maioria dos ouvintes "não ri". Ou seja, ao trabalhar com o gênero piada, deve-se vincular às práticas sociais dos surdos.

Deve-se trabalhar com textos que façam parte de práticas efetivas da escrita e de significações visuais, que vão além de letra/livro. Quando os surdos não são proficientes em língua de sinais nem em língua portuguesa oral, a compreensão das práticas de leitura e escrita fica sem significado.

Para ilustrar essa questão vejamos o texto produzido por DF, 21 anos, aluna do curso pré-vestibular com uma história de aprovação na escola regular sem, contudo, compreender os conteúdos escolares. Comunica-se por meio da língua portuguesa (fala e leitura labial) e tem ainda pouco conhecimento em Libras. Quando lhe foi perguntado se ela sabia o que era um bilhete, ela respondeu oralmente: "A bilhete aquela pequenino papel?" Foi explicado e exemplificado o que significa bilhete e sugerido que ela fizesse essa produção para a mãe, em uma situação hipotética, mas já vivenciada por ela, dizendo que iria dormir na casa de uma amiga, porque iria a uma festa. Ela começou com o nome da investigadora e não da mãe. Foi explicado novamente e ela começou com o nome da mãe (Santana e Caneiro, 2012, p. 68-69).

Matilde,

A Minha mãe hoje me ajudar pra limpar arrumando na cozinha, lava-louça e varrer, daí depois pegar o ônibus do Prado, outro pegar os ônibus UFSC, tô esperando aqui na hospital universidade.

Analisando a escrita de DF com base na análise do gênero e da função social da escrita, vê-se que, apesar da escrita correta das palavras, DF não domina a sua função. Ela tem dificuldade na estruturação do texto: nomear o destinatário, assinar o bilhete, inserir data, agradecimento ou saudação. Para ela, bilhete parece ser um texto de tamanho pequeno, que ela escreve em forma de narrativa pessoal, mas sem objetivo específico para o interlocutor. Sua interpretação sobre o que deveria escrever foi realizada pela única palavra que ela pareceu entender do discurso da investigadora: "mãe". DF é um dos casos em que o aluno surdo foi aprovado na escola, sem ter acesso aos conteúdos de forma efetiva. Foi uma "copista" durante muito tempo de sua vida escolar (Santana e Carneiro, 2012).

Vemos, assim, que escrever e ler estão relacionados não só com a mediação da escrita por meio da língua de sinais, mas com as práticas de leitura e escrita dos sujeitos. Caso contrário, não teríamos ouvintes com dificuldades de aquisição de escrita. Esse fator deve ser considerado nas discussões da área de educação para que se possa proporcionar ao surdo contato com diferentes gêneros discursivos. Ou seja, proporcionar, ao máximo, a "imersão" do sujeito na linguagem, a fim de diminuir suas dificuldades linguísticas e assimilar a estrutura textual, interativa e gramatical (não só semântica) da língua portuguesa.

CONSIDERAÇÕES FINAIS

A abordagem educacional/terapêutica bilíngue prioriza a aquisição da língua de sinais, língua que "teoricamente" os surdos teriam condições de adquirir de forma proficiente. Contudo, a discussão sobre o bilinguismo como método terapêutico e educacional sobrepõe-se à discussão sobre o funcionamento da(s) língua(s). Ou seja, trata-se o bilinguismo como se esse fosse um método capaz de garantir as interações dos surdos com as duas línguas. Mas o uso da linguagem transcende as instituições. Não é algo individual, e sim social. Assim, não há garantias sobre os usos da língua, sobre a proficiência de seus interlocutores, sobre a relação de cada sujeito com essa(s) língua(s).

Ao levar em conta essas questões, vê-se que o bilinguismo pleno em duas línguas na surdez é, de certa forma, uma ilusão. Pregam-se os usos da língua – primeiro a de sinais e, depois, a de modalidade oral e/ou escrita – como se essa hierarquia pudesse ser definida *a priori* pelo instrutor surdo, pela fonoaudióloga ou pelos pais. Pouco se discute a respeito da influência de uma língua sobre outra e dos motivos pelos quais esse hibridismo ocorre.

A alternância de língua é relatada nos estudos bilíngues de duas línguas orais. Nesse caso, há a mistura não por desconhecimento de uma língua, e sim por fatores sociais, comunicacionais e estilísticos, singular ao bilinguismo bimodal. Na surdez, a superposição de línguas parece que também está relacionada com as dificuldades do surdo na linguagem oral, a que ele não domina. Ao mesmo tempo que revela a sua "incompetência" em ser um falante proficiente de uma língua de modalidade oral, revela seu trabalho linguístico sobre uma língua que não ouve (como já discutido no capítulo anterior). A dificuldade de significar nessa língua o faz produzir semioses co-ocorrentes, procurando fazer-se entender de várias maneiras em sua interação com ouvintes.

Há, ainda, profissionais que entendem o bilinguismo na surdez de modo bem genérico: basta que se produza um enunciado para que seja bilíngue, basta que se decodifiquem os grafemas para saber ler. Acredito que mais importante que definir esse estatuto segundo a quantidade de enunciados produzidos é analisar como o sujeito se comporta em suas interações com surdos e ouvintes e a relação que ele faz entre as línguas. Sendo assim, o bilíngue na surdez não precisaria ser proficiente nas duas línguas, mas deveria ser capaz de sair-se discursivamente "bem" em suas interações com diferentes interlocutores (surdos e ouvintes, familiares e estranhos). Essa concepção de bilinguismo já tem sido amplamente discutida no campo dos estudos sociolinguísticos e aplicados, levando em conta, principalmente, os aspectos pragmáticos-discursivos.

A defesa da modalidade escrita da língua portuguesa como segunda língua do surdo ocorre mais na teoria que na prática. Embora a abordagem bilíngue tente afastar o surdo da pressão para falar, ao mesmo tempo que procura possibilitar a proficiência na língua escrita, na prática as escolas e mesmo a universidade (Soares, 2012; Santos, 2012) ainda não estão preparadas para receber alunos surdos, e os professores acabam cobrando deles uma fala e uma escrita no modelo ouvinte. Entende-se, assim, uma relação direta entre falar e escrever bem. Por outro lado, há a ilusão de que basta haver mediações em língua de sinais para que o surdo consiga dominar a escrita da língua portuguesa. De uma maneira ou de outra, a escrita parece, portanto, ser reduzida a seu caráter mecânico de língua visuomanual, uma transposição ora da língua de sinais, ora da fala. Há, entre a escrita, a fala e a língua de sinais, uma inter-relação cognitiva, social, linguística, embora essa não seja direta nem de representação – que ainda está por ser mais bem analisada. Além disso, para que se adquira a modalidade escrita de uma língua, é necessário que o sujeito esteja imerso em práticas efetivas de leitura e escrita. Dessa forma, o ensino do português escrito deve aproximar-se de uma concepção de linguagem como prática social. Isso implica uma concepção de texto como interação e uma prática baseada na concepção de múltiplos letramentos.

Parte III
Caleidoscópio

6.
Das relações entre cognição e linguagem

> *Eu não tinha língua. Como pude me construir? Como compreendia as coisas? Pensava? Seguramente. Mas em quê? Em minha fúria de me comunicar. Naquela sensação de estar aprisionada atrás de uma enorme porta que não podia abrir para me fazer entender pelos outros. [...] Até os sete anos, nada de palavras, nenhuma frase na minha cabeça. Imagens somente.*
>
> Emanuelle Laborit (1994, p. 22)

De modo geral, podemos dizer que a relação entre linguagem e cognição pode ser discutida com base em duas ideias: a linguagem e a cognição são processos independentes; e as duas são processos inter-relacionados.

Há autores, como Piaget, que consideram a linguagem parcialmente relacionada com a cognição. Elas teriam origens distintas. O desenvolvimento linguístico dar-se-ia com o desenvolvimento da função simbólica, mas esta depende de processos cognitivos já adquiridos. A criança passaria, assim, de uma etapa sensoriomotora, na qual a ação é a principal característica, para uma etapa pré-operacional, na qual determinados esquemas mentais, já adquiridos na primeira etapa, favoreceriam a aquisição da linguagem (Zorzi, 1994).

Piaget (1999) estabelece um papel importante para a linguagem, capaz de favorecer o aparecimento do pensamento operacional. Para o autor, graças à linguagem, a criança torna-se capaz de evocar situações passadas e de se libertar do espaço próximo e do presente. Por essa razão, tende-se a acreditar que a linguagem é a fonte do pensamento. No entanto, para Piaget, o pensamento precede a linguagem e ela o transforma profundamente, ajudando-o a atingir suas formas de equilíbrio por meio de esquematização mais desenvolvida e de abstração mais móvel.

A inteligência, para o autor, é a soma total das estruturas cognitivas. O pensamento seria o resultado da inteligência operacional. Nesse período é que a linguagem se torna mais importante para o pensamento, embora ela não seja um fator que o determine. Isso porque a origem do pensamento lógico não se encontra na linguagem, mas nas ações sensoriomotoras da criança.

Piaget reconhece que a linguagem aumenta os "poderes" do pensamento, amplia e aprofunda a capacidade de compreensão, mas não está diretamente relacionada com o desenvolvimento da inteligência. A linguagem das crianças não reflete o conhecimento que elas têm do real e, portanto, pode haver uma defasagem entre o saber e a comunicação. Ou seja, a falta de facilidade com a linguagem não pode ser automaticamente considerada um déficit no conhecimento, embora isso possa vir acompanhado por um déficit de linguagem. A linguagem verbalizada é apenas uma das formas de comunicação do pensamento. A construção da inteligência seria, assim, anterior, apresentando-se inclusive como condição à aquisição da linguagem (Machado, 1996).

Para essa teoria, haveria atraso no desenvolvimento cognitivo em surdos decorrente da falta de experiências comunicativas da criança e não porque a linguagem seria essencial para o pensamento (pelo menos nos estágios iniciais). Pesquisas de Fürth e Youniss (*apud* Reis, 1997) apresentaram evidências de que, nos casos de surdez, as crianças poderiam atingir o estágio operatório concreto e o adolescente chegaria a dominar pelo menos algumas esferas do pensamento operatório formal. O pensamento poderia, assim, desenvolver-se independentemente da linguagem até o estágio operatório concreto, e parcialmente até o operatório formal. Neste, a linguagem seria um instrumento importante. Outros autores, como Zamorano (*apud* Reis, 1997), realizaram pesquisa com adolescentes surdos com idade entre 11 e 18 anos e concluíram que, em tarefas de seriação e classificação, o desempenho desses sujeitos enquadrava-se no nível operatório, porém era acompanhado de verbalização pertinente ao nível pré-operatório. Já em provas de conservação, os sujeitos permaneceram nos níveis intermediários. Este último resultado foi atribuído aos reduzidos recursos de linguagem do sujeito para afirmar a conservação, o que ficava evidenciado pela circunscrição das respostas verbais em relação às dimensões perceptíveis da situação.

Essas considerações sobre a surdez demonstram que, na perspectiva dessa abordagem teórica, a linguagem é necessária apenas para um pensamento mais abstrato. É por isso que Piaget ressalta a importância dela para a inteligência operacional. Antes dela, a linguagem não é imprescindível.

Dessa forma, vê-se que, embora Piaget tenha estabelecido uma relação entre pensamento e linguagem, para o autor a linguagem tem basicamente duas funções: comunicar o pensamento e representar o mundo. Piaget não nega a importância dela para o pensamento, mas sua importância está diretamente relacionada à sua instrumentalidade. Essa concepção tem sido criticada por vários autores (Scarpa, 2001; Pereira de Castro, 1996; Franchi, 1992). A linguagem serviria para a transmissão de ideias ou, apenas, no sentido operacional. Ou seja, ela não modifica a cognição, assim como a aprendizagem não modifica o desenvolvimento cognitivo; é este que precede toda a evolução do pensamento e da linguagem na criança. É por isso que os processos metalinguísticos (compreensão de piadas, produção de discursos argumentativos, adivinhas) são considerados, pelos autores piagetianos, da ordem da cognição e não da linguagem.

Vygotsky (2000) deu um peso epistemológico diferente à linguagem, como mediadora e constitutiva dos processos cognitivos. Embora o pensamento e a linguagem tenham origens genéticas distintas, eles se inter-relacionam durante a formação dos primeiros significados das palavras. Após a aquisição da linguagem, há mudanças nas operações mentais em função do uso de signos.

Sobre os surdos, Vygotsky (1995) comenta que, devido à ausência da fala, há falta de estímulo para a formação dos pseudoconceitos. Nesse caso, a mímica e a leitura labial podem auxiliar. Há dificuldades na formação dos conceitos, pois essas crianças são privadas da comunicação verbal com adultos e livres para determinar quais objetos devem ser agrupados sob um mesmo nome.

Há mudanças significativas quando o indivíduo começa a dominar a língua, pois esta apresenta duas funções de uso que são paralelas: a função social e a função cognitiva. Acrescente-se, ainda, que há um pensamento verbal e um prático; este não mantém relação direta com a fala. O surdo, mesmo sem língua, não estaria impedido de pensar. Há outros mecanismos de significação além da linguagem oral.

Alguns autores afirmam que os surdos só possuem pensamento prático (não verbal) e não racional (verbal). O pensamento prático é chamado de pensamento sensorial por Luria (1977) e deve ser entendido em relação ao racional. Para o autor, a aquisição da linguagem não implica apenas mudanças sociais, interativas e linguísticas, mas também modificações na própria consciência.

O pensamento prático não pode ser visto como oposto ao pensamento racional, como se houvesse uma cisão entre essas formas. Há reflexão que vem da ação, e esta também pode ser uma reflexão. Um pouco preso a essas questões, Luria, em suas pesquisas, considera o pensamento dos analfabetos essencialmente prático, sendo o racional dado apenas pelo aprendizado da linguagem escrita. É com base nos trabalhos desse autor que Goldfeld (1997) discute essa questão na surdez. Para a autora, a criança sem língua(gem) desenvolve o que alguns especialistas chamam de linguagem rudimentar, que toda criança surda desenvolve por meio de suas interações sociais, utilizada para a comunicação e para organizar seu pensamento. O instrumento linguístico que ela domina socialmente será usado para pensar, mas, se a criança não se desvincula do ambiente concreto, não terá condições favoráveis de desenvolver as funções organizadora e planejadora da linguagem satisfatoriamente. Como é bastante difícil conversar com crianças surdas sobre assuntos que não sejam concretos, há a impossibilidade de seu domínio de assuntos mais abstratos:

> [...] tal como ocorre com indivíduos analfabetos e isolados que foram analisados por Luria. Ou seja, impossibilita que a criança dê um salto do pensamento sensorial para o pensamento racional, a principal característica do ser humano. (Goldfeld, 1997, p. 67)

Vale considerar, a propósito dessa questão, o trabalho de Tfouni (1988). Ela fez uma pesquisa sobre a interpretação de silogismos com adultos não alfabetizados, assim como a feita por Luria para determinar o pensamento prático desses sujeitos. A autora concluiu que os analfabetos não são destituídos de conhecimento do tipo "meta", como afirmou Luria, só porque não percorrem os caminhos tradicionalmente seguidos pelos sujeitos que receberam educação formal. Ou seja:

> [...] o metaconhecimento destes não alfabetizados não é da mesma natureza que o metaconhecimento atingido pelas pessoas letradas e escolarizadas, visto que as rotas que levam a um e outro são diversas: conhecimentos e práticas não formalizados nem sistematizados por um lado, e do outro formalização do conhecimento e treino em certos esquemas de pensamento (como o raciocínio dedutivo), formalização e treino, esses que são feitos primordialmente através da escola e que só se tornaram possíveis devido ao uso da escrita. (Tfouni, 1988, p. 110)

Diante do que foi colocado, parece complicada a comparação de surdos sem linguagem oral e escrita a analfabetos, com linguagem oral e sem linguagem escrita. Um trabalho do tipo "meta" requer a presença de uma língua, mas não necessariamente a modalidade escrita da linguagem, que permitiria um trabalho de descentração do sujeito, ou seja, determinado trabalho "meta". Não se pode considerar o pensamento abstrato apenas um atributo ou uma capacidade dos alfabetizados e dos ouvintes.

Vê-se que discutir a relação entre linguagem e cognição envolve muitos aspectos e é muito complexa. Mayberry (2002), em seu trabalho, levanta questões semelhantes às discutidas acima: como a linguagem contribui para o desenvolvimento cognitivo? Crianças podem desenvolver a linguagem interna sem ouvir? A linguagem de sinais poderia desenvolver um pensamento abstrato como a fala? A autora procura discutir essas questões com base em vários aspectos: desempenho acadêmico, leitura, desenvolvimento da linguagem, testes de inteligência, habilidades visuoespacial e de memória, desenvolvimento de conceitos e funções neuropsicológicas. E chega às seguintes conclusões: a surdez não impede o desenvolvimento cognitivo por si só, apenas quando a criança não adquire língua. As questões sociais, raciais e de etnia têm implicações maiores que a própria surdez, assim como quando a surdez está associada a outras deficiências. A questão da leitura e do rendimento acadêmico está não apenas associada à aquisição de uma língua (em termos gramaticais e lexicais), mas também aos aspectos socioeconômicos. Além disso, as crianças surdas demonstram uma ótima *performance* em testes não verbais. As dificuldades cognitivas das crianças estão relacionadas às tarefas verbais, demonstrando que a linguagem e o desenvolvimento cognitivo não linguístico estão dissociados. Ou seja, as crianças que nasceram surdas e têm atraso da aquisição da linguagem (seja de sinais ou oral) não são causas de deficiências intelectuais. As dificuldades de linguagem, nas crianças que nascem surdas, são completamente evitáveis e causadas por uma falta de exposição à linguagem na primeira infância. A autora relaciona a questão cognitiva com a etnia, a raça e os aspectos socioeconômicos, citando casos de latinos e negros. Possivelmente, esses sujeitos possuem baixo nível socioeconômico e, consequentemente, pouco acesso às práticas de leitura e escrita. Tal como no Brasil, o nível de alfabetismo funcional também está relacionado à renda familiar e há uma desigualdade no que se refere aos grupos etnorraciais, aqui compreendidos esquematicamente a partir da categoria cor/raça tradicionalmente utilizada pelo IBGE em suas pesquisas, como apontam os dados do INAF (2011). Mas raça e etnia não podem ser relacionadas à cognição, a despeito das práticas sociais dos sujeitos.

SOBRE AS ABORDAGENS A RESPEITO DA SURDEZ E OS PROCESSOS COGNITIVOS

A abordagem oralista baseia-se na tese de independência entre processos cognitivos e linguísticos, bem como na distinção língua/fala. A fala não se relaciona com a cognição e há até mesmo certo questionamento quanto a isso, como pode ser observado no relato de uma fonoaudióloga que segue a abordagem oralista:

> **Fonoaudióloga:** Eu não entendo por que vocês falam que o deficiente auditivo tem atraso cognitivo [...], os deficientes auditivos que eu atendi eram todos muito inteligentes.

Nessa concepção, os processos cognitivos não verbais e suas aplicações práticas têm sido vistos como sinônimos da inteligência do surdo. Dessa forma, não há "pressa" em oferecer uma língua a ele. Aliás, não se compreende, nessa proposta, por que os linguistas ressaltam tanto a necessidade de aquisição de uma língua. A pergunta geralmente é: "Por que falar 'casa vovô' é diferente, em termos linguísticos, de falar 'a casa do vovô foi roubada', além de comunicar melhor?" Como a base da teoria é a comunicação, acredita-se que alcançar proficiência na fala esteja ligado apenas à qualidade da informação e à diminuição do preconceito e da marginalização sofridos pelos surdos que não falam bem.

Estudos mais recentes parecem defender a importância da linguagem oral para a cognição. Valadão *et al.* (2012), que trabalham em uma abordagem oralista, ressaltam que a aquisição de uma língua oral por surdos remete a questões complexas tanto do ponto de vista cognitivo quanto do ponto de vista cultural, social e afetivo. Os autores indicaram a língua de sinais para a criança surda em seu estudo de caso apenas após o fracasso do implante coclear. Ou seja, aqui se vê que a língua de sinais não parece ter, para os autores, o mesmo estatuto cognitivo da linguagem oral. Eles concluem seu trabalho ressaltando que a língua de sinais favoreceu o desenvolvimento da linguagem oral e, assim, o desenvolvimento (cognitivo) da criança. A relação parece ser feita entre linguagem oral e cognição e não entre língua e cognição.

A comunicação total também se enquadra nessa concepção, com o adendo de aceitar a língua de sinais, o português sinalizado e qualquer outra forma de comunicação que o surdo possa utilizar. Não há nenhuma reflexão a respeito da "natureza" da linguagem, pois ela só é vista como sistema comunicacional, do qual os falantes são codificadores e decodificadores. A aquisição da linguagem não mudaria, assim, os processos cognitivos.

Já na abordagem bilíngue, Goldfeld (1997) ressalta a importância da qualidade das interações e da aquisição de uma língua para o surdo. Por basear seu trabalho em postulados vygotskyanos, a autora enfatiza sua preocupação e a necessidade da aquisição da linguagem para que o surdo não tenha atrasos cognitivos. A importância da função reguladora da linguagem dos processos cognitivos é bastante explorada em sua tese. A autora defende a abordagem bilíngue, privilegiando a aquisição da língua de sinais como única possibilidade de acesso ao surdo a uma língua estruturada.

Para Goldfeld (1997), o surdo sem língua(gem) é um sujeito que não possui pensamento racional, que não consegue ascender ao pensamento abstrato, que possui dificuldade de organizar e regularizar as funções mentais superiores e o próprio pensamento. O fato é que há níveis de abstração. O desenho, a pintura e a mímica são representações simbólicas de ordem diferente da linguagem, mas também fazem parte de um trabalho reflexivo e abstrato, se é que podemos fazer uma separação distinta entre pensamento abstrato e concreto.

Vejamos o relato abaixo de Emanuelle Laborit, atriz surda, para complementar essa discussão:

> De minha infância, as lembranças são estranhas. Um caos na minha cabeça, uma sequência de imagens sem relação umas com as outras, como consequência de um filme, montadas uma atrás da outra, com longas faixas negras, grandes espaços perdidos. [...] Não há nem primeira nem última lembrança de infância nessa desordem de mim mesma. Há sensações. Dois olhos e um corpo para registrar a sensação. (Laborit, 1994, p. 14 e 25)

Esse é o relato da atriz sobre sua vida antes da aquisição da língua de sinais. Lembranças estranhas, imagens justapostas de forma desorganizada, sem palavras. A autora faz uma correlação entre a ausência da linguagem e a desorganização do pensamento. A linguagem, por seu caráter simbólico, interativo, representativo, cognitivo e, principalmente, estruturante, modifica a cognição. Contudo, devemos considerar que as coisas do mundo não eram todas aleatórias para ela. Com certeza, muitas tinham uma ordem, uma espécie de lógica, mas o relato chama a atenção apenas para aquelas desordenadas, que pareciam necessitar de um aparato simbólico, a linguagem, para concluir esse tipo de atividade.

Devemos pensar, entretanto, que uma criança surda não está isolada de rotinas sociais e, portanto, simbólicas, cognitivas e significativas. A linguagem é o principal mediador das funções cognitivas, mas não o único. Outros processos de significação não deixam de atuar, mesmo na ausência de uma língua, como os gestos, as expressões faciais. Os surdos têm memória, atenção, percepção que também são construídos, sobretudo visualmente. Na ausência de língua estruturada, o cérebro (dinâmico) se organiza por meio de processos de significação eminentemente visuais, conferindo uma qualidade particular à cognição, um processamento "simultâneo e espacial". Entretanto, a extensão da ação simbólica da cognição é uma conquista da linguagem.

Vejamos alguns episódios de crianças surdas. Fernando está com 6 anos e 1 mês. A tarefa proposta pela professora é a realização de operações matemáticas simples, já escritas em uma folha na qual os alunos devem apenas colocar as respostas. Para alguns, ela oferece palitos de picolé para favorecer os cálculos. Enquanto filmava, percebi que Fernando passava os palitos de uma mão para outra, como se contasse, e logo depois escrevia algo em seu papel. Inicialmente, parecia, de fato, que ele estava realizando todas as contas com o auxílio dos palitos. Ao aproximar a filmadora de sua folha de exercícios, observei que ele não escrevia o resultado da conta matemática, e sim bolinhas ao lado dos numerais (segue, na Figura 2, o esboço de uma parte da tarefa de Fernando).

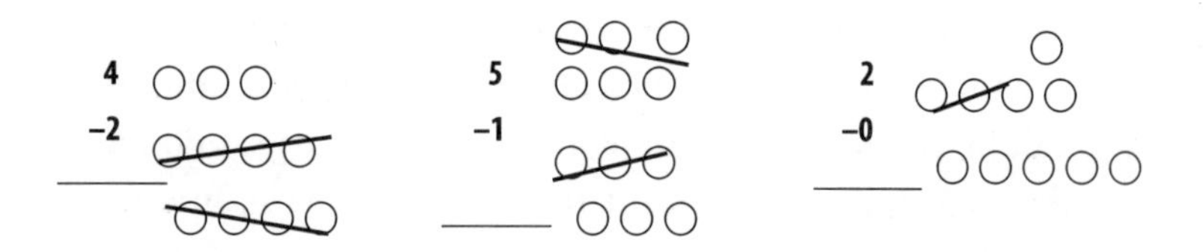

Figura 2 – Esboço da escrita de Fernando

Em outro momento, a professora tenta ajudar Fernando a fazer uma conta (3 + 3) na folha de exercícios. Os números estão escritos um sob o outro com um traço que separa a adição da soma total. A professora está ao lado dele na sala. Fernando senta-se sempre na primeira carteira.

Professora: Pega três palitinhos aqui [*aponta para um monte de palitos de picolé*], três palitinhos.

Fernando: [*Pega todos os palitos e começa a contar*] Um, to, tei... [*A professora interrompe a contagem retirando os outros palitos abruptamente da mão dele para impedir que ele continuasse a contagem*]

Professora: Agora, mais três [*aponta para a folha de exercícios, provavelmente para o número três escrito na conta*].

Fernando: [*Pega o lápis e começa a escrever algo*]

Professora: Não. Não [*segura a mão dele*]. Pega mais três palitinhos [*aponta para o monte de palitos*]. Três [*segura a mão dele, impedindo que Fernando pegue outro palito*]. Põe aqui [*junto com os outros três*]. Agora, quantos têm? [*Espalhando os seis palitos*] Conta. Conta. Quantos têm?

Fernando: [*Continua sem saber o que fazer*]

Professora: Conta, Fernando. Conta. [*Pega a mão dele e, com a sua, conta quantos palitos há*] Olha: um, dois, três, quatro, cinco, seis.

No caso de Fernando, com os gestos proibidos, torna-se praticamente impossível assimilar a explicação das operações matemáticas. O que os números representam para Fernando? Ele consegue falar uma sequência numérica (um, dois, três, quatro), mas parece não compreender o que ela significa. É como se sua fala fosse pré-intelectual e seu pensamento, pré-verbal, nos termos de Luria e Vygotsky. Dessa forma, não lhe é possível formar e generalizar conceitos. Fernando usa os palitos de picolé para "fazer" as operações matemáticas. Para ele, parece ser algo que "deve" ser feito. Por isso, ele "conta" os palitos e logo a seguir faz "bolinhas". Ressalte-se, aqui, que não se sabe se a professora utilizou esse procedimento na sala de aula para explicar contas matemáticas, o que seria possível, visto que Fernando conta os palitos, escreve as bolinhas e risca. Ou seja, ele constrói o sentido com base na observação e na imitação das ações realizadas durante um cálculo matemático, mas não compreende esse processo. Contudo, vê-se que ele estabelece relação entre os números, os palitos de picolé e as bolinhas, demonstrando a internalização de algumas condutas sociais. As bolinhas são o resultado de seu trabalho cognitivo, imitação das ações do outro e reprodução destas em momento posterior, o que deriva das suas experiências sociais e das interpretações que faz sem o concurso de uma língua. Não há relação simbólica entre o número de bolas e o número escrito. O caráter representacional da escrita, o conceito matemático ainda não foi adquirido, assim como a fala.

O atraso na aquisição da linguagem confere ao surdo distanciamento do processo de categorização do mundo fornecido por uma língua (oral ou sinalizada). Os gestos e as expressões faciais apresentam-se como sistemas semióticos possíveis para organizar a cognição. Ressalte-se que esses sistemas possuem semiologias próprias e distintas da língua, mas, mesmo não sendo verbais, não estão à margem da linguagem e do discurso.

Fábio está com 12 anos de idade e cinco anos e oito meses de implante coclear. A pesquisadora mostra um livro de histórias com gravuras e pede para que ele leia silenciosamente, com a finalidade de analisar sua compreensão da linguagem escrita. O texto lido era: "Todas as manhãs Florisbela botava um ovo. Depois saía cacarejando pelo galinheiro, toda feliz. Um dia Florisbela desapareceu. 'Onde estará nossa amiga?', perguntaram as galinhas preocupadas". Depois de ler, a pesquisadora pergunta:

Pesquisadora: Você sabe o que aconteceu com ela? Com a galinha?

Fábio: [*Lê o texto novamente em silêncio*] Amiga, amiga.

Pesquisadora: Amiga, 'cê sabe? [*Lê o texto novamente em voz alta*] 'Cê sabe o que aconteceu com a galinha?

Fábio: Checô, checô, fá pecá, ofo, tamagi, tamagi, te ofo. [*Aponta para a galinha*]

Pesquisadora: Você sabe o que é isso aqui, ó? [*Aponta para a palavra "desapareceu"*]

Fábio: [*Lê*] Tepaleteu.

Pesquisadora: O que é?

Fábio: [*Aponta para o rabo da galinha*]

Pesquisadora: Não. O que é desapareceu?

Fábio: Tepaleteu? Não.

Pesquisadora: Não sabe? Ela saiu, foi embora, sumiu [*faz gesto de ir embora*].

Fábio: Sumiu? Ah!

Pesquisadora: Onde tá a Florisbela? Onde? [*Com expressão facial e gestos de quem procura alguma coisa*]

Fábio: Ah! Tocá te roupa. Sim'bóa [*gesto de ir embora*].

Em outro momento, foi pedido oralmente que Fábio desenhasse alguma coisa. A pesquisadora apontou o lápis e o papel e ele começou a escrever:

Sobral,	Fortaleza	São Paulo	Bauru
onibum,	taxi	avião	avião
vizes	cha	depois	chá

A leitura de Fábio corresponde à decodificação de grafemas em fonemas, sem a compreensão do texto. Ele tem dificuldade de formar conceitos novos, como a palavra "desapareceu". Tal formação envolve generalização de conceitos já adquiridos, processos linguístico-cognitivos inter-relacionados. Pelo seu atraso de linguagem, Fábio recorre ao gesto e à fala conjuntamente para tentar atribuir sentido à palavra desconhecida. É por isso que, quando a pesquisadora dá outro significado à palavra usando também gestos (desapareceu/sumiu X gesto de ir embora; onde?/gesto de procurar alguma coisa), ele parece entender e usa enunciados próprios a essa situação (troca de roupa/s'embora). Fábio precisa dos gestos contextualizados para construir seus conceitos. É por meio deles que percebe e significa o mundo. Nesses casos, pode haver uma prevalência de mal-entendidos. Na comunicação gestual, a construção do sentido é eminentemente subjetiva, sobretudo quando os interlocutores pouco se conhecem, como no episódio acima. Esse fato pode ser observado também quando Fábio não entende o pedido para que desenhe e interpreta o gesto de apontar para o papel como um pedido para que ele escreva alguma coisa. Fábio desconsidera a palavra falada "desenho" e dá interpretação apenas ao gesto da pesquisadora. Dessa forma, ele escreve o que parece ser a sua narrativa de viagem, composta por palavras de classe aberta. Sua interpretação do gesto é condizente com o contexto do episódio, já que, anteriormente, os interlocutores discutiam sobre a viagem de Fábio. Contudo, a pesquisadora mudou de tópico, o que dificultou a sua interpretação. Vê-se, assim, que a linguagem oral aparece como fundo e os gestos como figura nos processos sociocognitivos desse sujeito, nos termos de Pereira (1989). Sem ser proficiente na linguagem oral, ele precisa dos gestos para construir sentidos.

Vinícius está com 8 anos e 5 meses. Faz três anos que passou pela ativação dos eletrodos do implante coclear:

Pesquisadora: Você quer fazer uma pergunta? Você tem curiosidade de alguma pergunta sobre mim? Sobre a minha vida? Você é curioso?

Vinícius: Eu sou um... assim... sobre a vida das pessoas...

Pesquisadora: Você não é fofoqueiro, então. Você sabe o que é fofoqueiro?

Vinícius: É, mas é que... Você sabe que os meus colegas da escola, quando eles ficam com conversa, aí o outro fala assim: "É a sua avó que é fofoqueira" [*risos*].

Pesquisadora: Você sabe o que é fofoqueiro? O que é?

Vinícius: [*Pensa e faz gesto de "não" com a cabeça.*]

Pesquisadora: O que é que você acha que é?

Vinícius: Acho que é aquelas pessoas... é... aqueles que... engraçadas.

Pesquisadora: É. Fofoqueiro é quando a gente fica só falando da vida das pessoas. [...] Só vive falando da vida das pessoas. Fala bem, fala mal. Fala mais de mal do que de bem. Quer sempre saber o que tá acontecendo.

Vinícius: Na minha escola também faz assim. Aí, eu fico ouvindo conversas, né? [*Faz gesto de escrever, simulando uma situação escolar. De repente, vira a cabeça para o lado e grita, imitando uma situação*] "**É tua avó que é fofoqueira!**" Eu fiquei, aí levantei da cadeira e fica falando coisas engraçadas.

Segue abaixo o esboço da carta escrita por Vinícius para sua mãe que estava em Brasília:

Mamãe,

eu te amo muito, eu estou em Bauru e eu estou com saudade de você. Um beijo para você e para mim.

Vinícius, por dominar a linguagem oral, pode generalizar conceitos. Após a explicação da pesquisadora, ele generaliza o conceito de "fofoqueiro", atribui um sentido relacionando com os contextos já vivenciados, demonstrando um *saber do mundo* e um *saber da língua*. O uso de operadores argumentativos revela que Vinícius domina as regras da língua, mas também seus usos sociais, evidenciando traços de subjetividade: "Sou curioso *mas* de outras coisas". Como se dissesse: "Não sou curioso de coisas sobre a sua vida". Não há dificuldades referentes à escrita.

Observamos, nos episódios acima, a diferença de domínio linguístico entre essas duas crianças. Essa disparidade implica, também, um entendimento de determinados processos linguístico-cognitivos que uma língua constrói e permite: generalizações de conceitos, relações sígnicas, processos metalinguísticos e relação com o processo de apropriação da escrita.

O domínio da linguagem gera, assim, a capacidade de abstração máxima, a arbitrariedade entre o significante e o significado, a construção dos (vários) sentidos das palavras, relações entre sintagmas, posições enunciativas diversas, entre outros. Por isso se afirma que o uso da língua produz mudanças no pensamento. Mas essas mudanças não são dadas apenas pela linguagem oral. A língua de sinais pode desempenhar o mesmo papel cognitivo que ela, modificando e ampliando os processos cognitivos. Sendo exposto à língua de sinais desde criança, o surdo pode internalizá-la e estruturar seu pensamento e demais conteúdos cognitivos.

No episódio abaixo, Bianca, com 6 anos e 2 meses, conversa com uma amiga na sala de aula do Cepre sobre sua ausência no dia em que a turma preparou as bandeirinhas para a festa junina:

Bianca: [*Sinal de você*] [*sinal de faltar*] [*sinal de quinta-feira*] [*sinal de bandeirinhas*]

Amanda: [*Sinal de não*]

Bianca: [*Sinal de você*] [*sinal de faltar*] [*gesto de confirmação com a cabeça*]

Em outro momento, Bianca está brincando de boneca e um colega aproxima-se na intenção de brincar com o brinquedo também.

Paulo: [*Aponta para a boneca*]

Bianca: [*Sinal de não*] [*sinal de homem*] [*gesto articulatório de "não" e de "homem"*] [*sinal de brincar*] [*aponta para a boneca*] [*sinal de não*] [*sinal de poder*] [*gesto articulatório de "não" e de "pode"*]

Os conceitos de tempo e causalidade têm sido descritos, na literatura, como definidores de mudanças qualitativas relacionadas à cognição (Pereira de Castro, 1996). Têm sido também chamados de conceitos "abstratos", pela descentração do aqui e agora e pela relação entre causa e efeito. Nos episódios acima, vemos que Bianca organiza eventos no "tempo" e estabelece relações – como identificar a quinta-feira, o dia em que foram feitas as bandeirinhas –, fato observado em outros episódios não descritos aqui (seu conhecimento de meses do ano, dias dos meses, depois, antes). No segundo episódio, podemos observar um enunciado de Bianca produzido em estrutura causal "não x porque y". Ela apresenta uma justificativa pessoal, devido ao seu ponto de vista contrário ao do interlocutor, como se falasse: "Você não pode brincar de boneca porque você é homem". A aquisição de uma língua, nesse caso a língua de sinais, permite à criança um trabalho linguístico-cognitivo que acaba por construir conceitos e operar com eles.

CONSIDERAÇÕES FINAIS

Todos os aspectos discutidos até agora apontam para uma relação mutuamente constitutiva entre linguagem e cognição, verificada aqui também no contexto da surdez. As abordagens terapêuticas para os surdos têm trabalhado pouco essa relação na prática, embora tentem assumi-la na teoria.

Se, por um lado, as dificuldades de interação implicam a dificuldade de aquisição da linguagem, por outro, a ausência da linguagem cria um obstáculo para a criança em sua atuação sobre o mundo e o outro. Os processos cognitivos, na ausência de uma língua que possa dar interpretabilidade ao mundo, acabam por ter um trabalho, podemos dizer, limitado.

A aquisição da linguagem implica mudanças cognitivas, trabalhos inferenciais reflexivos que acabam por modificar os processos mentais. A linguagem possibilita fazer uma rede de relações entre as palavras e o mundo. Por ser uma atividade simbólica por excelência, o trabalho com esses signos modifica e amplia os processos cognitivos. Sendo assim, a ausência da linguagem confere ao surdo dificuldades interacionais, cognitivas, linguísticas e educacionais, dado o papel organizador da linguagem ante os outros processos cognitivos.

7. A heterogeneidade da surdez e suas implicações neurolinguísticas

> *Estou escrevendo com a mão esquerda, embora seja completamente destro. Fui operado do ombro direito há um mês e, atualmente, não devo, não consigo usar o braço direito. [...] Estou desenvolvendo novos padrões e hábitos... uma identidade diferente, pode-se dizer, pelo menos nessa esfera específica. Devem estar ocorrendo mudanças em alguns programas e circuitos do meu cérebro [...] deficiências, distúrbios e doenças podem ter um papel paradoxal, revelando poderes latentes, desenvolvimentos, evoluções, formas de vida que talvez nunca fossem vistos, ou mesmo imaginados, na ausência desses males. [...] Nesse sentido da notável maleabilidade do cérebro, sua capacidade para as mais impressionantes adaptações, para não falar nas circunstâncias especiais (e frequentemente desesperadas) de acidentes neurológicos ou sensórios, acabou dominando minha percepção dos pacientes e de suas vidas. De tal forma, na realidade, que por vezes sou levado a pensar se não seria necessário redefinir os conceitos de "saúde" e "doença", para vê-los em termos da capacidade do organismo de criar uma nova organização e ordem, adequada à sua disposição especial e modificada a suas necessidades, mais do que em termos de uma "norma" rigidamente definida.*
>
> Oliver Sacks (1995, p. 15-18)

A NEUROPSICOLOGIA TEM FUNDAMENTADO seus estudos na correlação entre áreas cerebrais e processos cognitivos. Até meados do século XIX, as investigações eram realizadas apenas após a morte do indivíduo. Mas, atualmente, em função dos diversos avanços tecnológicos, as avaliações dos processos neuropsicológicos podem ser efetuadas por meio da Tomografia por Emissão de Pósitrons (PET) em indivíduos conscientes e realizando tarefas neuropsicológicas durante o exame. Contudo, se por um lado alguns resultados provenientes dessas avaliações corroboram teorias clássicas sobre a organização cerebral, por outro apresentam dados conflitantes, como a ativação de regiões diferentes em indivíduos bilíngues.

Podemos acompanhar, atualmente, o afastamento da concepção de cérebro como essencialmente biológico e homogêneo. Por considerarem diferenças individuais e culturais como influências sob as funções cerebrais, autores como Mecacci (1987) criticam estudos que se fundamentavam em um cérebro "médio", com base no qual são feitas generalizações. As conclusões sobre o estudo de tal conceito têm, tradicionalmente, sinalizado a existência de um cérebro "universal", desconsiderando suas variações, como os cérebros dos cientistas, dos surdos e dos pertencentes a culturas diferentes.[1]

Os dois hemisférios cerebrais não são simétricos. Kandel, Schwartz e Jessel (1997) argumentam que a especialização cerebral para a linguagem é inata pelos seguintes motivos: já está presente no feto humano por volta da 31ª semana de gestação e pode favorecer o hemisfério esquerdo (doravante HE) para as funções da linguagem; o plano temporal é maior no HE na maior parte das pessoas (67%); as funções das línguas naturais (oral e de sinais) são predominantemente representadas pelo HE; os recém-nascidos são sensíveis à diversidade de sons, e parte dessa

1. A respeito das diferenças derivadas da experiência cultural dos sujeitos, Mecacci (1987) relata que o cérebro dos japoneses indica a diferença entre a especialização hemisférica dos ocidentais e a dos orientais. O hemisfério esquerdo de um japonês, por exemplo, analisa não só a linguagem verbal, mas também sons. Esses seriam analisados pelo hemisfério direito nos ocidentais. A escrita japonesa também é processada diferentemente da dos ocidentais.

sensibilidade é perdida quando adquirem uma língua específica, sendo completamente eliminada após a puberdade.

Há estudos (Holowka e Petitto, 2002) sobre a organização hemisférica em bebês que revelam que a assimetria da organização cerebral para a linguagem ocorre antes dos 5 meses de idade. Harris (2000) afirma que esse tema é ainda muito incipiente e sua discussão não deve envolver apenas estudos atuais da área de neuropsicologia, mas também a filogênese. Pesquisas com moldes intracranianos de fósseis humanos indicam que, na maioria dos indivíduos, o HE é dominante para a linguagem. Essas assimetrias foram encontradas no Homem de Neanderthal (cerca de 30 mil a 50 mil anos atrás) e no *Homo erectus* (por volta de 500 mil anos atrás), o predecessor da nossa espécie (Kandel, Schwartz e Jessel, 1997). A especialização hemisférica e a assimetria cerebral não são exclusivas dos seres humanos, já que os macacos também a possuem. Porém, a lateralidade, a assimetria cerebral, a especialização para a linguagem ocorreriam também em outras espécies, tendo como base um princípio evolutivo de Darwin. O uso de ferramentas coincidiria com o da linguagem articulada e essa mudança provocaria o aumento do cérebro e a construção de novas estruturas mentais.

A questão da dominância hemisférica foi amplamente discutida no âmbito dos estudos das afasias, em geral de maneira dicotômica. Para Broca (1969), não havia relação direta entre linguagem (nesse caso específico, articulação motora) e lateralidade. Em outras palavras, não havia correlação entre dominância cerebral e dominância manual. A faculdade da linguagem articulada estaria localizada na terceira circunvolução frontal esquerda. Já Trousseau (1877) discordou desse ponto, aludindo ao caso de uma mulher que tinha afasia motora com lesão no hemisfério direito (doravante HD).

Kandel, Schwartz e Jessel (1997) afirmam que, após vários testes, chegou-se à conclusão de que 96% das pessoas destras têm a linguagem no HE. Contudo, a maioria dos canhotos também.

Porém, 15% desses têm a linguagem no HD e, em algumas pessoas canhotas, a linguagem é controlada por ambos os hemisférios. Para os autores, a hipótese de que a linguagem surgiu da coevolução dos gestos e da vocalização pode explicar a correlação, ainda não justificada, entre a dominância de preferência das mãos (lateralidade) e a linguagem verbal ou de sinais, todas localizadas no HE.

Considerando esses aspectos, a hipótese da relação entre a dominância lateral e a especialização cerebral para a linguagem (originária do gesto) poderia ser levada em conta em termos filogenéticos. A assimetria cerebral parece ser inata na espécie humana, mas não a especialização para a linguagem no HE. Há, por exemplo, canhotos que têm especialização para a linguagem no HD e bilíngues em ambos os hemisférios. Essa discussão evidencia as mudanças que as funções cerebrais superiores sofreram ao longo da história da humanidade. Há, como diz Mecacci (1987), duas dimensões a considerar na história do cérebro: as mudanças ocorridas em função do tempo e as diferenças entre indivíduos de uma mesma época.

Neste capítulo, pretendo discutir questões que concernem à especialização cerebral para a linguagem com base em estudos da surdez. Corroboro com a hipótese de que a especialização hemisférica para a linguagem está relacionada diretamente com os aspectos interativos e sociais vivenciados por cada sujeito. Pretendo, assim, discorrer sobre esses pontos sob a perspectiva de uma neurolinguística de base teórica discursiva. Ou seja, assumo uma concepção de cognição e de linguagem que procura, como diz Morato (1997, p. 4):

> [...] conciliar uma concepção de linguagem enquanto atividade ou trabalho com uma concepção de cérebro e de cognição igualmente dependentes dos processos de significação, impossível de serem concebidos aprioristicamente – como se fossem comportamentos ou entidades previsíveis, à margem das rotinas significativas da vida em sociedade.

Com base nessa concepção, é importante esclarecer que a língua é entendida não como um simples sistema de regras, mas como uma atividade sociointerativa que transcende o próprio código. Em consequência, o seu uso assume lugar central e deve ser o principal objetivo de nossa observação, porque só assim se elimina o risco de transformá-la em mero instrumento de transmissão de informações. A língua é um fenômeno sociocultural que se constitui na relação interativa e contribui de maneira decisiva para a criação da realidade e subjetividade" (Marcuschi, 2001).

Mediante essas considerações, apresentarei uma discussão sobre o estatuto linguístico dos hemisférios esquerdo e direito, enfocando, principalmente, a surdez, relacionando-a com os seguintes aspectos: modalidade, estrutura, aquisição e domínio das línguas.

O ESTATUTO LINGUÍSTICO DO HEMISFÉRIO ESQUERDO

POSTULA-SE QUE O HE esteja relacionado com os aspectos linguísticos, com o pensamento intelectual, o racional e o analítico, e o HD, com os aspectos visuoespaciais, com a discriminação sensorial, com o pensamento emocional não verbal e intuitivo. Contudo, há extensas interconexões entre os dois hemisférios que impossibilitam dissociar claramente suas funções especializadas.

Apesar das polêmicas e discussões acerca da especialização cerebral, predomina, ainda hoje, a visão de que nos ouvintes há uma prevalência da especialização da linguagem no HE. O córtex auditivo, localizado no HE, seria um dos principais fatores que reforçam essa tese. Partindo desse pressuposto, poder-se-ia hipotetizar que, se as áreas responsáveis pela visão estão preferencialmente no HD,[2] se a língua de sinais é uma língua de modalidade

2. O hemisfério esquerdo, nos destros, registra o nome das coisas vistas e o hemisfério direito percebe as formas, sem nomeá-las (Meyer, 2002). No caso da escrita e da leitura, também há a participação do hemisfério esquerdo.

visuomanual e se o HD é responsável pelos aspectos visuoespaciais, essa língua deveria ter sua especialização no HD. Entretanto, a língua de sinais apresenta a mesma propriedade e segue os mesmos princípios de organização cerebral das línguas de modalidade oral controladas pelo HE. Essa ideia de que as línguas de sinais também são especializadas no HE foi inicialmente elaborada com base no resultado de estudos de casos com sujeitos afásicos proficientes em língua de sinais (Emmorey, Bellugi e Klima, 1993; Emmorey, 1993; Neville *et al.*, 1997; Hickok, Kirk e Bellugi, 1998). A conclusão desses estudos aponta para a dissociação entre funções visuoespaciais linguísticas e não linguísticas.

Nas interações com as línguas de sinais, as expressões faciais têm duas funções: transmitir emoções (como nos ouvintes) e marcar certas estruturas gramaticais das línguas de sinais, como as orações relativas. A existência dessas duas classes funcionalmente distintas de expressões faciais faz a especialização hemisférica acontecer também de forma diferente nas expressões que possuem funções linguísticas e naquelas não linguísticas. Nos surdos que utilizam a língua de sinais, o HE seria responsável pelas expressões faciais de caráter linguístico, ou seja, aquelas que correspondem à gramática da língua de sinais; já o HD seria o responsável pelas expressões faciais associadas a conteúdos emocionais. Por essa razão, lesões nesse hemisfério não causam afasias na língua de sinais. Emmorey *et al.* (1993) e Reilly *et al.* (2002) afirmam que o HD é responsável pela expressão facial emocional desde o primeiro ano de vida, mas, a partir dos 12 meses, a criança que adquire a língua de sinais já inicia a especialização diferenciada para a expressão facial linguística e não linguística.

Bellugi *et al.* (2002) afirmam que há diferenças cognitivas entre o uso de sinais topográficos e referenciais em língua de sinais. O HE estaria diretamente relacionado com o processamento das relações espaciais que possuem funções linguísticas, mas, quando o uso do espaço implica localização topográfica, essa função estaria relacionada com o HD. Os autores ainda dizem que o uso de ambas as mãos na linguagem de sinais pode oferecer pistas interessantes ligadas à especialização hemisférica, já que elas são as articuladoras da linguagem. O desenvolvimento da dominância manual nos surdos que se comunicam por sinais poderia estar relacionado com o início da especialização cerebral.

As conclusões dos estudos da língua de sinais na organização cortical da linguagem levam a supor que o tecido neural responsável por esse processo não é exclusivo de determinada modalidade da linguagem auditiva ou visual. Seria um tecido polimodal, nos termos de Petitto *et al.* (2000), o que permitiria que línguas de modalidades diferentes fossem organizadas no HE.

Caplan (1997) critica esse tipo de afirmação. Para o autor, os estudos ainda são inconclusivos no que se refere ao tipo de processamento necessário para operações linguísticas e não linguísticas, além de não serem conhecidos os motivos pelos quais a linguagem é lateralizada. Há pesquisas com surdos que revelam uma ativação temporal não lateralizada, isto é, bilateral. Isso indicaria um processo linguístico coocorrendo no HD durante o processamento da língua de sinais.

O ESTATUTO LINGUÍSTICO DO HEMISFÉRIO DIREITO

A participação do HD na linguagem tem sido referida por alguns autores. Joanette *et al.* (1996) afirmam que lesões no HD podem afetar a comunicação verbal, mas não propriamente a linguagem, e, por isso, não podem causar afasia. Segundo os autores, as pesquisas dos aspectos pragmáticos e do nível textual da linguagem após lesão no HD permitiram o uso do termo *déficit de comunicação verbal*, em vez da expressão mais clássica, *déficit de linguagem*. Essas carências não afetariam os aspectos fonológicos, morfológicos ou sintáticos da língua.

Os autores (Joanette *et al.*, 1996; Fonseca e Parente, 2005; Mendonça, 2005), de modo geral, citam como principais alterações ocasionadas na comunicação aspectos prosódicos que participam do nível pragmático, dificuldade na compreensão e na expressão de uma narrativa e dificuldade com inferências e com a compreensão de metáforas. Os estudiosos citados acima separam os aspectos pragmáticos, relacionados com a comunicação verbal, dos demais níveis da linguagem (fonologia, semântica e sintaxe). Obler e Gjerlow (2000) afirmam que sujeitos com lesões no HD apresentam uma série de deficiências não apenas na comunicação, mas também na linguagem, interferindo de maneira relevante na capacidade de apreciar humor, sarcasmo, adequação do discurso, conhecimento do interlocutor, seleção do léxico e entonação (que oferece pistas sobre a estrutura sintática). Para os autores, o HD pode participar de aspectos da percepção e produção da linguagem.

Newman *et al.* (2010) também confirmam a participação efetiva do hemisfério direito na produção de narrativas e em atividades metalinguísticas em surdos que dominam a língua de sinais, tal qual ocorre com a linguagem oral nos ouvintes.

Obler e Gjerlow (2000) não fazem uma separação rígida entre aspectos pragmáticos (ligados à comunicação) e linguísticos (fonologia, sintaxe e semântica). De acordo com tal posição, da qual partilho, os aspectos pragmático-discursivos são considerados elementos da linguagem. Ou seja, considera-se que a linguagem envolve aspectos formais (fonologia, sintaxe, semântica), pragmáticos (articulação de níveis linguísticos, manipulação dos critérios de textualidade, de regras conversacionais e discursivas), interativos (quadro de imagens dos falantes, memória discursiva), contextuais (entornos verbais, situacionais, cotextuais), discursivos (dialogismos, interdiscurso, memória discursiva, pré-construídos), psíquicos (atos falhos, lapsos, afetivos) e histórico-culturais (presença da relação língua-sociedade).

O estatuto linguístico do HD tem sido relacionado também à aquisição da segunda língua. Durante muito tempo, defendeu-se a ideia de que a organização da linguagem no cérebro, na maioria dos bilíngues, seria bilateral: a primeira língua seria especializada no hemisfério esquerdo e a segunda, no direito (Albert e Obler, 1978). Atualmente, os pesquisadores discutem essa questão levando em conta algumas variáveis: modalidade, estrutura, modo, idade de aquisição e domínio da língua. Ressalte-se que, na maioria dos estudos, o enfoque é apenas em uma das variáveis, como discutiremos a seguir.

SOBRE A ORGANIZAÇÃO CEREBRAL DA LINGUAGEM

MODALIDADE DA LÍNGUA

Pesquisas têm demonstrado que os usuários de língua de sinais têm habilidades espaçovisuais mais desenvolvidas que os sujeitos que não usam essa língua (Emmorey, 1993; Mayberry, 1992). As habilidades visuais estão ligadas a habilidades linguísticas específicas necessárias para a língua de sinais – por exemplo, o uso e o reconhecimento de expressões faciais, o uso do espaço, a manutenção e a rapidez de imagens, a discriminação da face, de figuras em espelho. Há aumento na maturação do processo visuoespacial no HD de crianças surdas produzido pela compensação sensorial.

Estudos com PET têm demonstrado participação importante do HD no processamento da língua de sinais, indicando que o processo é bilateral. Neville *et al.* (1998), Bavelier *et al.* (1998) e Newman *et al.* (2002) afirmam que as áreas parietoccipital e frontal do HD são utilizadas para o processamento da língua de sinais em sujeitos surdos e ouvintes. Estudos com ouvintes bilíngues em língua de sinais e em línguas de modalidade oral, bem como com surdos que usam língua de sinais (Obler e Gjerlow, 2000), demonstram que somente a estimulação na área de Broca[3] é semelhante na

3. A área de Broca está situada no terceiro giro da porção frontal inferior do hemisfério esquerdo e a área de Wernike está situada no terço posterior do giro temporal superior do hemisfério esquerdo.

produção em inglês e na língua de sinais. A estimulação na área temporal tem resultados diferentes, demonstrando que a área temporal anterior do HE é mais importante para a língua de sinais, para a soletração e para a posição das mãos do que para a linguagem falada.

Contudo, em pesquisas mais recentes, Kovelman *et al.* (2009) afirmam que sujeitos bimodais e bilíngues realizam grande recrutamento das áreas temporais posteriores esquerdas durante a produção em língua de sinais e linguagem oral.

Essas pesquisas parecem evidenciar que a experiência predominantemente visual influencia ativamente a cognição e evidencia a variabilidade do tecido cerebral e a plasticidade do cérebro para a linguagem. Porém, a modalidade da língua não é responsável, isoladamente, pela organização cerebral para a linguagem.

ESTRUTURA DA LÍNGUA

A hipótese de que a estrutura da língua também estaria relacionada com a organização cerebral advém dos estudos de afásicos bilíngues. Não há, ainda, uma definição quanto a esse aspecto, já que diferentes situações linguísticas foram encontradas em afásicos poliglotas, tais como: alterações linguísticas diferenciadas para cada língua; progresso terapêutico em todas as línguas quando apenas uma era enfocada; progresso apenas nas línguas que apresentavam estruturas semelhantes; afasia em apenas uma língua (Ellis, 1992; Dehaene *et al.*, 1997; Perani *et al.* 1998; Fabbro, 1998; Paradis, 1993).

A similaridade entre as línguas tem sido importante no entendimento das diferenças que existem com relação à estrutura da língua e à organização cerebral. Segundo Ardila (1998), há mais similaridades entre algumas línguas que entre outras. Um falante do espanhol pode entender, por exemplo, de 30 a 50% do italiano, mas a mesma porcentagem não ocorre com o russo ou o chinês. Neste último caso, o sujeito teria de aprender praticamente uma nova língua, demonstrando que a organização para ambas pode ser diferente.

Para Zatorre (1983), o hebreu, por exemplo, exigiria maior participação do HD que outras línguas cuja participação dele estaria apenas relacionada com a compreensão de determinadas classes de palavras e a produção de alguns enunciados.

De modo geral, os estudos revelam diferenças significativas com relação à estrutura das línguas, mas não chegam a uma posição conclusiva. Há estudos, por exemplo, com as línguas inglesa e chinesa, que postulam uma representação cortical comum para ambas (Fabbro, 2001).

Parece que a questão principal é saber se as línguas são ou não interdependentes. Se forem, quando a reabilitação das afasias ocorrer em apenas uma língua em sujeitos poliglotas, também ocorrerá uma melhora no quadro afásico das outras. Mas, se as línguas são interdependentes, todas elas deveriam ser trabalhadas, caso seja almejada a sua recuperação. Como as pesquisas encontraram os dois tipos de caso, não é possível uma posição conclusiva (Fabbro, 2001).

Contudo, a abordagem bilíngue assume a existência de uma interdependência entre as línguas e de uma facilitação sociocognitiva no aprendizado da segunda língua por meio da primeira. Há autores, como Alegría *et al.* (1999), que criticam o bilinguismo proposto aos surdos, baseados em uma teoria de interdependência das línguas, na qual o domínio de uma favoreceria a aprendizagem de outra. Para eles, esse caso não ocorreria no bilinguismo que envolvesse uma língua de modalidade oral e a de sinais, pois a organização estrutural (lexical, fonológica e gramatical) das duas é diferente.

Quando se postula que a aquisição da língua de sinais facilita a da linguagem oral, tem-se a concepção de uma relação estreita entre elas, mesmo que tenham estruturas diferentes. Alegría *et al.* (1999) afirmam que o "fracasso" dessa abordagem pode ser constatado por meio da aprendizagem da escrita pelos surdos. Um surdo que utiliza língua de sinais, segundo os autores, não adquire o domínio da linguagem escrita, embora consiga escrever e ler, devido ao fato de ambas possuírem estruturas diferentes. Para os autores, a isomorfia total entre as línguas é uma questão fundamental.

Levando em conta esses aspectos, podemos considerar que a concepção da aquisição da língua de sinais como mediadora para adquirir a linguagem oral seria em função da vivência do surdo como sujeito da linguagem, interpretando e atribuindo significado às coisas do mundo, e não por ser um recurso facilitador e instrumental.

MODO DE AQUISIÇÃO

A maneira como se adquirem as línguas, em contextos formais (escolas de segunda língua) e informais (interações significativas), tem sido considerada importante para a organização da língua no cérebro. Dehaene *et al.* (1997) realizaram um estudo sobre as áreas estimuladas para a compreensão da primeira e segunda línguas (L1 e L2). Ao ouvirem a L1, todos os sujeitos mostraram atividade no lobo temporal esquerdo, nas áreas primária e secundária. Embora atividade similar tenha sido ocasionalmente encontrada no lobo temporal direito, ela foi mais fraca e variável em cada sujeito. Em relação à L2, houve grande variabilidade: algumas pessoas mostraram apenas ativação do HD na área temporal, enquanto outras mostraram aumento significativo do giro frontal inferior esquerdo, mas somente quando ouviram a L2 e não a L1. Isso poderia ocorrer devido às condições sob as quais a L2 foi aprendida. Diferentes métodos de aprendizagem de L2 devem favorecer diferentes estratégias do processo de linguagem e distintas áreas cerebrais. A aquisição de L1, por sua vez, é similar em todos os sujeitos.

Há autores que afirmam que o modo como se aprende a L2 estaria relacionado com determinada estratégia mnêmica. Essa hipótese foi sustentada com base na análise do caso de um sujeito com lesão no gânglio basal esquerdo que perdeu a capacidade de se expressar em língua materna. Contudo, sua segunda língua, da qual tinha domínio apenas para leitura e compreensão antes da afasia, apresentava boa habilidade de produção. Essa pessoa não usava essa língua, aprendida formalmente, há dez anos (Alegría *et al.*, 1999).

Levando-se em conta tais considerações no estudo da surdez, notamos que há grande heterogeneidade envolvendo a aquisição da segunda língua pelos surdos. Há aqueles que adquirem a linguagem oral e a língua de sinais em situações também formais (na escola, por exemplo) e/ou com interlocutores não proficientes. Há ainda o modo diferenciado como o surdo adquire a linguagem oral, isto é, por leitura labial.

O processamento da leitura labial do inglês é realizado de modo diferente nos surdos e nos ouvintes. Mac Sweeney *et al.* (2002) concluíram que, nos ouvintes, a leitura labial é de responsabilidade preferencialmente do HE, mas, nos surdos, há uma grande área de processamento visual, gerida pelo HD, para entender a linguagem oral. Os autores concluem que a experiência auditiva é necessária para manter o processamento da linguagem oral no lobo temporal esquerdo. Há, ainda, quem diga que a idade de aquisição também influencia esse processo.

IDADE DE AQUISIÇÃO

Alguns estudos têm apontado que a ativação do HD está relacionada com a idade de aquisição da língua, devido ao tipo de processamento realizado por falantes tardios (FT) e nativos (FN). A região anterior e medial do HD e o sulco temporal superior teriam uma ativação bem menor nos FT (Newman *et al.*, 2002).

Com base nessa ideia, levanta-se a tese de que mudanças maturacionais poderiam afetar a habilidade de adquirir a segunda língua. Kim *et al.* (1997) encontraram diferenças na ativação da área de Broca entre sujeitos bilíngues nativos que adquiriram a segunda língua antes e após a puberdade. Os bilíngues nativos tendem a utilizar a mesma área na região de Broca para as duas línguas. Os que apreenderam a segunda língua após a puberdade utilizam áreas do córtex frontal distintas dos nativos. Segundo os autores, esse resultado sugere que a idade de aquisição pode ser um fator significativo para a organização funcional dessa área no cérebro humano. Crianças são capazes de discriminar diferenças fonéticas relevantes de uma língua. Isso poderia, eventualmente, modificar o espaço perceptual acústico do córtex frontal, ocasionado pela exposição precoce a uma língua, já que a representação da linguagem na área de Broca, desenvolvida nos estágios prematuros, parece não ser mais requerida posteriormente na aprendizagem da segunda língua. Seria necessária a utilização de áreas corticais subjacentes quando a segunda língua fosse aprendida por adultos. A área de Wernicke não apresentou diferenças com relação à idade.

Neville *et al.* (1997) e Neville e Bavelier (1998) apontam que os aspectos gramaticais e não só fonológicos estariam ligados à idade. Assim, a exposição precoce à língua de sinais poderia influenciar a organização cerebral da área anterior, responsável por aspectos gramaticais, enquanto a área posterior estaria mais ligada à semântica.

É provável que, com o avanço da idade, a criança acabe por requisitar outras áreas cerebrais para adquirir uma língua devido a um trabalho cognitivo que se processa no decorrer do desenvolvimento: outras associações intersemióticas, sistemas de referências diversificados etc. Quanto mais envelhecemos, mais incrementamos a forma de interpretar e significar o mundo, e isso tem influência na aquisição tardia da segunda língua. Usos de processos diferentes para a aquisição não implicam a impossibilidade ou aquisição deficiente. Afinal, pesquisas realizadas com surdos que adquiriram a língua de sinais tardiamente mostraram-nos proficientes nela (Neville *et al.*, 1997).

Concordando com essa questão, estudos posteriores (Pallier *et al.*, 2003) ressaltam que a hipótese da cristalização, proposta por Lenneberg, que defende a ideia de que uma língua adquirida mais tardiamente teria organização cortical diferente, não se justifica, baseando-se em seu estudo com falantes proficientes de segunda língua que adquiriram L2 entre 2 e 8 anos. Não houve diferenças na representação cortical entre os falantes nativos. Acredita-se mais em uma perda gradual da plasticidade cerebral até a adolescência, mas que não seria estanque em idade específica, como a de 5 anos, por exemplo.

DOMÍNIO DAS LÍNGUAS

Segundo Neville *et al.* (1998), o que diferencia o uso do HE para a linguagem é o domínio da gramática. Segundo os autores, isso foi evidenciado por meio de pesquisas realizadas com surdos americanos lendo em inglês. Esses sujeitos não teriam ativado o HE, pois não dominavam essa língua. Já os sujeitos ouvintes que a dominam ativaram o HE durante a leitura.

Alegría *et al.* (1999) afirmam que, nos adultos surdos educados oralmente, observa-se organização cerebral atípica, sem especialização hemisférica. Para os autores, apenas a exposição a uma linguagem gramaticalmente estruturada causaria diferenciação entre os hemisférios.

Para Perani *et al.* (1998) e Sebastian, Laird e Kiran (2011), as diferenças da especialização hemisférica estão relacionadas com a proficiência da língua. Ou seja, o grau de domínio de L2 é responsável por diferenças no envolvimento das áreas cerebrais. Não há distinções nos trabalhos corticais entre L1 e L2 quando existe a mesma proficiência, mesmo em bilíngues que aprenderam L2 na primeira infância e nos que apresentam sotaque. Quando a proficiência é a mesma, os falantes utilizam a mesma região cerebral para L1 e L2; quando é menor em L2, outras áreas são recrutadas para essa tarefa. Portanto, a proficiência parece ser mais importante que a idade de aquisição como determinante para a representação cortical em L2.

Outra hipótese é que, na aquisição de L2, os sujeitos tenderiam a usar mais o HD. No processo inicial de aquisição é realizada grande quantidade de inferências pragmáticas em função da falta de competência linguística em L2. Contudo, isso não implica, necessariamente, a representação do processo da linguagem no HD (Fabbro, 2001).

Palij (1990) ressalta que há efeitos cognitivos diferentes devido às oportunidades de uso de L2. Essa hipótese leva em conta as possibilidades sociais e culturais de uso da segunda língua. As pressões de uso (efeitos sociolinguísticos) poderiam também ter implicações cognitivas, assim como os aspectos emocionais poderiam interferir nos neurolinguísticos.

Essa é, na surdez, uma questão de extrema relevância, uma vez que os surdos adquirem linguagem oral e escrita em idades diferentes e também fazem seu uso em momentos diferentes, com desigual proficiência em cada uma. Com certeza, também se sentem diferentes com relação à linguagem oral e à língua de sinais.

CONSIDERAÇÕES FINAIS

Com o que foi exposto, podemos observar que a especialização para a linguagem ocorre preferencialmente no HE, mas o HD também pode participar desse trabalho, não só dependendo do processamento linguístico, mas também de contextos linguístico-cognitivos diversos. Os diferentes resultados encontrados nas pesquisas corroboram a tese de que são as práticas sociais as principais responsáveis pela organização cerebral, a qual dificilmente pode ser generalizada e homogeneizada. Não há, assim, um modelo de organização cortical do "cérebro de um surdo". A revisão da literatura sustenta a tese da inter-relação entre cérebro, interação e cultura. Dessa forma, não podemos considerar a linguagem em função de uma localização cerebral fixa nas profundezas do cérebro, tampouco que sua especialização também seja inata. A especialização da linguagem compreende tanto as condições neurofisiológicas quanto interativas, sociais, linguísticas e subjetivas (Santana, 2003). Ou seja, as situações heterogêneas que encontramos na surdez implicam uma organização cerebral também heterogênea, dinâmica e singular.

O estudo da surdez e da especialização hemisférica apresenta-se extremamente relevante, uma vez que evidencia maneiras diferentes de apreender o mundo. O desenvolvimento dessas formas de apreensão é sociocognitivo e não ocorre à margem da linguagem e de sua ação constitutiva com relação ao conhecimento e às práticas humanas.

À guisa de conclusão

A SURDEZ TORNOU-SE UM tema relevante de pesquisa no Brasil no final dos anos 1980. Antes disso, ela era estudada essencialmente pela área médica. De lá para cá, há mudanças significativas no tratamento do assunto, iniciadas com estudos nas áreas da educação, linguística, medicina e, mais recentemente, fonoaudiologia. Cada uma passou a preocupar-se com determinados aspectos da surdez: a escrita, a audição, a língua de sinais, a fala, a eficácia de novos dispositivos eletrônicos e a correlação anatomofisiológica entre linguagem e cérebro. Temos, como consequência dessas pesquisas, um estudo fragmentado da surdez, que se revela também nas abordagens terapêutico-educacionais. As implicações dessa fragmentação podem ser vistas no modo dicotômico como a linguagem é considerada. As discussões projetam-se nesses campos em termos de polos opostos, como: fala/língua; oral/escrito; audição/fala; gesto/fala; gesto/língua de sinais; língua de sinais/língua oral; metalinguagem/usos de linguagem; cognição/linguagem; cognição/interação.

Os aspectos neurolinguísticos também têm sido vistos como fragmentados, pois seus estudos foram, em grande parte, desenvolvidos na área de neuropsicologia cognitiva, que tem como pressuposto geral uma visão modular e organicista da linguagem e da cognição. De outro modo, procurei desenvolver, neste livro, uma reflexão enunciativa sobre cognição e linguagem, procurando levar em conta as diversas interpretações elaboradas a respeito do tema da surdez, bem como suas implicações e os diferentes modos de construção da concepção de surdo como sujeito da linguagem. Adotar certos domínios da linguística para as discussões apresentadas decorre da perspectiva na qual me coloco, que defende que as condições neurolinguísticas da surdez dependem de processos afeitos à aquisição da linguagem, de seus usos efetivos e de suas interações sociais e subjetivas.

Procurei, ainda, problematizar questões e mitos relacionados com o campo da neuropsicologia e da teorização linguística. Levei em conta não só aspectos atuais ligados a questões neurofisiológicas, mas também a hipóteses sócio e psicolinguísticas. Por essa razão, foi apresentada, no primeiro capítulo, uma discussão sobre as interpretações do conceito de surdez (em termos de "diferença" ou "deficiência") e as noções de "cultura surda", "identidade surda" e "língua dos surdos". Vimos, quanto a isso, que o uso desses termos não deixa de refletir tentativas de legitimar a diferença e o distanciamento da deficiência. Esses termos correm o risco de apenas (re)editar as divisões sociais e uma série de imagens de senso comum ligadas ao tema. Por sua vez, o esforço pela valorização da língua de sinais e o reconhecimento desta – via legitimação acadêmica – como *língua natural*, em termos psico, sócio e neurolinguísticos, acabam por favorecer um debate em favor da política linguística orientada ao bilinguismo. Observamos também que, de outro lado, há surdos oralizados, familiares e profissionais que lutam também em favor do estabelecimento do estatuto de uma língua de modalidade oral como a primeira língua dos surdos.

No Capítulo 2, vimos que a tese da idade crítica para aquisição da linguagem apresenta-se muito forte nos estudos da surdez. A orientação e a indicação da cirurgia do implante coclear preferencialmente a crianças em idade precoce demonstram uma comprovação de outro mito: o de que a plasticidade cerebral está diretamente relacionada com a maturação cerebral. A criança é encaminhada à fonoterapia geralmente quando pequena, já que, quando cresce, "não há mais chances de falar". É por isso que, em muitos casos, possibilita-se ao surdo adquirir a língua de sinais apenas após tentativas sem sucesso para a aquisição da linguagem oral. Curiosamente, a tese do período crítico parece estar relacionada apenas com a aquisição da fala, e não com a língua de sinais. Ora, se ambas são línguas e se o período crítico está ligado à aquisição de uma língua de qualquer modalidade, privar a criança de adquirir a língua de sinais poderia implicar déficits associados a essa aquisição. Esperar para ver se a criança vai ou não falar para, então, "proporcionar" a aquisição da língua de sinais é, de certa forma, uma negligência social, não apenas profissional ou científica. Por outro lado, se há possibilidades de proficiência na aquisição da língua de sinais após o período crítico, por que não poderia haver também de aquisição da linguagem oral (se fosse possível proporcionar ao sujeito condições auditivas)? Essa discussão aprofunda o questionamento com relação à tese da idade crítica.

No Capítulo 3, discuti as relações entre o gesto e a língua de sinais. Não é novidade que os surdos acabam adquirindo, na maioria das vezes, esta última tardiamente, em ambientes formais, sem interlocutores proficientes, assim como não adquirem a linguagem oral com proficiência similar à dos ouvintes, devido aos déficits sensoriais que apresentam. Diante dessas dificuldades, o gesto aparece como única possibilidade de significação, de comunicação. Ao analisar a relação entre gesto e língua, defendi, neste trabalho, uma relação de *continuum* linguístico-cognitivo entre eles. O gesto favorece e constitui a aquisição da linguagem, tanto pelos aspectos semióticos que apresenta quanto pelos aspectos sociocognitivos. Ele possibilita a inserção e auxilia na constituição do surdo como sujeito da linguagem; é um veiculador de sentidos. O gesto aproxima-se, assim, da língua de sinais e da linguagem oral, pois esses sistemas semióticos têm estatuto gestual e simbólico.

Contudo, os gestos não podem ocupar o lugar de uma língua em termos sócio, psico e neurolinguísticos. Entretanto, os interlocutores dos surdos são, em boa parte, ouvintes e outros surdos não proficientes. Nesse contexto, há produção de enunciados agramáticos, usos de gestos quando há desconhecimento dos sinais correspondentes, dificuldades pragmáticas no uso e na interpretação da língua de sinais.

Quando priorizada, a linguagem oral na surdez também é adquirida com atraso. Vimos, no Capítulo 4, que o surdo só pode adquirir essa língua de forma proficiente quando possui condições auditivas para isso (fornecidas, como ocorre algumas vezes, pelo implante coclear – pelo menos no momento presente). A inserção do implante coclear é mais uma das heterogeneidades com as quais o surdo defronta na atualidade. A possibilidade de ouvir os sons da fala torna-se maior, mas não há ainda garantias sobre o modo como eles podem ser processado. Ou seja, garante-se a percepção dos sons da fala, mas não sua interpretação. Não sabemos, ainda, como o surdo ouve e processa psicolinguisticamente esse som e se, do modo como ele ouve, é possível ascender às regras da língua apenas auditivamente. Isso equivale a dizer que há outros fatores envolvidos no processamento cognitivo da linguagem e não apenas a possibilidade de audição periférica. Podemos ouvir a fala, repetir palavras em uma língua, mas não conseguir compreender essa língua ou mesmo hipotetizar suas regras de funcionamento. Quanto ao implante coclear, verificou-se também que, ao permitir a um surdo falar depois dos 5 anos de idade, ele pode nos revelar o potencial plástico do cérebro.

A aquisição da linguagem oral é também realizada pela leitura labial, com todas as dificuldades previstas em função das características da surdez e da história do surdo com a linguagem. Porém, a leitura labial é insuficiente para que um sujeito possa compreender e seguir as regras (linguísticas, pragmáticas, discursivas) de uma língua audioverbal. Diante dessas dificuldades, cabe ao indivíduo realizar outros processos para se colocar enunciativamente como sujeito no discurso (verbal e não verbal): escolhas de palavras de classe aberta, aproximações fonéticas, usos de enunciados "congelados" (relacionados com contextos de usos de linguagem) e de semioses coocorrentes com a oralidade. A fala do surdo é adquirida de forma diferente da dos ouvintes, o que significa que não se pode exigir fala e falante perfeitos (padrão esse que não se pode ser exigido nem mesmo dos ouvintes).

Nesse contexto, o bilinguismo surge, inicialmente, como alternativa às cobranças do bem-falar, embora na prática as exigências também sejam as mesmas: a oralidade do surdo. A aquisição da língua de sinais é concebida como fator importante para a cognição e posse da oralidade. As interpretações dos gestos articulatórios são beneficiadas pelos diálogos em língua de sinais. Desmistifica-se o pressuposto de que tal língua prejudica a aquisição da oral, o que não se justifica em termos neurolinguísticos.

Observamos, no Capítulo 5, que a proposta bilíngue se vale dessa relação funcional entre as línguas para aprofundar o pressuposto básico de sua teoria. Contudo, nesse campo, ainda não se definiu o estatuto de bilíngue dos sujeitos surdos. Bilíngue parece ser todo aquele que, com maior ou menor proficiência, lê e/ou escreve e/ou fala a língua portuguesa, bem como a língua de sinais. Ou seja, tal como ocorre com as línguas orais, não há consenso teórico sobre o que é um surdo bilíngue. O mesmo ocorre com essa questão no campo das línguas orais; é sempre preciso esperar estudos aprofundados, com muitas descrições e transcrições das línguas e de seu funcionamento, bem como sobre a relação e o contexto (linguístico, cognitivo, pragmático, social, discursivo etc.) de interação entre elas.

Com o que foi apresentado neste livro, vimos que a linguagem oral e a língua de sinais se inter-relacionam nas interações dos surdos. O uso concomitante das línguas parece ser uma característica do bilinguismo bimodal que surge dos interlocutores. Esse uso também surge diante das dificuldades do surdo com a linguagem oral ou dos ouvintes com a língua de sinais A língua de sinais aparece ora como fundo, ora como figura nas interlocuções, demonstrando seu estatuto diferenciado: tornar os interlocutores surdos proficientes. O bilinguismo, na prática, aparece como uma mistura de semioses co-ocorrentes e modifica-se de proposta educacional para contingência social. Assim, o bilinguismo bimodal apresenta-se mais como funcionamento e uso das línguas do que como abordagem educacional, previamente planejada.

Foi discutido também que, para os surdos, a escrita tem sido frequentemente definida como a segunda língua. Ela, muitas vezes, parece ser reduzida, no campo da surdez, a seu caráter mecânico de língua visuomanual, como se fosse completamente desvinculada da fala, da língua de sinais e de suas práticas numa sociedade letrada. Nesse contexto, ora se parte de uma relação direta entre a escrita e a fala, ou mesmo entre a escrita e a língua de sinais, ora da independência entre a escrita, a fala e a língua de sinais. Há, entre as modalidades de linguagem, uma inter-relação cognitiva, social, linguística, embora essa não seja direta nem de representação. Essa relação não tem sido levada em conta no âmbito das abordagens educacionais, assim como os estudos sobre letramento e surdez ainda estão no seu início. Talvez porque necessite ser mais bem descrita e compreendida a inserção dos surdos no mundo letrado.

No Capítulo 6, as discussões apontam para uma relação mutuamente constitutiva entre linguagem e cognição. As abordagens terapêuticas para a surdez têm discutido pouco esse tema na prática, embora possam assumi-lo na teoria. No oralismo, por exemplo, observa-se que prevalece uma concepção de linguagem eminentemente comunicacional. A fala deve ser adquirida porque é a "língua legítima", oficial, que serve a trocas comunicativas entre os falantes.

A comunicação total também não leva em conta tal relação, pois não se prioriza a aquisição de nenhuma língua. Essa não é considerada uma espécie de matriz da significação. A linguagem, aqui, tem caráter instrumental, de passar a informação, e pode ser até mesmo desconsiderada, caso os gestos, as mímicas ou outros sistemas semióticos consigam "passar a mensagem".

Objetiva-se facilitar a comunicação entre surdos e ouvintes, malgrado os resultados na prática e na vida dos surdos sejam incipientes com relação aos benefícios almejados.

Já o bilinguismo se afasta dessa concepção, pois considera a aquisição de uma língua importante para a cognição. Na surdez, essa possibilidade é levada em conta com a aquisição da língua de sinais. Embora a abordagem bilíngue tenha essa preocupação teórica, na prática o contexto interacional dos surdos muitas vezes não permite a aquisição efetiva de uma língua. Ou seja, não podemos garantir uma aquisição proficiente em língua de sinais, em função do que se observa na realidade e nas práticas pedagógicas e terapêuticas, bem como no seio da comunidade da qual o surdo participa, de sua história e de sua linguagem.

"Atrasos" na linguagem podem implicar, pois, "atrasos" também cognitivos, sociais, interacionais, comunicacionais etc. Adquirir a linguagem envolve, entre outras coisas, trabalhos inferenciais reflexivos, que acabam por modificar nossos processos cognitivos. A extensão da ação simbólica da cognição é uma conquista da linguagem. É por isso que a aquisição e o uso de uma língua em ambientes e circunstâncias significativos de vida em sociedade devem ser o objetivo básico de todas as abordagens. Retomo, aqui, as condições para essa aquisição, já mencionadas por Albano (1990), que podem ser ampliadas: 1) é preciso um canal sensoriomotor íntegro, mas também é preciso significar o som que recebemos, ter um processamento central da linguagem; 2) é necessário um interesse subjetivo em "falar" (oral ou gestualmente), mas precisamos ter o que falar, ter interlocutores que nos "façam" falar, que interpretem o que queremos dizer, que se interessem pelo que temos a dizer; 3) é preciso ter uma língua estruturada, e para isso precisamos, entre outras coisas, ter interlocutores proficientes; 4) é preciso estar imerso em um meio no qual a linguagem faça parte de rotinas significativas. Não se pode ter interações na língua apenas em ambientes formais (escolas ou consultórios).

No Capítulo 7, a discussão teórica apresentada visa a uma maior compreensão acerca da relação que se estabelece entre cérebro, cognição e linguagem, assim como das implicações da heterogeneidade da surdez no campo da neurolinguística e da neuropsicologia. Vimos que o surdo pode acessar outras áreas cerebrais, diferentes das dos ouvintes, para processar a fala (e a leitura labial), mas esse dinamismo só é possível devido às interações sociais. A plasticidade audiológica permite até mesmo que sujeitos que perderam a audição em fase adulta consigam ouvir novamente. Os exames atuais indicam uma organização do cérebro diante do "novo", requisitando novas áreas para o processamento da audição (já que os sons ouvidos não são os mesmos que os de anteriormente). Os exames também apontam que sujeitos diferentes podem ter uma organização linguístico-cognitiva distinta, dependendo de fatores subjetivos e interativos, do modo e da idade de aquisição, da estrutura e da modalidade da língua. Ou seja, nossa organização cerebral pode ser distinta devido ao trabalho particular e à relação de cada sujeito com a língua e com os processos de significação.

Ao analisar essas questões no âmbito da surdez, vemos que ainda estamos longe de permitir ou favorecer uma aquisição de linguagem "natural" para o surdo. Há muitos fatores que não podem ser definidos *a priori*. Não raras vezes, uma criança surda usa sinais e fala em conjunto, refletindo a importância da língua da mãe na composição de sua subjetividade. Em outros momentos, as crianças com implante coclear não produzem enunciados orais, apenas gestuais, como se dissessem: "Essa é a melhor forma que tenho de significar".

Ao final deste trabalho, espero ter demonstrado que o estudo neurolinguístico da surdez é fundamental para reforçar algumas posições e desmitificar outras. A surdez, bem como a heterogeneidade das condições linguísticas a que o surdo está por vários motivos exposto revela que nosso cérebro é dinâmico e se organiza com base em nossas interações sociais, que a linguagem não é inata, nem sua especialização cortical. Logo, não podemos estabelecer uma idade crítica para a aquisição, visto que não é só o fator maturacional que deve ser levado em conta.

O estudo da surdez revela, também, que temos maneiras diferentes de apreender o mundo. Mostra que o desenvolvimento dessas formas de apreensão é sociocognitivo e não ocorre à margem da linguagem e de sua ação constitutiva com relação ao conhecimento e às práticas humanas. Prova, principalmente, que abordagens dedicadas ao ensino da linguagem são apenas possibilidades, pois não podem ser, a rigor, definidas primeiramente em um consultório ou na sala de aula. A multiplicidade de facetas da linguagem e seu estatuto sociocognitivo apresentam-se de forma clara no estudo da surdez. Ao salientar questões dessa natureza, espero ter demonstrado que o estudo neurolinguístico da surdez é indispensável a esse debate.

Bibliografia

Abaurre, M. B. M. "Os estudos linguísticos e a aquisição da escrita". In: Pereira de Castro, M. F. C. (org.). *O método e o dado no estudo da linguagem*. Campinas: Ed. da Unicamp, 1996, p. 111-63.

Albano, E. *Da fala à linguagem tocando de ouvido*. São Paulo: Martins Fontes, 1990.

______. *Gesto e suas bordas*. Campinas: Mercado das Letras, 2001.

Albert, M. L.; Obler, L. K. *The bilingual brain*. Orlando: Academic Press, 1978.

Albuquerque, R. R. *Nós surdos e eles surdos: vivências daqueles que falam*. Dissertação de Mestrado em Distúrbios da Comunicação, Pontifícia Universidade Católica de São Paulo, São Paulo, 2002.

Alegría, J. *et al.* "Surdité". In: Rondal, J. A.; Seron, X. (orgs.) *Troubles du langage: diagnostic et rééducation*. Bélgica: Mardaga, 1999, p. 553-87.

Almeida, E. O. C. de. *Leitura e surdez: um estudo com adultos não oralizados*. Rio de Janeiro: Revinter, 2000.

Amorim, P. M. V. *Sujeito surdo ou deficiente auditivo: o que determina a opção do fonoaudiólogo?* Dissertação de Mestrado em Fonoaudiologia, Pontifícia Universidade Católica de São Paulo, São Paulo, 2001.

Ardila, A. "Bilinguism: a neglected and chaotic area". *Aphasiology*, v. 12, n. 2, 1998, p. 131-34.

Bagno, M. *Preconceito linguístico*. 54. ed. São Paulo: Loyola, 2011.

Barbizet, J.; Duizabo, P. *Manual de neuropsicologia*. Porto Alegre: Masson, 1985.

Bavelier D. *et al.* "Hemispheric specialization for English and ASL: left invariance-right variability". *Neuro Report*, v. 9, n. 7, 1998, p. 1537-42.

Behares, L. E. "A língua materna dos surdos". *Revista Espaço/Ines*, mar./1997, p. 40-49.

______. "Implicações neuropsicológicas dos recentes descobrimentos na aquisição de linguagem pela criança surda". In: Moura, M. C.; Lodi, A. C. B.; Pereira, M. C. C. *Série de Neuropsicologia*, v. 3. São Paulo: Tec Art, 1993, p. 41-55.

______. "Novas correntes na educação do surdo: dos enfoques clínicos aos culturais". In: *Cadernos de Educação Especial*, n. 4, Universidade Federal de Santa Catarina, 1994, p. 20-53.

______. *O simbolismo esotérico: a interação mãe ouvinte-criança surda revisitada*. Trabalho apresentado como exigência para a conclusão de curso de pós-graduação em Linguística, Universidade de Campinas. Inédito (mimeo), 1995.

Bellugi, U. *et al.* "A aquisição de sintaxe e espaço nos surdos jovens que utilizam mímica e língua de sinais". In: Mogford, A.; Bishop, K. (eds.). *Desenvolvimento da linguagem em circunstâncias excepcionais*. Rio de Janeiro: Revinter, 2002, p. 179-202.

Benveniste, E. *Problemas de linguística geral I*. 2. ed. Campinas: Editora da Unicamp, 1988a.

______. *Problemas de linguística geral II*. Campinas: Editora da Unicamp, 1988b.

Bevilacqua, M. C. *Implante coclear multicanal: uma alternativa na habilitação de crianças surdas*. Tese de Livre Docência do curso de Fonoaudiologia, Universidade de São Paulo, Bauru, 1998.

Bevilacqua, M. C.; Formigoni, G. M. P. *Audiologia educacional: uma opção terapêutica para a criança deficiente auditiva*. Carapicuíba: Pró-fono, 1997.

Bevilacqua, M. C.; Moret, A. L. M. "Reabilitação e implante coclear". In: Lopes Filho, O. (org.) *Tratado de fonoaudiologia*. São Paulo: Roca, 1997, p. 401-14.

Bochner J. H.; Albertini, J. A. "Language varieties in the deaf population and their acquisition by children and adults". In: Strong, M. (ed.). *Language learning and deafness*. Cambridge; Nova York: Cambridge University Press, 1995, p. 3-48.

Boons, T. *et al.* "Effect of pediatric bilateral cochlear implantation on language development". *Archives of Pediatric and Adolescent Medicine*, v. 66, n. 1, 2012, p. 28-34.

Bourdieu, P. *A economia das trocas linguísticas*. São Paulo: Edusp, 2008.

Brasil. *Lei 10.436/2002. Dispõe sobre a Língua Brasileira de Sinais*. Disponível em: <http://www.planalto.gov.br/ccivil_03/leis/2002/l10436.htm>. Acesso em: 16 jan. 2014.

______. *Decreto 5626/2005. Regulamenta a Lei nº 10.436, de 24 de abril de 2002, que dispõe sobre a Língua Brasileira de Sinais - Libras, e o art. 18 da Lei nº 10.098, de 19 de dezembro de 2000*. Disponível em: <http://www.planalto.gov.br/ccivil_03/_ato2004-2006/2005/decreto/d5626.htm>. Acesso em: 16 jan. 2014.

Brito, L. F. "A intermediação da fala na escrita pelo surdo". *Abralin*, n. 13, 1992, p. 117-23.

______. *Integração social e educação dos surdos.* Rio de Janeiro: Babel, 1993.

______. *Por uma gramática de língua de sinais.* Rio de Janeiro: Tempo Brasileiro, 1995.

Broca, P. "Remarques sur le siège de la faculté du langage articulé, suivies dúne observation d'aphemie". In: Hécaen, H.; Dubois, J. (eds.). *La naissance de la neuropsychologie du language.* Paris: Flammarion Éditeur, 1969, p. 108-23.

Bueno, J. G. S. "Surdez, linguagem e cultura". *Cadernos Cedes*, ano XIX, v. 46, set. 1998, p. 41-56.

Camargo, E. A.; Scarpa, E. M. "Desenvolvimento narrativo em crianças com Síndrome de Down". In: Marchesan, I. Q.; Zorzi, J. L.; Gomes, I. C. D. (orgs.). *Tópicos em fonoaudiologia*, v. 3. São Paulo: Lovise, 1996, p. 59-84.

Canguilhem, G. *O normal e o patológico.* 4. ed. Rio de Janeiro: Forense Universitária, 1995.

Caplan, D. "Language related cortex in deaf individuals: functional specialization for language or perceptual plasticity". *Proceedings of the National Academy of Sciences of the United States of America (PNAS)*, v. 5, n. 25, 1997, p. 1376-77.

Correa, R. B. S. *A complementaridade entre língua e gestos nas narrativas de sujeitos surdos.* Dissertação de Mestrado em Linguística, Universidade Federal de Santa Catarina, Santa Catarina, 2007.

Carrilho, P. E. M. "Apraxias ideomotora e ideatória". In: Nitrini, R.; Caramelli, P. Mansur, L. (orgs.). *Neuropsicologia: das bases anatômicas à reabilitação.* São Paulo: Clínica Neurológica do Hospital das Clínicas da Faculdade de Medicina de São Paulo, 1996, p. 259-74.

Chartier, R. *Leituras e leitores na França do Antigo Regime.* São Paulo: Ed. da Unesp, 2004.

Chomsky, N. *Linguagem e mente.* Brasília: UNB, 1998.

______. *Linguagem e pensamento*, Rio de Janeiro: Vozes, 1971.

______. *Reflexões sobre a linguagem.* São Paulo: Cultrix, 1975.

Ciccone, M. *Comunicação total: uma filosofia educacional.* Rio de Janeiro: Cultura Médica, 1990.

Correia, R. B. S. *A complementaridade entre língua e gestos nas narrativas de sujeitos surdos* (Mestrado em Linguística). Universidade Federal de Santa Catarina, Santa Catarina, 2007.

Costa, O. A.; Bevilacqua, M. C.; Moret, A. L. M. "Habilitation, patient performance and social cultural aspects in a cochlear implant program". In: *Cochlear implants with emphasis on the pedagogical follow-up for children and adults*, 17th Danavox Symposium, Trondhjem, K. e Post, I. (ed.), Scanticon, 1997.

Costa Filho, O. A. *et al.* "Implante coclear em adultos". In: Campos, C. A. H.; Costa, H. O. O. (orgs.) *Tratado de otorrinolaringologia.* São Paulo: Roca, 2002. p. 278-89.

Coudry, M. I. *Diário de narciso.* São Paulo: Martins Fontes, 1988.

Couto, A. *Como posso falar: aprendizagem da língua portuguesa pelo deficiente auditivo.* Rio de Janeiro: Aula, 1991.

Damásio, A. R. *O erro de Descartes.* São Paulo: Companhia das Letras, 2000.

Dehaene, S. *et al.* "Anatomical variability in the cortical representation of first and second language". *NeuroReport*, n. 8, 1997, p. 3809-15.

De Lemos, C. T. G. "Interacionismo e aquisição de linguagem". *Delta*, v. 22, 1986, p. 232-40.

______. "Uma abordagem construtivista do processo de aquisição de linguagem: um percurso e muitas questões". I Encontro Nacional sobre Aquisição de Linguagem, Porto Alegre, 1989, p. 61-76.

Eggermont, J. J. *et al.* "Maturational delays in cortical evoked potentials in cochlear implant users". *Acta Otolaryngol*, v. 117, 1997, p. 161-63.

Elias, N. *Sobre o tempo.* Rio de Janeiro: Jorge Zahar, 1984.

Ellis, A. W.; Yong, A. Y. *Neuropsicología cognitiva humana.* Barcelona: Masson, 1992.

Emmorey, K.; Bellugi, U.; Klima, E. "Organização neural da língua de sinais". In: Moura, M. C.; Lodi, A. C.; Pereira, M. C. (orgs.). *Série de Neuropsicologia,* v. 3. São Paulo: Tec Art, 1993, pp. 19-40.

______. "Processing a dynamic visual-spatial language: psycholinguistic studies of American sign language". *Journal of Psycholinguistic Research*, v. 22, n. 2, 1993, p. 153-85.

Fabbro, F. "Bilingual aphasia research is not a tábula rasa". *Aphasiology,* v. 12, n. 2, 1998, p. 138-40.

______. "The bilingual brain: cerebral representation of languages". *Brain and Language,* 79, 2001, p. 201-22.

Fedosse, E. *Da relação linguagem e praxia: estudo neurolinguístico de um caso de afasia.* Dissertação de Mestrado em Linguística, Instituto de Estudos Linguísticos, Universidade de Campinas, São Paulo, 2000a.

______. "O papel estruturante do *prompting* fonético na expressão verbal de sujeitos afásicos". Texto apresentado nos Anais do Círculo de Estudos Linguísticos do Sul – Celsul, 2000b.

Fedosse, E.; Santana, A. P. "Gesto e fala: ruptura ou continuidade?" *Distúrbios da Comunicação,* v. 13, n. 2, 2002, p. 243-56.

Fernandes, E. *Linguagem e surdez.* Porto Alegre: Artmed, 2003.

Fernandes, S. *Práticas de letramento na educação bilíngue para surdos.* Curitiba: SEED, 2006.

Figueira, R. A. "O erro como dado de eleição nos estudos de aquisição da linguagem". In: Castro, M. F. P. (org.). *O método e o dado no estudo da linguagem*. Campinas: Ed. da Unicamp, 1996, p. 55-86.

Fonseca, R. P.; Parente, M. A. M. P. "Relação entre linguagem e hemisfério direito". In: Ortiz, K. (org.). *Distúrbios neurológicos adquiridos*. Barueri: Manole, 2005, p. 136-56.

Foucault, M. *Vigiar e punir*. 11. ed. Rio de Janeiro: Vozes, 2001.

Franchi, C. "Linguagem – Atividade constitutiva". *Cadernos de Estudos Linguísticos*, n. 22, 1992, p. 9-39.

Fryauf-Bertschy, H. *et al.* "Cochlear implant use by prelingually deafness children: the influences of age at implant and length of device use". *Journal of Speech, Language and Hearing Research*, v. 40, 1997, p. 183-99.

Geers, A. E.; Schick, B. "Acquisition of spoken and signed English by hearing-impaired children of hearing-impaired or hearing parentes". *Journal of Speech and Hearing Disorder*, v. 54, 1988, p.136-43.

Geertz, C. *A interpretação da cultura*. Rio de Janeiro: Guanabara Koogan, 1989.

Geraldi, J. W. *Linguagem e ensino*. Campinas: Mercado de Letras, 1996.

Giraud, A. *et al.* "Differential recruitment of the speech processing system in healthy subjects and rehabilitated cochlear implant patients". In: *Brain*, n. 123, 2000, p. 1391-402.

Goldfeld, M. *A criança surda*. São Paulo: Plexus, 1997.

Goldin-Meadow, S. "Structure in a manual communication system developed without a conventional language model: language without a helping hand". In: Whitaker, H.; (org.). *Neurolinguistics*, v. 4. Nova York: Academic Press, 1979, p. 125-209.

Gregolin-Guindaste, R. M. "O agramatismo: uma afasia de natureza sintática". *Cadernos de Estudos Linguísticos*, n. 32, 1997, p. 61-72.

Groenen, P. A. P. *et al.* "The relation between electric auditory brain stem and cognitive responses and speech perception in cochlear implant users". *Acta Otolaryngol*, v. 116, 1996, p. 785-90.

Grosjean, F. "Le bilinguisme et le biculturalosme: essai de définition". In: Goirouben, M.; Virole, B. (orgs.) *Le bilinguisme aujourd'hui et demain*. Paris: Coedition CTNERHI, 2003a, p. 19-50.

______. "Bilinguisme, biculturalosme et Surdité". In: Goirouben, M.; Virole, B. (orgs.) *Le bilinguisme aujourd'hui et demain*. Paris: Coedition CTNERHI, 2003b, p. 53-69.

Guarinello, A. *O papel do outro no processo de construção de produções escritas por sujeitos surdos* (The role of the other in the written language constructions of deaf individuals). Tese de Doutorado em Linguística, Universidade Federal do Paraná, Paraná, 2004.

______. "O papel do outro na produção da escrita de sujeitos surdos (The role of the other in written productions of deaf people)". *Distúrbios da Comunicação*, v. 17, n. 2, ago./2005, p. 245-54.

______. C. *O papel do outro na escrita de sujeitos surdos*. São Paulo: Plexus, 2007.

Guarinello, A. C. *et al.* "A disciplina de Libras no contexto de formação acadêmica em fonoaudiologia". Revista CEFAC, v. 15, n. 2, São Paulo, abr. 2013. Disponível em: <http://www.scielo.br/scielo.php?script=sci_arttext&pid=S1516-18462013000200009&lng=en&nrm=iso>. Acesso em: 13 abr. 2015.

Harris, L. J. "On the evolution of handedness: a speculative analysis of Darwin's views and a review of early studies of handedness in 'the nearest allies of man'". *Brain and Language*, n. 73, 2000, p. 132-88.

Heredia, C. "Do bilinguismo ao falar bilíngue". In: Vermes, G.; Boutet, J. (orgs.). *Multilinguismo*. Campinas: Ed. da Unicamp, 1989, p. 177-220.

Heyes, J. "Línguas em contato: considerações sobre o bilinguismo e a bilingualidade". *Investigando a linguagem*. Florianópolis: Mulheres, 1999.

Hickok, G.; Kirk, K.; Bellugi, U. "Hemispheric organization of local-and--global-level visuospatial processes in deaf signers and its relation to sign language aphasia". *Brain and Language*, n. 65, 1998, p. 276-86.

Holowka, S.; Petitto, L. A. "Left hemisphere cerebral specialization for babies while babbling". *Science*, v. 297, n. 30, 2002, p. 1515.

Humphries, T. *et al.* "Bilingualism: a pearl to overcome certain perils of cochlear implants". *Jornal of Medical Speech-Language Patology*, v. 21, n. 2, 2014, p. 107-25.

Hyppolito, M. A.; Bento, R. F. "Rumos do implante coclear bilateral no Brasil". *Brazilian Journal of Otorhinolaryngology*, v. 78, n. 1, 2012, p. 2-3.

Idargo, A. B. *A experiência do status*. Dissertação de Mestrado em Sociologia, Faculdade de Filosofia, Letras e Ciências Humanas, Universidade de São Paulo, São Paulo, 2000.

INAF. *Indicador de Alfabetismo Funcional: principais resultados, 2011*. Instituto Paulo Montenegro. Disponível em: <http://www.ipm.org.br/download/inf_resultados_inaf2011_ver_final_diagramado_2.pdf>. Acesso em: 14 jan. 2014.

Jakobson, R. *Linguística e comunicação*. São Paulo: Cultrix, 1954.

Joanette, Y. *et al.* "Fundamentos neurobiológicos da recuperação das afasias: do neurobiológico ao psicossocial". In: Nitrini, R.; Caramelli, P.; Mansur, L. L. (orgs.). *Neuropsicologia: das bases anatômicas à reabilitação*. São Paulo: Faculdade de Medicina da USP, 1996, p. 203-14.

Johnston, M. V. "Plasticity in the developing brain: implications for rehabilitation". *Developmental Disabilities Research Reviews*, n. 15, 2009, p. 94-101.

Junior, G. C. *Variação linguística em língua de sinais brasileira - Foco no léxico*. Dissertação apresentada ao Programa de Pós-Graduação do Departamento de Linguística, Português e Línguas Clássicas, Universidade de Brasília, Brasília, 2011, p. 123.

Kagan, A.; Saling, M. M. *Uma introdução à afasiologia de Luria: teoria e aplicação*. Porto Alegre: Artes Médicas, 1997.

Kandel, E. R.; Schwartz, J. H.; Jessel, T. M. *Fundamentos da neurociência e do comportamento*. Rio de Janeiro: Guanabara Koogan, 1997.

Karnopp, L. *Aquisição da linguagem por crianças surdas: uma abordagem sobre a aquisição fonológica*. Trabalho apresentado no Congresso da Abralin, 2003.

Kegl, J.; Senghas, A.; Coppola, M. "Creation through contact: sign language emergence and sign language change in Nicaragua". In: Degraff, M. (ed.). *Language creation and language change: creolization diachrony, and development*. Cambridge: The Mit Press, 1999, p. 179-237.

Kelman, C. A. "Multiculturalismo e surdez: respeito às culturas minoritárias". In: Lodi, A. C. B.; Mélo, A. D. B.; Fernandes, E. (orgs). *Letramento, bilinguismo e educação de surdos*. Porto Alegre: Mediação, 2012, p. 49-70.

Kim, K. H. S. *et al*. "Distinct cortical areas associated with native and second languages". *Nature*, n. 388, 1997, p. 171-74.

Kluwin, T. N.; Stewart, D. A. "Coclear implants for younger children: a preliminary description of the parental decision process and outcomes". *America Annals of the Deaf*, v. 145, n. 1, 2000, p. 26-32.

Koch, I. *O texto e a construção dos sentidos*. São Paulo: Contexto, 1997.

______. V. *Desvendando os segredos do texto*. São Paulo: Cortez, 2002.

Koch, I. V.; Elias, V. M. *Ler e escrever:* estratégias de produção textual. São Paulo: Editora, Contexto, 2009.

Kovelman, I. *et al*. "Dual language use in sign-speech bimodal bilinguals: fNIRS brain-imaging evidence". *Brain & Language*, n. 109, 2009, p. 112--123.

Kozlowski, L. La perception auditive-visuelle de la parole: une étude sur les devenus sourds profunds porteurs d´implant cochleaire. Tese de Doutorado. Université de la Sorbonne Nouvelle, 1994.

______. *Implantes cocleares*. Carapicuíba: Pró-fono, 1997.

______. "A educação bilíngue-bicultural do surdo". In: Lacerda, C. B. F.; Nakamura, H.; Lima, M. C. (orgs.). *Surdez e abordagem bilíngue*. São Paulo: Plexus, 2000, p. 80-98.

Krammer, K. "The benefits of sign language for deaf children with and without cochlear implant(s)". *European Scientific Journal*, v. 4, 2013.

Kubo, T. *et al*. "Auditory plasticidt in cochlear implant patients". *Acta Otolaryngol*, v. 116, 1996, p. 224-27.

Laborit, E. *O voo da gaivota*. São Paulo: Best Seller, 1994.

Lacerda, C. B. F. de; Lodi, A. C. B. "O desenvolvimento do narrar em crianças surdas: o contexto de grupo e a importância da língua de sinais". *Temas sobre Desenvolvimento*, v. 15, n. 85-86, São Paulo, 2006, p. 45-53.

Lacerda, M. C. *Os processos dialógicos entre o aluno surdo e o educador ouvinte*. Tese de Doutorado em Educação, Faculdade de Educação, Universidade de Campinas, São Paulo, 1996.

Lacerda, M. C.; Mantelatto, S. A. C. "As diferentes concepções de linguagem na prática fonoaudiológica junto a sujeitos surdos". In: Lacerda, C. B. F.; Nakamura, H.; Lima, M. C. (orgs.). *Surdez e abordagem bilíngue*. São Paulo: Plexus, 2000, p. 21-41.

Lane, H. *A máscara da benevolência: a comunidade surda amordaçada*. Lisboa: Instituto Piaget, 1992.

Lebrun, Y. *Tratado de afasia*. São Paulo: Panamed, 1983.

Lenneberg, E. H. *Biological foundations of language*. Nova York: John Wily & Sons, 1967.

Lichig, I.; Mecca, F. F. D. N.; Barbosa, F. *Implante coclear e a comunidade surda: desafio ou solução*. Texto apresentado no II Seminário ATIID: Acessbilidade, TI e Inclusão Digital, São Paulo, 2003.

Lodi, A. C. B. "Uma leitura enunciativa da língua brasileira de sinais: O gênero contos de fadas". *Delta - Documentação de Estudos em Linguística Teórica e Aplicada*, São Paulo, v. 20, n. 2, 2004, p. 281-310.

Lopes, L. P. M. "Discursos de identidade em sala de leitura de L1: a construção da diferença". In: Signorini, I. (org.). *Língua(gem) e identidade*. Campinas: Mercado das Letras/Fapesp/Faep, 2001, p. 303-30.

Luria, A. R. *Traumatic aphasia: its syndromes, psychology and treatment*. Nova York: The Hague, 1970.

______. "A atividade consciente do homem e suas raízes histórico-culturais". In: *Curso de psicologia geral I*. Rio de Janeiro: Civilização Brasileira, 1977.

Machado, M. T. C. "Linguagem e pensamento da criança". *Revista Espaço*, 1996, pp. 21-3.

Mac Sweeney, M. *et al.* "Speechreading circuits in people born deaf". *Neuropsychologia*, n. 40, 2002, p. 801-07.

Maher, T. M. "Sendo índio em português..." In: Signorini, I. (org.). *Língua(gem) e identidade*. Campinas: Mercado das Letras/Fapesp/Faep, 2001, p. 115-38.

Manson, D.; Ewoldt, C. "Whole language and deaf bilingual-bicultural education - naturaly!" *American Annals of Deaf*, v. 141, n. 4, 1996, p. 293-98.

Marcuschi, L. A. *Da fala para a escrita: atividades de retextualização*. São Paulo: Cortez, 2001.

Mayberry, R. I. "The cognitive development of deaf children: recent insights". In: Segalowitz, S. J.; Rapin, I. (eds.). *Handbook of Neuropsychology*, v. 7, Nova York, 1992, p. 51-68.

______. "Cognitive development in deaf children: the interface of language and perception in neuropsychology". In: Segalowitz, S. J; Rapin, I. (eds). *Handbook of Neuropsychology*, 2. ed., v. 8, part II. Nova York: Elsevier Science, 2002, p. 71-107.

Mayberry, R. I.; Eichen, E. B. "The lost-lasting advantage of learning sign language in childhood: another look at the critical period for language acquisition". *Journal of Memory and Language*, v. 30, 1991, p. 486-512.

McNeill, D. *Hand and mind: what gestures reveal about thought*. Chicago: The University of Chicago Press, 1992.

Mecacci, L. *Conhecendo o cérebro*. São Paulo: Nobel, 1987.

Mecklenburg, D. A.; Babighian, G. "Cochlear implant performance as an indicator of auditory". In: Salvi, R. J. *et al.* (orgs.). *Auditory system plasticity and regeneration*. Nova York: Thieme Medical Publishers, 1996, p. 395-404.

Mello, H. A. B. *O falar bilíngue*. Goiânia: Ed. da UFG, 1999.

Mendonça, L. I. Z. "Contribuições da neurologia no estudo da linguagem". In: Ortiz, K. (org.). *Distúrbios neurológicos adquiridos*. Barueri: Manole, 2005, p. 1-35.

Meyer, P. *O olho e o cérebro: biofilosofia da percepção visual*. São Paulo: Ed. da Unesp, 2002.

Miyamoto, R. T. *et al.* "Speech perception and speech production skills of children with multichannel cochlear implants". *Acta Otolaryngol*, v. 116, 1996, p. 240-43.

Miyamoto, R. T.; Svirsky, M. A.; Robbins, A. M. "Enhacement of expressive language in premingually deaf children with cochlear implants". *Acta Otolaryngol*, v. 117, 1997, p. 154-57.

Mogford, K.; Bishop, D. "O desenvolvimento da linguagem em condições normais". In: Mogford, K.; Bishop, D. (orgs.). *Desenvolvimento da linguagem em circunstâncias excepcionais*. Rio de Janeiro: Revinter, 2002, p. 1-26.

Morais, J. *A arte de ler*. São Paulo: Ed. da Unesp, 1994.

Morato, E. M. "Linguagem, cultura e cognição: contribuições dos estudos neurolinguísticos". Texto apresentado no encontro sobre Teoria e Pesquisa em Ensino de Ciências. Universidade Federal de Minas Gerais, Minas Gerais, 1997.

______. "Neurolinguística". In: Mussalin, F.; Bentes, A. C. (orgs.). *Introdução à linguística*, v. 2. São Paulo: Cortez, 2000, p. 143-70.

Morato, E. M. (org.). *Sobre as afasias e os afásicos: subsídios teóricos e práticos do Centro de Convivência de Afásicos*. Campinas: Ed. da Unicamp, 2003.

Moret, A. L. M.; Bevilacqua, M. C.; Costa, O. A. "Cochlear implant: hearing and language in pre-lingual deaf children" (original title: Implante coclear: audição e linguagem em crianças deficientes auditivas pré-

-linguais). *Pró-Fono Revista de Atualização Científica*, v. 19, n. 3, São Paulo, jul.-set. 2007, p. 295-304.

Morford, J. P. "Insights to language from the study of gesture: a review of research on the gestural communication of non-signing deaf people". *Language & Communication*, v. 16, n. 2, 1996, p. 165-78.

Mori, C. C. *O desenvolvimento gestual de uma criança ouvinte e outra deficiente auditiva: um estudo contrastivo*. Dissertação de Mestrado em Linguística, Instituto de Estudos Linguísticos, Unicamp, São Paulo, 1994.

Moura, M. C. "A língua de sinais na educação da criança surda". In: Moura, M. C.; Lodi, A. C. B.; Pereira, M. C. C. *Série de Neuropsicologia*, v. 3, 1993, p. 1-4.

______. *O surdo: caminhos para uma nova identidade*. Rio de Janeiro: Revinter, 2000.

Naito, Y. *et al.* "Sound-induced activation of auditory cortices in cochlear implant users with post- and prelingual deafness demonstrated by position emission tomography". *Acta Otolaryngol*, v. 117, 1997, p. 490-96.

Nascimento, L. C. R. "Fonoaudiologia e surdez: uma análise dos processos discursivos da prática fonoaudiológica no Brasil". Texto apresentado no IV Seminário de Teses em Andamento, Instituto de Estudos Linguísticos, Unicamp, São Paulo, 2000.

______. *Fonoaudiologia e surdez: uma análise dos percursos discursivos da prática fonoaudiológica no Brasil*. Dissertação de Mestrado em Educação, Faculdade de Educação, Unicamp, São Paulo, 2002.

Nery, D.; Novaes, B. "Identificação de estratégias no processo terapêutico de uma criança deficiente auditiva". *Distúrbios da Comunicação*, v. 13, a. 1, 2001, p. 59-68.

Neville, H. *et al.* "Neural systems mediating American sign language: effects of sensory experience and age of acquisition". *Brain and Language*, v. 57, 1997, p. 285-308.

Neville, H. *et al.* "Cerebral organization for language in deaf and hearing subjects: biological constrains and effects of experience". *Proceedings of the National Academy of Sciences of the United States of America (PNAS)*, v. 95, 1998, p. 922-29.

Neville, H.; Bavelier, D. "Variability in the effects of experience on the development of cerebral specializations: insights from the study of deaf individuals". Washington: US Government Printing Office, 1998.

Newman, J. A. *et al.* "A critical period for right hemisphere recruitment in American sings language processing". *Nature Neuroscience*, v. 5, a. 1, 2002, p. 76-80.

Newport, E. "Maturacional constraints on language learning". *Cognitive Science*, v. 14, 1990, p. 11-28.

Newport, E.; Johnson, J. S. "Critical period effects in second language learning: the influence of maturational state on the acquisition of English as a second language". *Cognitive Psychology*, v. 21, 1999, p. 60-99.

Novaes Pinto, R. C. "Agramatismo e processamento normal da linguagem". *Cadernos de Estudos Linguísticos*, v. 32, 1997, p. 73-86.

Nussbaum, D. *Cochlear implants – Navigating a forest of information... one tree at a time*. Disponível em: <https://www.google.com.br/rl?sa=t&rct=-
j&q=&esrc=s&source=web&cd=1&cad=rja&uact=8&ved=0CB8QF-
jAA&url=http%3A%2F%2Fwww.gallaudet.edu%2Fdocuments%2
Fclerc%2Fci-g.pdf&ei=bGfrVMvFDYTLsASijYCIDA&usg=AFQjCNFY
2pXCVprsJ2Cw0LikhT4xfed9Vg&sig2=jlCL7tbu8Ys-AvnYult
AIg&bvm=bv.86475890,d.cWc>. Acesso em: 23 fev. 2015.

Obler, L. K.; Gjerlow, K. *Language and brain*. Cambridge: Cambridge University Press, 2000.

Obler, L. K.; Hyun, J. M.; Conner, P. S.; O'Connor, B; Anema, I. "Brain organization of language in bilinguals". In: Ardila, A.; Ramos, E. (eds.). *Speech and language disorders in bilinguals*. Nova York: Nova Science Publishers, 2007, p. 21-46.

Oliveira, R; C. A.; Marques, R. R. "Uso da variação linguística na língua brasileira de sinais." *Caderno Estudos Linguísticos e Literários*, ano II, n. 1, Mato Grosso, 2014.

Padden, C. A. "Early bilingual lives of deaf children". In: Parasnis, I. (ed.). *Cultural and language diversity and the deaf experience*. Nova York: Cambridge University Press, 1998, p. 99-116.

Palij, M. "Acquiring English at different ages: the English displacement effect and other findings". *Journal of Psycholinguistic Research*, v. 19, a. 1, 1990, p. 57-69.

Pallier, C; Dehaene, S.; Poline, J-B; LeBihan, D.; Argenti, A. M.; Dupoux, E.; Mehler, J. "Brain imaging of language plasticity in adopted adults: can a second language replace the first?" *Cerebral Cortex*, v. 13, fev./2003, p.155-161.

Paradis, M. "Bilingual aphasia rehabilitation". In: Paradis, M. (ed.). *Foundations of aphasia rehabilitation*. Nova York: Pergamon Press, 1993.

Peixoto, R. C. "Algumas considerações sobre a interface entre a língua brasileira de sinais (Libras) e a língua portuguesa na construção inicial da escrita pela criança surda". *Cadernos Cedes* 26, n. 69, 2006, p. 205-29.

Perani, D. *et al.* "The bilingual brain: proficiency and age of acquisition of second language". *Brain*, v. 121, 1998, p. 1841-52.

Pereira, M. C. C. *Interação e construção do sistema gestual em crianças deficientes auditivas filhas de pais ouvintes*. Tese de Doutorado em Linguística, Instituto de Estudos Linguísticos, Unicamp, São Paulo, 1989.

______. "Narrativas infantis em Língua Brasileira de Sinais". *Letras de Hoje*, v. 39, Porto Alegre, 2004, p. 273-84.

Pereira, M. C. C.; Nakasato, R. "Aquisição de narrativas em Língua de Sinais Brasileira". *Letras de Hoje*, Porto Alegre, v. 125, 2001, p. 355-63.

Pereira, C. M. C.; Rocco, G. C. "Aquisição da escrita por crianças surdas – Início do processo". *Revista Letrônica*, v. 2, n. 1, jul. 2009, p. 138-49.

Pereira de Castro, M. F. *Aprendendo a argumentar: um momento na construção da linguagem*. Campinas: Ed. da Unicamp, 1996.

Perlin, G. T. T. "Identidades surdas". In: Skliar, C. (org.). *A surdez: um olhar sobre as diferenças*. Porto Alegre: Mediação, 1998, p. 51-73.

Perroni, M. C. "Sobre o conceito de estágio em aquisição da linguagem". *Cadernos de Estudos Linguísticos*, n. 7, a. 26, 1994, p. 16.

Petitto, L. A. "On the biological foundations of human language". In: Emmorey, K.; Lane, K. (eds.). *The signs of language revisted: an anthology in honor of Ursula Bellugi and Edward Klima*. Mahway: Lawrense Erlbaum, 2000, p. 447-71.

Petitto, L. *et al.* "Speech-like cerebral activity in profoundly deaf people processing signed languages: implications for the neural basis of human language". *PNA*, v. 97, a. 25, 2000, p. 13961-66.

Piaget, J. *A linguagem e o pensamento da criança*. São Paulo: Martins Fontes, 1999.

Possenti, S. *Por que (não) ensinar gramática na escola*. Campinas: Mercado das Letras, 2000.

Quadros, R. M. Educação de surdos – A aquisição de linguagem. Porto Alegre: Artes Médicas, 1997.

______. "Aquisição de L2: o contexto da pessoa surda". *Anais do III Seminário Internacional de Linguística*. Porto Alegre: Gráfica Epecê, 1999.

______. "Alfabetização e o ensino da língua de sinais". *Textura: Canoas*, n. 3, 2000, p. 53-62.

______. "Notas de aula". Seminário Especial de Linguística e Língua de Sinais Brasileira, no Programa de Pós-Graduação em Linguística. Universidade Federal de Santa Catarina, Santa Catarina, 2003.

Quadros, R. M.; Karnopp, L. *Linguística aplicada à língua de sinais*. Porto Alegre: Artes Médicas, 2003.

Quadros, R. M.; Schmiedt, M. L. P. *Ideias para ensinar português para alunos surdos*. Brasília: MEC/Seesp, 2006.

Quadros, R. M; Cruz, C. R; Pizzio, A. L. "Memória fonológica em crianças bilíngues bimodais e crianças com implante coclear". *ReVEL*, v. 10, n. 19, 2012.

Quadros, R. M.; Stumpf; M. R. Leite; T. A (orgs). *Estudos da Língua Brasileira de Sinais*, v. I. Florianópolis: Insular, 2013.

Quadros, R. M.; Stumpf, M.; Leite, T. A. (orgs) *Estudos da Língua Brasileira de Sinais*, v. II. Florianópolis: Insular, 2014.

Quadros, R. M.; Weininger, M. J. (orgs.). *Estudos da Língua Brasileira de Sinais*, v. III. Florianópolis: Insular, 2014.

Rabelo, A. S. "Aplicação de abordagem oralista e de comunicação total em deficientes auditivos: estudo comparativo de duas crianças". In: *Comunicação total: uma filosofia educacional.* Rio de Janeiro: Cultura Médica, 1990.

Ramírez, N. F.; Lieberman, A. M.; Mayberry, R. "The initial stages of first-language acquisition begun in adolescence: when late looks early". *Journal of Child Language*, 2012, p. 1-24.

Rauschecker, J. P. "Auditory cortical plasticity: a comparison with other sensory systems". *Trends Neurosci*, n. 22, 1999, p. 74-80.

Reilly, J. *et al.* "Linguistic versus affective facial expression provides clues to neural plasticity for language: evidence from ASL". *Brain and Language*, v. 83, 2002, p. 202-04.

Reis, V. P. F. "A linguagem e seus efeitos no desenvolvimento cognitivo e emocional da criança surda". *Revista Espaço/Ines,* março de 1997, p. 23-39.

Resende P. L. F. *Implante coclear na constituição de sujeitos surdos* (Doutorado em Educação). Universidade Federal de Santa Catarina, Departamento de Educação, Santa Catarina, 2010.

Rojo, R. *Letramentos múltiplos: escola e inclusão social.* São Paulo: Parábola, 2010.

_______. Gêneros discursivos do Círculo de Bakhtin e multiletramentos. In: Rojo, R. (org.). *Escola conectada: os multiletramentos e as TICs.* São Paulo: Editora Parábola, 2013, p. 13-36.

Roots, J. *The politics of visual language: deafness, language choice, and political socialization.* Canadá: Carleton University Press, 1999.

Rose, D.; Vernon, M.; Pool, A. F. "Cochlear implants in prelingually deaf children". *American Annals of the Deaf*, v. 141, a. 3, 1996.

Rossi, T. R. F. *Brincar: uma opção para vencer o obstáculo da interação entre mãe ouvinte/filho surdo.* Tese de Doutorado em Educação Física. Faculdade de Educação Física, Unicamp, São Paulo, 2000.

Sá, N. R. L. *A educação dos surdos: a caminho do bilinguismo.* Niterói: Eduff, 1999.

Sacks, O. *Um antropólogo em Marte.* São Paulo: Companhia das Letras, 1995.

______. *Vendo vozes.* São Paulo: Companhia das Letras, 1998.

Sanders, L. D.; Weber-Fox, C. M.; Neville, H. J. "Varying degrees of plasticity in different subsystems within language". In: Pomerantz, J. R.; Crair, M. (eds.). *Topics in integrative neuroscience: from cells to cognition.* Cambridge: Cambridge University Press, 2007, p. 125-53.

Santana, A. P. O. *Escrita e afasia*. São Paulo: Plexus, 2002.

______. *Reflexões neurolinguísticas sobre a surdez*. Tese de Doutorado. Instituto de Estudos Linguísticos, Unicamp, 2003.

______. "A idade crítica para aquisição de linguagem". *Distúrbios da Comunicação*, v. 16, n. 3, 2004a, p. 343-54.

______. "Reflexões em torno da surdez". *Temas sobre Desenvolvimento*, v. 13, n. 74, 2004b, p. 25-34.

______. "O processo de aquisição da linguagem: estudo comparativo de duas crianças usuárias de implante coclear". *Distúrbios da Comunicação*, v. 17, n. 2, 2005, p. 233-44.

______ "Refletindo sobre a linguagem oral na surdez". In: Pastorello, L. M.; Rocha, A. C. O. (orgs.). *Os práticos do diálogo: fonoaudiologia e problemas de linguagem oral*. São Paulo: Revinter, 2006, p. 65-79.

Santana, A. P. O.; Bergamo, A. "Cultura e identidade surda: encruzilhada de lutas sociais e teóricas". *Revista Educação e Sociedade*, v. 26, n. 91, 2005, p. 565-82.

Santana, A. P. O.; Carneiro, M. S. C. "O processo de avaliação da aprendizagem do surdo no contexto da escola regular". In: Giroto, C. R. M.; Martins, S. E. S. de O.; Berberian, A. P. (orgs.). *Surdez e educação inclusiva*. Marília: Oficina Universitária/Cultura Acadêmica, 2012, p. 55-78.

Santana, A. P. O.; Guarinello, A. C. "Fonoaudiologia e a abordagem bilíngue: do aspecto clínico ao educacional". In: *Surdez, escola, e sociedade: reflexões sobre fonoaudiologia e a educação*. 1. ed. Rio de Janeiro: WAK, 2015, p. 121-59.

Santana, A. P. O.; Guarinello, A. C.; Bergamo, A. "A clínica fonoaudiológica e a aquisição do português como segunda língua para surdos". *Revista Distúrbios da Comunicação*, v. 25, n. 3, 2013, p. 440-51.

Santos, K. R. O. R. P. "Projetos educacionais para alunos surdos". In: Lodi, A. C. B; Mélo, A. D. B; Fernandes, E. (orgs). *Letramento, bilinguismo e educação de surdos*. Porto Alegre: Mediação, 2012, p. 71-88.

Saussure, F. *Curso de linguística geral*. 20. ed. São Paulo: Pensamento-Cultrix, 1997.

Scarpa, E. M. "Aquisição da linguagem". In: Bentes, A. C.; Mussalim, F. (orgs.). *Introdução à linguística 2*. São Paulo: Cortez, 2001, p. 203-32.

Scliar-Cabral, L. *Introdução à psicolinguística*. São Paulo: Ática, 1991.

Sebastian, R.; Laird, A. R.; Kiran, S. "Meta-analysis of the neural representation of first language and second language". *Applied Psycholinguistics*, n. 32, 2011, p. 1-21.

Senghas, A. "The development of Nicaraguan Sign Language via the language acquisition process". In: MacLaughlin, D.; McEwen, S. (eds.).

Proceedings of the Boston University Conference on Language Development. Boston: Cascadilla Press, 1995, p. 543-52.

Senghas, R. J. "Cybernetic systems approaches and language change: the Nicaraguan sign language case and principles of evolution". Texas Linguistic Forum 47, 2003, p. 173-82.

Sharma, A.; Dorman, M. "Central auditory system development and plasticity after cochlear implantation". In: Zeng, F-G *et al.* (eds). *Auditory prostheses: new horizons*, Springer Handbook of Auditory Research, 2011, p. 233-55.

Singleton, D. *Language acquisition: the age factor*. Filadélfia: Multilingual Matters, 1989.

Singleton, J. L.; Newport, E. L. "When learners surpass their models: the acquisition of American Sign Language from inconsistent input". *Cognitive Psychology*, 49, 2004, p. 370-407.

Skliar, C. "Um olhar sobre o nosso olhar acerca da surdez e das diferenças". In: Skliar, C. (org.). *A surdez: um olhar sobre as diferenças*. Porto Alegre: Mediação, 1998, p. 5-6.

Smolka, A. L. B. *A criança na fase inicial da escrita*. São Paulo: Cortez, 1993.

Soares, F. M. R. "O (não) ser surdo em escolar regular: um estudo sobre a construção da identidade". In: Lodi, A. C. B.; Mélo, A. D. B.; Fernandes, E. (orgs). *Letramento, bilinguismo e educação de surdos*. Porto Alegre: Editora Mediação, 2012, p. 105-12.

Soares, M. "Letramento e escolarização". In: Ribeiro, V. M. (org.). *Letramento no Brasil: reflexões a partir do INAF 200*. São Paulo: Global, 2003, p. 89-113.

Spinelli, M. "Deficiência auditiva periférica" In: *Foniatria: introdução aos distúrbios da comunicação, audição, linguagem*. São Paulo: Cortez & Moraes, 1979, p. 73-99.

Stokoe, W. C. *Semiotics and human sign language*. Mouton: The Hague, 1972.

Szagun, G. *The younger the better? Variability in language development of young German-speaking children with cochlear implants*. Paper presented at the Child Language Seminar, 2007, hosted by the University of Reading, p. 176-87.

Tervoort, R. T. "Esoteric symbolism in the communication of young deaf children". *American Annals of the Deaf*, n. 106, a. 5, 1981, p. 436-80.

Tfouni, L. V. *Adultos não alfabetizados*. Campinas: Pontes, 1988.

______. *Letramento e alfabetização*. São Paulo: Cortez, 1995.

Thompson, E. P. *Costumes em comum: estudos sobre a cultura popular tradicional*. São Paulo: Companhia das Letras, 1998.

Todd, S. L. *et al.* "Effect of age at onset of deafness on children's speech perception abilities with a cochlear implant". *The Annals of Otology, Rhinology and Laryngology*, v. 100, 1991, p. 883-88.

Trousseau, A. "De l'aphasie". In: Hécaen, H.; Dubois, H. (eds.). *La naissance de la neuropsychologie du language*. Paris: Flammarion, 1877/1969, p. 190-265.

Valadão, M. V. *et al.* "Língua brasileira de sinais e implante coclear: relato de um caso". *Revista Educação Especial*, v. 25, n. 42, Santa Maria, 2012, p. 89-100.

Vargha-Khadem, F. *et al.* "Onset of speech after left hemispherectomy in a nine-year-old boy". *Brain*, n. 120, 1997, p. 159-82.

Virole, B. "Implantation cochléaire et langue des signes – Une cohérence fondatrice". In: Goirouben, M.; Virole, B. *Le bilinguisme aujourd'hui et demain*. Paris: Coedition CTNERHI, 2003, p. 165-68.

Vygotsky, L. S. *A formação social da mente*. São Paulo: Martins Fontes, 1988.

______. *Fundamentos de defectología*. Playa: Pueblo y Educación, 1995.

______. *Pensamento e linguagem*. São Paulo: Martins Fontes, 2000.

Wad, P. "Língua materna produto de caracterização social". In: Vermes, G.; Boutet, J. (orgs.). *Multilinguismo*. Campinas: Ed. da Unicamp, 1989, p. 89-107.

Wie, O. B. "Language development in children after receiving bilateral cochlear implants between 5 and 18 months". *International Journal of Pediatric Otorhinolaryngology*, n. 74, 2010, p. 1258-66.

Yamaka, D. A. R; Silva, R. B. P; Zanolli, M. L.; Silva, A. B. P. "Implante coclear em crianças: a visão dos pais". *Psicologia: Teoria e Pesquisa*, v. 26, n. 3, 2010, p. 465-73.

Zatorre, R. J. "La représentation des langues multiples dans le cerveu: vieux problemes et nouvelles orientations". *Languages*, n. 72, 1983, p. 15-31.

Zorzi, J. L. *Linguagem e desenvolvimento cognitivo: a evolução do simbolismo na criança*. São Paulo: Pancast, 1994.

Anexos

OS SURDOS QUE PARTICIPARAM DA PESQUISA

Luís

Luís nasceu em 28 de dezembro de 1996. No início desta pesquisa, ele tinha 4 anos e 5 meses. Começou a frequentar o Cepre no primeiro semestre de 2001. Antes, fazia parte do Programa de Família e apenas sua mãe ia ao Centro para ter aulas de língua de sinais.

Ele tem, na família, um primo de segundo grau que é surdo, mas que mora no Piauí. A avó percebeu que Luís não ouvia e a família procurou um médico na cidade onde morava, que afirmou que o menino não tinha nenhum problema. Segundo a mãe, os médicos de lá "não descobrem as coisas" e a família foi para Campinas (SP) para tratar do filho, saber, de fato, se ele era surdo ou não.

Chegando à cidade, a criança realizou exames e passou por consultas com médicos que o encaminharam ao Cepre. No entanto, os especialistas nada disseram com relação à sua possível surdez. Uma das reuniões foi realizada com seu marido e ela acredita que algo possa ter sido dito a ele nesse dia, porém, quando ao ser interrogado sobre isso, ele nada lhe responde.

Luís não usa prótese auditiva e os sons que ouve reduzem-se a batidas na porta e barulho de fogos de artifício. Tem dois irmãos que ouvem bem, mas um deles, segundo a mãe, tem muita dificuldade para falar. Luís comunica-se por poucos sinais (papai, água, tomar banho). De acordo com a mãe, ele os compreende, mas usa-os apenas "quando quer". Luís grita muito para chamar a atenção de todos. Quando não é compreendido, fica nervoso, corre para a cama e chora. Quando quer algo, aponta, diz "a" e começa a gritar.

A mãe afirma que não sabe muito a língua de sinais. Já o pai a desconhece, não utiliza nem mesmo gestos. Apenas se comunica com o filho por meio da fala. Para ela, o pai, por já ter tido contato com outros surdos na família, sabe falar com Luís, e este o entende.

A mãe reconhece que tem dificuldade para aprender a Libras. Em muitos momentos, quando encontra dificuldades, espera até encontrar uma pessoa que a domine para lhe mostrar o sinal correspondente à palavra que estava querendo dizer.

Ela aprende língua de sinais em casa e no Cepre, mas ainda a conhece muito pouco. Em casa, aprendeu com um rapaz de uma igreja que se propôs a ensiná-la a ela e a seu filho. Porém, depois de certo tempo, ao não concordar em ir à igreja do instrutor, este desapareceu. A mãe acha que Luís deve aprender a falar, pois ela não sabe sinais e, caso ele os faça, ela não os entenderá. Em sua opinião, Luís deve saber tanto falar quanto usar a Libras.

Luís estuda na pré-escola de um colégio regular e a mãe relata que a professora não se queixa de problemas. Porém, segundo a docente, Luís é uma criança desatenta e que falta muito à escola. Ao que parece, quando vai ao Cepre (três vezes por semana), ele falta no colégio. Ou seja, só vai à aula duas vezes por semana, em média.

A professora se interessa por aprender a língua de sinais. Na sala de aula há o alfabeto digital, com figuras abaixo da letra inicial correspondente. No entanto, ela ressalta que, mesmo usando com os outros alunos ouvintes alguns sinais que conhece com Luís, este dificilmente os utiliza. É muito raro ele fazer algum sinal na sala, espontaneamente ou por imitação. Aliás, a docente acrescenta que inicialmente ele "não queria saber de gestos"; foi preciso inserir os sinais em brincadeiras com as outras crianças para que ele começasse a imitá-los, mas "contam-se nos dedos as vezes em que isso acontece".

Mesmo assim, ele teve progressos. Era muito isolado e, agora, começou a interagir com as outras crianças. Na sala, nunca falou nada.

Vocaliza esporadicamente apenas quando quer chamar a atenção de alguém.

Bianca

Bianca nasceu em 5 de abril de 1995. No início desta pesquisa, ela estava com 6 anos. A mãe teve rubéola no terceiro mês de gestação e, mesmo sabendo dos riscos de sequela, optou por ter a criança. Ela acreditava que poderia ter um filho normal. Bianca era filha única do casal, até a data em que esta pesquisa foi realizada. Ela foi diagnosticada aos 4 meses com uma hipoacusia neurossensorial profunda bilateral devido à infecção congênita causada pelo vírus da doença.

Aos 6 meses de idade, Bianca deu início aos atendimentos no Cepre. A mãe não apresentou nenhum tipo de resistência em aprender a língua de sinais, passando a usá-la com a criança desde então. Atualmente, Bianca usa tanto a língua de sinais quanto a fala para se comunicar. Ela também participa de sessões de fonoaudiologia desde pequena.

Tanto o pai e a mãe quanto alguns membros da família usam os sinais e a fala com a menina. Atualmente, sua professora da pré-escola participa das aulas no Cepre de língua de sinais.

Bianca estuda na pré-escola de um colégio regular. Lá, há uma professora itinerante que faz a tradução da aula do português oral para a língua de sinais duas vezes por semana. Quando esta não vai à escola, a professora regultar usa sinais com a fala. A docente diz não ter problemas com a criança. Ela faz todas as tarefas e presta atenção nas aulas. Bianca também não tem dificuldade com as colegas da escola. Além de falar, ela ensinou a língua de sinais às amigas e, assim, elas têm uma boa interação.

A mãe de Bianca sempre foi muito interessada em aprender a língua de sinais. Ela tem consciência de que esta é "a língua de sua filha" e por isso faz uso dela constantemente. Tudo que ocorre ela relata a Bianca em sinais, e até canta com a filha.

Bianca usa prótese auditiva e, com ela, consegue ouvir e discriminar os sons ambientais, mas não os sons da fala. Ela é consciente de que não ouve e sempre pede à mãe que "traduza" o que está sendo dito oralmente para a língua de sinais. Há momentos em que ela pergunta à mãe se esta está entendendo o que ela, Bianca, está falando.

Episódios com a mãe e com Bianca com 2 anos de idade foram gentilmente cedidos por Tereza Rossi (2000) para ser considerados nesta pesquisa.

Vinícius

Vinícius nasceu em 20 de junho de 1993 e atualmente mora em Brasília. No início desta pesquisa, ele estava com 7 anos. Não há casos de surdez na família. A mãe percebeu o problema quando ele tinha aproximadamente 3 meses de idade. Vinícius não reagia aos sons, exceto aos de aviões e fogos de artifício, mesmo em intensidade elevada. Com 6 meses, um otorrinolaringologista diagnosticou sua surdez. Após vários exames, constatou-se que a mãe foi acometida de citomegalovírus no final da gravidez.

Vinícius começou a usar prótese auditiva aos 6 meses de idade nos dois ouvidos e desde os 7 faz fonoterapia com a mesma profissional. Desde o início, os pais tiveram orientação para continuar falando com o filho normalmente. Eles sempre consideraram a compreensão importante na sua interação com a criança. Por isso, quando a criança não entendia o que lhe era dito oralmente, eles sempre usavam gestos. Estes foram diminuindo à medida que Vinícius foi adquirindo a fala. Os pais também nunca cobraram do filho uma fala perfeita. Não havia, assim, correções sobre uma palavra mal pronunciada.

Vinícius fazia sessões de fonoaudiologia três vezes por semana, com duração de 45 minutos cada uma. Com a prótese auditiva, tinha os resíduos auditivos aproveitados. Ele emitia algumas palavras como "mamã", "bebê" e "vovó" e começou a usar leitura orofacial. Aos 2 anos e 2 meses, disse as primeiras palavras, mas comunicava-se por fala e gestos, necessitando sempre destes para compreender o que lhe era dito. Seus enunciados só eram compreendidos pela família e, nessa época, ele era muito agressivo.

Segundo a fonoaudióloga, até os 3 anos Vinícius tinha iniciado bem o processo de aquisição de linguagem. Após essa idade, ele se tornou violento e diminuiu a linguagem oral. Percebeu-se que ele estava tendo uma perda auditiva progressiva, decorrente do citomegalovírus, e, consequentemente, do resíduo auditivo. A profissional sugeriu aos pais o implante coclear. Assim, a família procurou o CPA a fim de realizar exames detalhados e conhecer as possibilidades desse tipo de tratamento. Segundo o pai, essa decisão não foi muito fácil, pelo tipo de cirurgia que o implante requisitava.

Aos 4 anos e 9 meses (em 2 de fevereiro de 1998), Vinícius fez a cirurgia de implante coclear (núcleos 22), realizando a ativação dos eletrodos um mês depois (em 11 de março de 1998). Depois desse período, a criança mudou seu comportamento. Passou a interagir bem com outras crianças e seu desempenho escolar melhorou. A família relata que a criança passou a acompanhar a classe regular com êxito e os comportamentos agressivos foram diminuindo até desaparecer. Em audiometria de campo, após o implante, a média foi de 35db (com AASI, era de 65db e sem a prótese, 115db).

As terapias eram todas lúdicas. A fonoaudióloga comenta que Vinícius tinha escuta incidental e esta favoreceu a construção da linguagem. No início, havia uma diferença grande entre a capacidade auditiva e a de linguagem, mas ela foi diminuindo com o tempo até se igualar com a das crianças ouvintes. Ela também relata que as professoras da escola ressaltaram que ele tem um vocabulário superior à média das crianças de sua idade. Vinícius estuda em escola regular, cursando o terceiro ano. Hoje, não tem dificuldades com o conteúdo escolar, embora durante o segundo ano tivesse professora particular.

Atualmente, ele faz terapia fonoaudiológica apenas uma vez por semana, com duração de uma hora. Pode-se dizer que está em processo de alta.

Fernando

Fernando nasceu em 29 de março de 1996. A avó materna percebeu que a criança não ouvia quando esta tinha 3 meses. No entanto, o pediatra preferiu aguardar que o menino completasse 6 meses para encaminhá-lo ao otorrinolaringologista. Com o exame Bera, foi diagnosticada uma surdez profunda bilateral, sem etiologia definida. A mãe procurou outros médicos para confirmar o diagnóstico e, com 1 ano de idade, a criança começou a usar prótese auditiva (546 binaural). No entanto, com a prótese, Fernando não tinha percepção para a fala, conseguindo ouvir apenas ruídos, como os de um caminhão.

O garoto faz terapia fonoaudiológica desde 1 ano de idade. Antes do implante, ele só emitia poucas palavras ("vovó", "papá", "mamã"), fazia uso de leitura labial e usava gestos indicativos para se comunicar e compreender os outros. A mãe comenta que a criança era muito agitada. Aos 3 anos, começou a frequentar o Cepre. No entanto, sua mãe nunca se sentiu bem fazendo sinais e sempre argumentava que tal língua não era universal, lamentando que o filho só se comunicaria com os surdos.

Ela buscou o CPA depois de uma reportagem que viu no programa televisivo *Fantástico* sobre o implante coclear. Logo que entrou em contato com o instituto, parou de utilizar sinais com o filho e aguardou ser chamada para fazer a cirurgia. Fernando deixou de fazer os sinais três semanas depois de a mãe ter parado de usá-los. Ela defende a ideia de que o surdo deve falar e não usar a língua de sinais, já que "o mundo é dos ouvintes".

Fernando realizou o implante coclear (núcleos 22) no ouvido direito com 3 anos e 8 meses (19 de novembro de 1999), e a ativação dos eletrodos foi realizada dois meses depois (24 de janeiro de 2000). Sua audiometria ficava em torno de 110 db para as frequências da fala. Com o implante coclear, a audiometria de campo ficou em torno de 35 db e a logoaudiometria, 25 db.

Apesar de ter feito implante coclear um ano e meio (20 de junho de 2001) antes da coleta desses dados, ele ainda possui vocabulário restrito e usa apenas algumas palavras para comunicar-se oralmente, além de gestos.

Fernando cursa o primeiro ano em uma escola regular, numa classe de 26 alunos. Chamou-me a atenção o índice de ruídos do local durante o recreio, ou mesmo durante a aula, o que faz os professores terem de falar muito alto. Fernando senta de frente para a professora. Ela não usa gestos, mas comenta que o menino muitas vezes não entende o que é dito, apesar de "ter uma coordenação motora melhor que a de muitos alunos na sala". A coordenadora também está preocupada com a aprendizagem escolar de Fernando. Ela acredita que ele deve ter uma professora de reforço, pois pode não acompanhar o desempenho dos outros alunos.

Os dados de Fernando correspondem às entrevistas com a mãe, a fonoaudióloga e a professora da escola regular, além de episódios de sua interação na sala de aula com a mãe e a fonoaudióloga.

Fábio

Fábio nasceu em 19 de julho de 1989 e tem deficiência auditiva bilateral profunda. No início desta pesquisa, ele estava com 12 anos. A mãe suspeitou de rubéola aos 5 meses de gestação. Quando o filho tinha 6 meses de idade, notou que ele não ouvia. Aos 2 anos, ele foi levado ao otorrinolaringologista, quando lhe foi indicado o uso de prótese auditiva.

Antes do implante, Fábio fazia leitura labial e emitia algumas palavras (como "papa" e "vô"). Usava a fala, mas, para ser compreendido, preferia o uso de gestos. Era uma criança bem agitada.

Ele realizou a cirurgia de implante coclear (núcleos 22) aos 6 anos e 2 meses (13 de setembro de 1995) e fez a ativação dos eletrodos dois meses depois (28 de novembro de 1995). Na entrevista, a mãe demonstrou ansiedade com relação aos resultados e uma preocupação muito grande com relação aos gestos que outras pessoas fazem para se comunicar com a criança. Em casa, os pais não permitem gestos. Em 1997, de acordo com as anotações do prontuário do CPA, a mãe é descrita como "muito dedicada e que quer saber quando verá o retorno de toda a sua dedicação". Ela demonstrou um grau de exigência muito grande quanto à fala da criança, considerada, por ela, "distorcida". Comentou que, apesar disso, após o implante, Fábio já constrói pequenas frases. Com o implante coclear, sua audiometria para as frequências da fala fica em torno de 45 db.

Os dados de Fábio correspondem a episódios de interação com a mãe e com a fonoaudióloga. A mãe e a fonoaudióloga de Fábio foram contatadas por telefone, mas não foi possível realizar a entrevista, pois ambas moram no Ceará.

Taís

Taís nasceu em 23 de janeiro de 1994 e, no início desta pesquisa, estava com 8 anos e 1 mês. A gestação da mãe foi normal, mas Taís teve icterícia quando nasceu, que evoluiu de fisiológica para patológica. A mãe se queixa de que ninguém lhe alertou que a icterícia poderia causar surdez. A menina nasceu vinte dias antes do previsto e teve atraso neurológico e refluxo esofágico, vomitava muito; por isso, a mãe não podia estimulá-la. Dessa forma, fazia de tudo para que a criança ficasse quieta. Talvez por isso não tenha percebido a surdez antes.

Uma amiga da mãe comentou sobre a possibilidade de Taís apresentar surdez quando viu que a porta bateu e a criança não acordou. Quando ela tinha 1 ano, a mãe chamava-a e ela não atendia. Só depois dessa época os pais começaram a ficar desconfiados, mas nenhum falava ao outro sobre o medo de a filha ser surda. Apesar da desconfiança, eles demoraram mais algum tempo para discutir o assunto, por temer a verdade. A sogra, que é enfermeira, também desconfiou da surdez e pediu que o filho fizesse testes, como bater porta e panelas. Percebendo que ela não reagia aos sons, o pai levou-a ao médico. Foi diagnosticada uma perda de 90 db nos dois ouvidos.

Segundo a mãe, Taís faz parte dos 30% dos casos de surdez cuja causa ninguém sabe explicar. Por esse motivo, sua filha faz parte de uma pesquisa genética para saber a possível causa. A mãe diz que optou pela pesquisa para que a menina possa decidir, futuramente, se quer ou não ter um filho.

Desde os 2 anos, Taís é atendida pela mesma fonoaudióloga. Ela foi para uma escola de ouvintes. Nessa época, ainda não havia adquirido a fala e comunicava-se apenas por gestos. Por esse motivo, ficava irritada. A mãe foi aconselhada pela especialista a matriculá-la em uma escola especial. Procurou várias escolas e optou pela Derdic. Taís permaneceu lá por três anos, até a antiga primeira série.

A mãe mostrou-se decepcionada com a proposta da Derdic, pois, segundo ela, o aluno "pode" cursar dois anos para cada série, se necessário (as crianças cursam a primeira série A e depois passam para a primeira série B). Dessa forma, sua filha terminaria o ginásio com 22 anos. Conversando com a professora do Centro, esta me explicou que os conteúdos são diferentes nas duas séries. Como há o ensino da língua portuguesa na modalidade escrita, são necessários dois anos para que a aprendizagem dos conteúdos possa ocorrer por completo. Naturalmente, um aluno pode passar logo para a segunda série se conseguir acompanhar o conteúdo. Leva-se em conta o desempenho do aluno no aprendizado escolar, independentemente do tempo que ele passe em uma ou outra série.

Em 2001, a mãe decidiu fazer a cirurgia de implante coclear (núcleos 22). A fonoaudióloga já havia sugerido isso há alguns anos, mas a decisão só foi tomada após encontrar uma criança, na sala de espera da fonoaudióloga, que falava muito bem devido ao sucesso da cirurgia. Depois desse dia, a mãe "não conseguia mais dormir", sentindo-se culpada por não ter feito o implante coclear antes e ter deixado sua filha presa ao "mundo do silêncio" durante tanto tempo.

Com o implante, Taís começou a ouvir sons que antes não ouvia: de telefone, da fala e de palmas. As expectativas da mãe são muito grandes e baseiam-se sempre em casos de sucessos que já viu. Por ter sido orientada de que a língua de sinais prejudicaria a fala, resolveu colocar a filha numa escola ouvinte.

Assim, no início desta pesquisa, Taís estudava numa escola regular pela manhã e na Derdic à tarde. Um mês após o início da coleta dos dados, a mãe retirou-a da Derdic. Ela acredita que, por ser uma escola que privilegia a língua de sinais, poderia dificultar a aquisição da linguagem oral pela filha.

Taís estuda atualmente em uma escola ouvinte com seis alunos na sala. A professora não usa língua de sinais, apesar de ter se prontificado a aprendê-la. A mãe pediu que ninguém usasse língua de sinais ou mesmo gestos, assim como também procurou diminuir as rotinas interativas da filha em Libras. Antes, havia pedido que toda a família aprendesse essa língua. Atualmente, pede que usem apenas a fala. Os pais ainda continuam a usar sinais. Segundo o pai, é praticamente automático para ele seu uso com a fala.

A menina ainda necessita da leitura labial para entender o que lhe é dito. Quando quer expressar-se, geralmente usa a língua de sinais e um pouco de fala. Na escola de surdos, compreendia tudo que a professora falava e conversava muito com os amigos em Libras. Na escola ouvinte, fala menos e tenta se comunicar por gestos e oralidade. Tem muita dificuldade de entender somente pela leitura labial e pelo contexto situacional. Ninguém sabe língua de sinais na escola.

Ricardo

Ricardo tem 37 anos. Ficou surdo quando tinha 1 ano e meio de idade. Nessa época, falava "papai", "mamãe", "água", "vovô"e "vovó". Os pais só descobriram sua surdez quando ele tinha 2 anos e meio. Segundo sua mãe, as pessoas diziam que "tem criança que demora mesmo a falar". Ela só começou a se preocupar quando Ricardo começou a falar "errado" as poucas palavras que já falava corretamente. Nesse período, ele foi a um otorrinolaringologista, que o diagnosticou com surdez severa, e, a partir de 2 anos, começou a usar prótese auditiva.

Diz que com a prótese ouve os sons, mas não os discrimina. Ainda assim, só a tira para tomar banho e dormir. Mesmo sem entender o que está sendo dito, ele ressalta a sua importância, principalmente dentro de situações de linguagem contextualizadas.

Sua mãe foi professora da escola de surdos em que ele estudou por 13 anos, no Rio de Janeiro, e, segundo ele mesmo, foi a grande responsável por sua fala ser tão boa. Ele não soube explicar ao certo seu grau de perda. A mãe acha que é severa. Ela não entende muito a parte audiológica, mas acredita que o filho tem audição de 15% em um ouvido e de 20% em outro. Considera que o bilinguismo ou a comunicação total é muito ruim para o surdo: "Eu condeno a língua de sinais". Para ela (relato por telefone), o surdo fica acomodado em falar só com sinais e não procura exercitar a fala. Quando vai falar com outras pessoas, não sabe. E as pessoas não sabem sinais.

Atualmente, não está estudando. Interrompeu os estudos no segundo ano do curso de administração por falta de condições financeiras. Domina bem a língua portuguesa escrita e constantemente ajuda sua mulher, que faz pedagogia e também é surda, nas interpretações dos textos. Ele é presidente da Associação dos Surdos de uma cidade do interior de São Paulo. Foi eleito por voto direto e concorreu com outros dois surdos que usavam apenas língua de sinais. Hoje, a posição defendida pela Associação – que possui 150 surdos, além de cerca de sete ouvintes professores, intérpretes e alguns leigos – é o bilinguismo.

Ricardo sempre gostou do oralismo. Quando não compreende a fala do interlocutor, pede à pessoa que repita ou escreva. Ele ressalta que, apesar de falar bem, é discriminado na hora de procurar emprego. Certa vez, concorreu a um cargo de digitador. Apesar de ser o mais rápido do grupo, não conseguiu a vaga porque o chefe lhe perguntou: "O que é isso no seu ouvido?" Sabendo que ele era surdo, não o empregou. Ele comenta que emprego para surdo é difícil, mesmo quando este fala muito bem.

Ricardo só usa a língua de sinais com ouvintes se a pessoa quiser treinar essa língua, pois prefere a fala. Atualmente, dá cursos de língua de sinais. Fez curso para instrutor surdo com Paula (ver relato abaixo). Acrescenta que aprimorou o curso de língua de sinais da Feneis pois neste não havia trabalho com diálogo, o que, para ele, é importante ao aprendizado de uma língua. Também é conselheiro do orçamento participativo da prefeitura de sua cidade.

Paula

Paula tem 27 anos e uma irmã que também é surda. Sua surdez não é profunda. Ela comenta que estudou em escola oralista, mas só aprendeu alguma coisa com uma professora de reforço que lhe ensinou a língua de sinais. Os pais nunca a forçaram a falar e ela afirma ter aprendido por vontade própria.

Paula estudou em uma escola para surdos e, depois, no Cepre. Fez supletivo e, logo depois, fez o curso para formação de instrutores surdos no Ministério de Educação e Cultura. Até o momento da entrevista, era a única autorizada em Campinas a dar cursos para formar instrutores surdos e trabalhava como professora numa escola especial. Ela também comenta a respeito da dificuldade de arranjar emprego por ser surda.

Quando liguei ao seu pai para marcar a entrevista e comentei a respeito de minha pesquisa, ele me pediu que mencionasse que não há vagas para os surdos no mercado de trabalho. A lei que obriga as empresas a contratar um percentual de deficientes não é cumprida. Segundo ele, sua filha procura emprego e nunca consegue.

Paula considera-se bilíngue. Sua primeira língua foi a de sinais e a segunda, o português escrito. Apesar disso, Paula comunica-se bem oralmente. No entanto, percebi que, por posições políticas, prefere não defender tanto a fala nem ser filmada (para a entrevista) falando.

Dalva

Dalva tem 54 anos e faz parte de uma família integrada por quatro surdos e quatro ouvintes. Ela estudou no Instituto Santa Terezinha, em São Paulo. Nessa época, a abordagem da escola era o oralismo. Dalva aprendeu a falar na escola, com 7 anos, e em casa usava basicamente gestos e um pouco de fala. Ela nunca usou a língua de sinais em casa porque nenhum de seus irmãos a usava. A comunicação era feita apenas por gestos familiares. Disse que sofria muito porque a mãe não sabia conversar com ela. Dalva aprendeu a falar sem o auxílio de nenhuma prótese auditiva, pois sua família era pobre e não tinha dinheiro para isso. Quando experimentou uma, já era adulta e não se acostumou com ela, afirmando que lhe causava dor de cabeça.

Dalva começou a trabalhar como digitadora. Estudou em escola especial até a antiga quarta série e depois foi para escola regular. Fez magistério e posteriormente cursou Pedagogia em São Paulo. Graduou-se pedagoga e há 22 anos dá aulas aos surdos. Sua abordagem é a comunicação total. Ela acredita que o surdo deve aprender a falar primeiro para depois aprender a língua de sinais. Não discorda do bilinguismo, mas diz que essa abordagem prejudica o português, já que a criança escreverá com a estrutura da língua de sinais.

Ela ainda ressalta a falta de formação superior dos instrutores surdos. Não concorda que um instrutor possa ter apenas o segundo grau, pois este ainda tem um vocabulário reduzido. Há várias palavras que desconhece e muito a aprender sobre ensino.

Dalva é casada com Davi, um advogado antes ouvinte que perdeu subitamente a audição. Ele se comunica com dificuldade por leitura labial. Usa principalmente a fala e a escrita e não quer aprender a língua de sinais.

Dalva pediu que sua entrevista não fosse gravada porque acha sua voz "muito feia". Um dia após a entrevista, recebi um fax de seu marido, dizendo que ela havia ficado preocupada com a entrevista porque me viu tentando escrever o que ela dizia rapidamente, ao mesmo tempo que usava a fala e a língua de sinais. Assim, pediu-me que a enviasse por fax porque gostaria muito de responder às perguntas com calma. Dessa forma, os relatos de Dalva nesta pesquisa foram coletados parcialmente por escrito e parcialmente por meio de seu relato oral e em língua de sinais.

Jorge

Jorge tem 55 anos e há quatro perdeu completamente a audição. Sua família tem um histórico de surdez: sua mãe e seus três irmãos têm perda progressiva da audição causada por ostosclerose. Sua audição começou a ser prejudicada aos 20 anos. Nessa época, tinha bastante dificuldade oral e achava sua fala parecida com a de um "débil mental". Seu conhecimento sobre o implante coclear foi casual. Encontrou uma pessoa na padaria que lhe falou sobre o implante. Assim, ele foi procurar a cirurgia na Unicamp.

Jorge realizou o procedimento há oito meses da data desta pesquisa. Após a ativação dos eletrodos, recomeçou a ouvir todos os ruídos ambientais. Segundo ele, inicialmente não compreendia bem a fala das pessoas. Os sons não eram os mesmos de antes. Disse também ter lembranças indefinidas quanto à memória dos sons. Contudo, ressalta que o implante coclear foi algo "maravilhoso" que ocorreu em sua vida. Hoje, consegue falar ao telefone e conversar com amigos, e sua fala melhorou muito, está praticamente normal. Entretanto, afirma que gostaria que o implante coclear tivesse o mesmo som do aparelho retroauricular. Para ele, este tinha um som mais perfeito. Já o implante coclear lhe proporciona uma sensação auditiva de "eco" e não o faz perceber com definição as modulações das vozes das pessoas. Ele não distingue, por exemplo, no telefone, voz de homem e de mulher.

Apesar dessas dificuldades iniciais, Jorge acredita que possa haver um progresso em sua audição, já que nesse primeiro ano conseguiu ouvir mais, embora ainda não consiga entender as músicas que ouve. Ele indica a cirurgia do implante coclear a todas as pessoas que ficaram surdas.

Silvia

Silvia tem 37 anos e perdeu completamente a audição aos 26. Desde então, começou também a ter dificuldades para falar. Ela tem um irmão com surdez profunda. Aos 36 anos, ficou sabendo, pelo jornal, que na Unicamp faziam a cirurgia de implante coclear e interessou-se em procurar informações. Após a cirurgia, segundo seu relato, o que mais a emocionou foi ouvir o canto dos pássaros. Ela disse que o som, no início, era diferente, mas com o tempo foi conseguindo discriminá-lo melhor. Atualmente, já consegue até ouvir e entender as letras das músicas. Disse que o segredo para o implante coclear funcionar é colocá-lo e não tirá-lo, pois conhece casos de pessoas que fizeram o procedimento e não conseguem ficar com o aparelho ligado por muito tempo. Ela diz que essas pessoas devem usá-lo mesmo que faça apenas barulho, para poder, posteriormente, entender todos os sons.

A autora

ANA PAULA SANTANA é fonoaudióloga e mestre e doutora em Linguística pela Universidade de Campinas (Unicamp). Atualmente, é docente do curso de graduação em Fonoaudiologia e de pós-graduação em Linguística da Universidade Federal de Santa Catarina. É pesquisadora do CNPq e Capes. É líder do grupo de pesquisa "Linguagem, cognição e audição: implicações para a educação e saúde". Realiza pesquisa sobre a linguagem e suas patologias, educação, surdez e letramento. É também autora de *Escrita e afasia* (Plexus, 2002) e organizadora das coletâneas *Abordagens grupais em fonoaudiologia: contexto e aplicações* (Plexus, 2007), *Perspectivas na clínica das afasias: o sujeito e o discurso* (Santos, 2009) e *Fonoaudiologia em contextos grupais: referenciais teóricos e práticos* (Plexus, 2012).

E-mail: anaposantana@hotmail.com.

www.gruposummus.com.br

IMPRESSO NA
sumago gráfica editorial ltda
rua itauna, 789 vila maria
02111-031 são paulo sp
tel e fax 11 2955 5636
sumago@sumago.com.br
GRÁFICA
sumago